VELIMIR KHLEBNIKOV
POÈTE FUTURIEN
I

BIBLIOTHÈQUE RUSSE DE L'INSTITUT D'ÉTUDES SLAVES

TOME LXIV/1

VELIMIR KHLEBNIKOV

POÈTE FUTURIEN

TOME PREMIER

PAR

Jean-Claude LANNE

PARIS

INSTITUT D'ÉTUDES SLAVES

9 rue Michelet (VIe)

1983

ILLUSTRATIONS ET COUVERTURE DE CLAUDE LASSERRE

ISSN 0078-9976
ISBN 2-7204-0187-0 Invalid

À mes parents

C'est avec un vif plaisir que je remercie tous ceux qui m'ont apporté leur concours dans la réalisation de ce travail : Monsieur J. Bonamour qui, avec une constante bienveillance, m'a guidé et conseillé tout au long de mes recherches ; Monsieur E. Etkind qui m'a fait profiter amicalement de son érudition en laquelle j'ai trouvé une aide précieuse ; Monsieur V. Markov qui, en 1975, à l'Université de Californie, a eu l'amabilité de m'accorder un long entretien sur les problèmes de la « khlebnikovologie » ; Monsieur B. Goriély, qui me fit part, dès 1972, de ses propres travaux sur le poète russe.

Que soient également remerciés pour leur aide amicale, dans la traduction des textes anglais, Mademoiselle M. Labeyrie, dans la communication et la traduction de documents japonais, Monsieur I. Kameyama.

Enfin, je tiens à exprimer toute ma gratitude au personnel du Service russe de la Bibliothèque Nationale ainsi qu'à celui de la Library of Congress à Washington, pour leur très aimable collaboration.

J.-C. L.

AVERTISSEMENT

Tous les noms russes ont été translittérés selon les normes internationales. Pour la lettre x de l'alphabet cyrillique a été adopté le système de translittération suivant :

– kh pour le nom de Khlebnikov ;

– x pour tous les autres noms.

Les principes suivants ont été adoptés en ce qui concerne les textes russes :

– lorsque la citation n'excède pas deux ou trois lignes de texte dactylographié, elle est donnée, pour des raisons de commodité typographique, en translittération ;

– les citations excédant deux à trois lignes de texte dactylographié ainsi que les citations de poésie sont conservées en caractères cyrilliques.

On trouvera les Notes du texte rassemblées dans le tome II sous la numérotation suivante : n° de la page, n° de la note dans la page.

Les textes en langues étrangères autres que le russe ainsi que les textes russes en prose sont traduits en appendice (tome II), la page où figure la traduction étant indiquée en marge.

Enfin les abréviations suivantes ont été utilisées dans les références :

M. :	Moscou	L. : Léningrad
SPb. :	Saint-Pétersbourg	Pg. : Pétrograd
P. :	Paris	

Toujours pleins du Nombre et de l'Harmonie, ces poèmes seront faits pour rester.

Arthur Rimbaud
(Lettre à Paul Demeny, du 15 mai 1871)

Étudier la poésie de Khlebnikov peut paraître une entreprise singulièrement imprudente après la déclaration péremptoire de Majakovskij : « Khlebnikov n'est pas un poète pour consommateurs. On ne saurait le lire. Khlebnikov est un poète pour producteurs. »

Ce présent travail a toutefois été encouragé par la tâche qu'assignait Ju. Tynjanov à la critique littéraire désireuse d'entreprendre l'exploration d'une œuvre aussi complexe que celle de V. Khlebnikov ; l'étude était possible, assurait Tynjanov, à condition qu'elle respectât l'autonomie du poète, qu'elle en examinât l'œuvre comme un *système* se développant selon ses lois propres. Nous nous efforcerons de suivre ce programme, pour ainsi dire, en analysant les articulations majeures de la pensée de Khlebnikov. Nous examinerons également l'origine de ce système, son fonctionnement, ses méthodes, sans chercher à classer obligatoirement Khlebnikov dans une des grandes catégories construites par l'histoire littéraire russe au début du vingtième siècle : Khlebnikov, comme tout grand poète, est trop original, trop singulier pour se laisser réduire à une école littéraire ou à un mouvement quelconque, fût-ce celui du « futurisme », avec lequel son nom est bien souvent confondu. Le système poétique de Khlebnikov se contente de correspondre souverainement avec les lois qui le définissent, en dernière instance, comme *le* Monde.

Au cours de notre travail, nous avons tenu à développer ponctuellement certains problèmes de critique littéraire. Insérées dans le corps du texte, ces analyses auraient pu constituer autant de digressions, nécessaires sans doute, mais perturbatrices de l'ordre du discours ; nous avons jugé préférable de les reporter en notes, pour éviter toute rupture dans l'unité de l'exposé.

Première partie

APPROCHES DE KHLEBNIKOV

1

ESSAI DE BIOGRAPHIE POÉTIQUE

Мне, бабочке, залетевшей
В комнату человеческой жизни,
Оставить почерк моей пыли
По суровым окнам, подписью узника,
На строгих стеклах рока.

В. Хлебников, *Зангези.*

411 Биография Хлебникова равна его блестящим словесным построениям. Его биография – пример поэтам и укор поэтическим дельцам.

В. Маяковский, *В.В. Хлебников.*

« Sa biographie ne doit point écraser sa poésie. Il ne faut point se débarrasser de lui en prétextant sa biographie. » Ces mots de Tynjanov[1] excusent d'avance une entreprise visant à établir une biographie de Khlebnikov : la poésie de ce dernier ne saurait être épuisée par la seule écriture de sa vie[2], certes, mais une connaissance, même approximative, des gens et des livres, des événements et des paysages qui ont surgi, à un moment ou à un autre, sur son chemin d'errant solitaire, peut néanmoins permettre une meilleure appréciation de la constitution progressive de l'univers mental khlebnikovien, de comprendre aussi comment le poète, pour reprendre l'expression de Hölderlin, a «grandi dans l'étreinte des dieux»[3]. En un sens, Khlebnikov est même l'exemple d'une quasi-osmose entre poésie[4] et vie : sa biographie est la maturation externe de sa poésie, sa poésie est métaphore autobiographique. Ainsi, tout le matériau écrit laissé par Khlebnikov – lettres, poèmes, pièces de théâtre, essais théoriques, carnets intimes – peut contribuer à la construction de sa « biographie poétique », comme nous l'appellerons désormais, au même titre que les œuvres expressément autobiographiques (qui, elles, sont assez rares au demeurant[5]) ou que les témoignages, souvenirs, etc. écrits par ses proches, ses amis, ses compagnons de combat littéraire.

Viktor Vladimirovič Khlebnikov naît le 28 octobre 1885 (ancien style) « dans la steppe, en un lieu appelé *Xanskaja Stavka* [le quartier général des Khans], campement de nomades mongols confessant la religion du Bouddha, dans le fond desséché de ce qui fut autrefois une partie de la mer Caspienne (la mer aux quarante noms) » écrit-il lui-même dans une notice biographique de 1914[1]. Nul endroit, en somme, n'était mieux choisi pour accueillir celui qui devait croître sous le triple signe du ciel poétique : « Asie », « Océan » (des mots), « éveil-au-futur » (en jouant, d'une part, sur les racines russes de *bud* = « éveiller », et *bud* = « être » (au futur), et, d'autre part, sur le sens du mot sanskrit *Buddha* = « l'Éveillé »). Son père, Vladimir Alekseevič Khlebnikov, curateur pédagogique pour le district des Kalmouks, se disait volontiers disciple de Darwin et de Tolstoj. Il était passionné d'ornithologie. Sa mère, Ekaterina Nikolaevna Verbickaja, avait la réputation d'une femme fort cultivée, compétente en littérature, musique et peinture. L'ascendance ukrainienne de sa mère permettra plus tard au poète d'affirmer qu'il avait du sang zaporogue dans les veines, de ce sang qui l'unissait, lui, le « défricheur de continents poétiques nouveaux », ainsi que l'appelaient ses amis, à la famille des grands « découvreurs de terres » comme Prževal'skij, Mikluxo-Maklaj, eux aussi issus de la fameuse *Seč' Zaporožskaja*[2]. Plus tard, de Moscou ou de Saint-Pétersbourg, le poète reviendra souvent, physiquement et en pensée, vers Astraxan', lieu de sa patrie spirituelle où se coupent les voies de la Russie européenne et de l'Asie, se confondent les vagues de la mer Caspienne et de la Mère-Terre Russie (pour reprendre le jeu des racines familier à Khlebnikov : *more/materik*) :

> Тот город, он море стерег !
> И впрямь он был моря столицей.
> На Ассирию башен намек...[3]

Le paysage d'enfance surgit dans un souvenir poétique tardif, confié au *Carnet intime*[4] :

> Меня окружали степь, цветы, ревучие верблюды,
> Кругообразные кибитки,
> Море овец...

En 1898, le jeune Viktor entre au lycée de Simbirsk, où la famille avait déménagé après un bref séjour en Volhynie. Puis, suite à un nouveau déménagement, c'est à Kazan' que l'adolescent termine ses études au lycée en 1903. C'est à cette époque, probablement, que Khlebnikov commence à écrire de la poésie[1]. La même année 1903, il entre à l'Université, s'inscrivant à la section de mathématiques, où il s'initie à la géométrie de Lobačevskij (celui-ci fut d'ailleurs le recteur le plus illustre de l'Université). L'année suivante, il change d'option et passe à la section de sciences naturelles. Pendant ces années d'études, il rêve déjà à la *régénérescence de la langue*[2] et commence à réfléchir aux problèmes de la langue[3], du temps, de l'espace, aux relations du chiffre et de l'histoire, lorsque celle-ci éclate en une date retentissante : ...1905, Tsushima. Désormais le firmament poétique se complète des deux autres signes qui marqueront à tout jamais l'inspiration khlebnikovienne : l'exaltation de la patrie slave (surtout lorsqu'elle est humiliée par les « étrangers », agresseurs de son sol ou de ses lettres) et la quête du Nombre salvateur, qui donne sens à l'événement, et, partant, à l'histoire :

411 Законы времени, обещание найти которые было написано мною на березе (в селе Бурмакине, Ярославской губернии) при известии о Цусиме...[4]

La défaite inspire un poème vengeur et ultra nationaliste dont le dernier vers est un avertissement au frère ennemi d'Extrême-Orient :

Бледнейте, смуглые японцев лица ![5]

Le début de la première décennie du siècle est aussi l'époque où l'intelligentsia et la jeunesse universitaire s'agitent un peu partout dans le pays, préparant l'explosion révolutionnaire de 1905. Khlebnikov, en jeune homme ayant reçu une éducation politique normale dans son milieu, c'est-à-dire antigouvernementale, paie son premier rendez-vous avec la révolution (ou, plus simplement, avec l'émeute) d'un mois de prison[6]. Ces années-là (1904-1905 et suivantes) amorcent également la période d'un apprentissage littéraire sérieux, mené parallèlement à des études universitaires, que marquent la publication de deux ouvrages scientifiques[7] ainsi qu'une expédition scientifique dans l'Oural. Khlebnikov soumet ses manuscrits au jugement de M. Gor'kij, qui les lui renvoie, après les avoir annotés[8]. Il écrit dans le style dominant de l'époque, c'est-à-dire comme les symbolistes[9]. On peut néanmoins déceler déjà dans ses premières productions quelques traits originaux, bien « khlebnikoviens » : un intense attrait pour la slavité (qui est aussi, chez lui, le chemin de la gloire), un goût prononcé pour le passé national, voire pour le passé le plus reculé, pré-historique, et un penchant fort vif pour la création verbale par néologismes. Ainsi l'atelier de l'avenir s'édifie peu à peu à l'ombre du majestueux portique symboliste. Au printemps 1908, il part pour la Crimée avec ses parents – c'est sans doute là qu'il compose *Krymskoe*, *Alčak* et le cycle « Krymskie Stixi »[1]. A la même époque, il adresse une lettre à Vjačeslav Ivanov, dans laquelle il lui demande avis et conseils sur des vers qu'il lui envoie[2]. Ainsi Ivanov, un des grands maîtres du symbolisme, apparaît dans le rôle du premier « tuteur » littéraire du jeune Khlebnikov, avant même l'arrivée de ce dernier dans la capitale[3]. Il n'est pas exagéré d'affirmer que le premier Khlebnikov (celui des années 1905-1910) est un néophyte du symbolisme, grandissant sous l'influence reconnue et proclamée des symbolistes russes et de la poésie française qu'il lit dans l'original[4] (et aussi dans la traduction qu'en donnent les symbolistes, notamment Brjusov[5]). Cette archéologie du savoir poétique khlebnikovien n'est pas inutile dans la mesure où elle peut expliquer le violent rejet du symbolisme et de l'occidentalisme poétique opéré plus tard par le poète à l'époque de sa maturité, qui coïncidera – et ce n'est peut-être pas là un hasard – avec son éloignement des cercles symbolistes et para-symbolistes de la capitale.

Quoi qu'il en soit, c'est un jeune homme plein d'ambitions poétiques et décidé à s'affirmer dans les cercles littéraires dominants à l'époque, les cercles symbolistes, qui arrive à Saint-Pétersbourg à l'automne 1908. Il s'inscrit d'abord à l'Université, comme étudiant à la section de sciences naturelles, puis, après quelque hésitation pour la section des langues orientales, il opte pour des études philologiques (langues russe et slaves). Néanmoins, il n'abandonne pas toute idée de continuer la biologie, puisqu'il avoue, dans une lettre à son frère (datée de 1910) s'intéresser au problème de « l'origine des espèces »[6], problème qui, pour lui, déborde d'ailleurs largement la spécialité étroite de la biologie et deviendra un axe de sa pensée poétique[7]. De ces années d'étude, il n'y a pas grand-chose à retenir, sauf sans doute cet appel aux Slaves placardé sur les murs de l'université de Saint-Pétersbourg peu après son arrivée (automne 1908) et qui témoigne un nationalisme politique extrêmement chatouilleux[8]. L'année 1911 voit la fin d'études passablement dilettantes qui n'étaient, en fin de compte, que la périphérie, officielle et administrative, de la véritable activité de Khlebnikov depuis sa venue dans la capitale : la littérature[9]. Très tôt, en effet, après son arrivée, Khlebnikov s'est trouvé enrôlé dans le cercle dirigeant de l'empire des lettres pétersbourgeoises, celui de V. Ivanov précisément, et qui réunissait les poètes et écrivains du moment les plus en vue[10]. Fréquentant assidument les « Mercredis » du Maître, Khlebnikov dut lire à « la Tour » (ainsi nommait-on l'appartement d'Ivanov où se tenaient les « Mercredis ») ses productions poétiques, aux côtés de N. Gumilëv, M. Kuzmin, A. Blok, A. Axmatova, S. Gorodeckij, I. Annenskij et du Maître lui-même. Il est également assidu aux sessions de « l'Académie du vers », qui se réunissait dans l'appartement de V. Ivanov deux fois par mois : il y écoute des conférences de ce dernier sur la technique poétique, ainsi que des « explications de textes » où le matériau poétique est fourni par les assistants eux-mêmes. Il y retrouve Annenskij, Zelinskij, Blok, Kuzmin, Makovskij, Brjusov. Quelle était l'impression laissée sur pareil auditoire par la lecture de ses poèmes ? Il semble qu'elle ait été assez mitigée, si l'on excepte la faveur témoignée par Ivanov et par celui que Khlebnikov appelait son maître, M. Kuzmin[1]. Néanmoins l'impression générale ne devait pas être négative pour que le poète-« académicien » pût concevoir l'espoir de pouvoir publier une de ses œuvres dans la revue symboliste *Apollon*, où s'était d'ailleurs transportée l'« Académie du vers » depuis octobre 1909[2]. Toutefois cette attente fut déçue, le « poème en prose », comme il l'appelle, ne fut pas publié, ce qui peut expliquer le refroidissement envers l'école symboliste et le groupe d'Ivanov et Kuzmin, pour ne pas dire la rupture franche et simple (février 1910). Outre ce fait, somme toute anodin, il faut mentionner la «différence» propre à Khlebnikov au sein du groupe symboliste, différence qui sera, d'ailleurs, sa marque personnelle toute sa vie et qui le rend si inassimilable à toute école, tout groupe, toute tendance, même là où cette différence peut paraître un moment s'effacer (à l'époque «futuriste», par exemple). Le slavisme, le retour à la terre russe, l'exotisme asiatique n'étaient pas étrangers aux lignes de force du courant symboliste[3]. Toutefois, ce qui pouvait paraître choquant chez le jeune poète, aux yeux des représentants de cette école, c'était cette propension à s'écarter des normes, des canons poétiques admis, sans parler de cette inconvenance majeure que devait constituer aux yeux de ce public de spécialistes l'irruption massive de mots nouveaux, de rimes et de rythmes inouïs ainsi que le « détournement » de genres poétiques folkloriques (comme le raëšnik, par exemple), ce qui avait la valeur d'un sacrilège insupportable pour des poètes qui respectaient la division canonique des genres établis. Ainsi, la voie propre du poète ne coïncidait pas avec celle du symbolisme tardif. Khlebnikov, quelques années plus tard, dans sa période de « futurisme » militant, publiera dans des recueils d'avant-garde des poèmes satiriques dirigés contre les « Mercredis », l'« Académie du vers » et ces symbolistes qui « y tiraient avec concupiscence le cercueil de Verlaine »[4]. Néanmoins, ces attaques partiales, utilisées à des fins partisanes par un groupe qui avait besoin d'affirmer sa propre différence vis-à-vis de l'école des aînés, ne doivent point faire oublier que la rupture fut moins brutale qu'il n'y paraît et que Khlebnikov, bien après qu'il eut cessé de fréquenter régulièrement le groupe d'Ivanov, continua à avoir des relations personnelles et à correspondre avec ce dernier ainsi qu'avec Kuzmin. En dépit de ce qu'il a dit ou fait par la suite, Khlebnikov n'en a pas moins subi dans ces deux premières années pétersbourgeoises la profonde influence[1] des symbolistes, non seulement dans le domaine de la poésie, mais aussi dans celui de la dramaturgie[2]. En outre, il a gagné dans les salons de la capitale le surnom de Velimir, qu'il gardera désormais comme pseudonyme littéraire, et dont les consonances orgueilleusement slaves ne pouvaient manquer de lui plaire[3], à lui, l'étudiant qui avait placardé sur les murs de l'université pétersbourgeoise, peu après son arrivée, une farouche « proclamation aux Slaves »[4]. Ainsi, voici Viktor Khlebnikov, à la fin de 1909, nommé « Prince du Monde » – si toutefois l'on peut gloser ainsi *Veli-mir* – avant de devenir, dans d'autres cercles, « Roi du Temps » et, plus tard, à l'orée de la révolution, « Président du globe terrestre »[5]...

A la même époque où, fraîchement arrivé de sa province à Saint-Pétersbourg, il fréquentait les cercles symbolistes, Khlebnikov fit une rencontre qui devait s'avérer, quelques années plus tard, décisive pour son renom de poète novateur : celle de V. Kamenskij, qui, à ce moment-là, était rédacteur principal de la revue *Vesna*, éditée par N. Šebuev. Kamenskij accepta de publier dans sa revue, parmi les œuvres que lui proposait Khlebnikov, un morceau de prose qui parut dans le numéro 9 de 1908 sous le titre *Iskušenie grešnika*. Ce fut la première publication de Khlebnikov dans la capitale[6]. Plus que « ce premier pas sur le sentier de la gloire »[7], l'amitié commençante avec Kamenskij fut l'occasion pour Khlebnikov d'entrer en relation, par l'intermédiaire de ce dernier, avec des cercles de peintres et de poètes qu'animaient, dans le domaine de l'art, des intentions beaucoup plus « révolutionnaires » que celles que pouvaient bien nourrir les habitués de l'« Académie du vers » ou de la « Guilde des poètes ».

Le moment où Khlebnikov-étudiant arrive sur les rives de la Néva coïncide avec une des périodes les plus riches en événements dans l'avant-garde artistique, principalement dans le domaine de la peinture[8]. Par une étrange coïncidence, c'est en février 1910, au moment où Khlebnikov quitte le groupe d'*Apollon* (en entendant par là le groupe des « néo-classiques ») et à la veille d'une exposition d'art d'avant-garde, *Treugol'nik* (mars 1910), que V. Kamenskij, qui, parmi beaucoup d'autres activités, comptait également celle de peintre, introduit son ami dans le cercle d'E. Guro et de M. Matjušin, où se réunissaient précisément d'autres participants à l'exposition prochaine *Treugol'nik*. Là, Khlebnikov rencontre pour la première fois son futur patron, David Burljuk, son frère Nikolaj, ainsi que N. Kul'bin. Or, justement, Kul'bin prévoit d'éditer pour la tenue de l'exposition *Treugol'nik* un ouvrage collectif qui puisse permettre aux courants novateurs en poésie de se faire entendre également : *Studija impressionistov*, dans lequel Khlebnikov est représenté par deux poèmes dont l'un – *Zakljatie smexom* – devait rester célèbre dans les annales littéraires russes[1]. On peut remarquer en cette occasion un fait qui se reproduira à chaque publication nouvelle de Khlebnikov et qui constitue un sérieux obstacle à toute recherche qui prétend tracer avec certitude une évolution dans son art poétique : Khlebnikov n'écrit jamais de poèmes « de circonstance » pour fournir le matériau de telle ou telle revue, mais, quand la possibilité s'offre pour lui de publier, il présente des œuvres qui, la plupart du temps, sont déjà anciennes au moment de la publication. Ainsi, par exemple, les deux poèmes donnés dans *Studija impressionistov* – *Truščoby* et *Zakljatie smexom* – n'ont pas été écrits à l'occasion de la parution du recueil, mais ont été exhumés de la « réserve » poétique de Khlebnikov ; ils ont été vraisemblablement composés entre 1906 et 1908. Si Khlebnikov n'avait pu placer ces deux pièces dans la revue *Apollon*, cela fut possible dans un recueil qui se voulait une anthologie de l'avant-garde contemporaine. En un mot, si l'on peut se permettre cette comparaison, l'œuvre publié de Khlebnikov est la partie visible d'un iceberg dont la base, bien plus large, est immergée dans l'océan des cahiers et des brouillons... Ainsi, n'est-il pas très pertinent de dater la naissance du « futurisme » russe, comme le fait Čukovskij, à partir de la parution de *Studija impressionistov* de Kul'bin, lorsqu'on songe que les cahiers de 1906-1908 nous ont conservé des variantes de néologismes basés sur la racine *smex* également. La querelle des dates n'est pas entièrement vide de sens : c'est ce problème de décalage entre chronologie apparente (celle des dates de publication) et chronologie réelle (celle des dates de composition) qui déclenchera dans les années 1913-1914 la furieuse polémique italo-russe sur l'antériorité du « futurisme » russe par rapport à son homologue italien. Mais ce problème, qui déborde la biographie poétique de Khlebnikov, est traité dans une autre section[2]. On peut simplement remarquer en cette occasion que les œuvres présentées dans le recueil *Studija impressionistov* reflètent l'avant-gardisme poétique khlebnikovien des années 1906-1910, et que cet avant-gardisme précoce de chercheur solitaire s'inscrit tout naturellement dans la participation à un ouvrage collectif comme *Studija impressionistov* dont la devise théorique était : *Pereocenka cennostej*[3]. Ceci ne doit point toutefois amener à sous-estimer l'importance de la participation de Khlebnikov à *Studija impressionistov*. En effet, elle ouvre la voie à la collaboration (quasi ininterrompue jusqu'à la guerre de 1914) à un groupe d'avant-garde que l'histoire littéraire postérieure a gratifié du label « futuriste », et, d'autre part, la fréquentation de peintres, la participation à des expositions de peinture ou bien à des conférences sur la peinture, organisées par ses nouveaux amis de combat pour « l'art nouveau », devaient conduire

Khlebnikov à une redéfinition de sa poétique orientée désormais sur le paradigme pictural d'une manière beaucoup plus claire qu'auparavant. Déjà, dans un « inédit » de 1908, *Belorukaja tixorukaja*[1], remarquable par le jeu 411 opéré sur les racines, il notait : *Priëmy puèntelistov – kornjami*, et, à la fin du manuscrit, il indiquait :

411 Художе⟨ственный⟩ пр⟨ием⟩ давать понятию заключенному в одном корне очертания слова другого корня. Чем первому дается образ, лик второго.

Ainsi était déjà remarquablement soulignée l'identité de la méthode picturale (*xudožestvennyj priëm*) des pointillistes avec la sienne, mise en œuvre particulièrement dans le passage précité (contemporain, notons-le, de *Iskušenie grešnika*). Le paradigme pictural chez Khlebnikov (tout comme chez ses compagnons de lutte « futuristes »), à la charnière des deux premières décennies remplit la même fonction que le paradigme musical chez les symbolistes ou le paradigme architectural chez les acméistes : la référence graphique implique une modification de la technique verbale, ce que montre à l'évidence l'emprunt de mots spécialisés du vocabulaire technique des peintres[2]. Aussi n'y a-t-il rien d'étonnant à cette proclamation de Khlebnikov, deux ans après :

411 Мы хотим, чтобы слово смело пошло за живописью.[3]

Pour Khlebnikov et les siens, le modèle pictural signifiait avant tout : libération du matériau. Or, c'est semblable libération formelle du matériau verbal que Khlebnikov aspirait à réaliser dans le domaine de la poésie.

Le mois suivant (avril 1910) Khlebnikov publie dans un recueil édité par Kamenskij, Matjušin et Burljuk et dont il invente le titre : *Sadok sudej*. Cet ouvrage collectif regroupe tous les poètes et peintres (et musiciens, avec Matjušin) qui désirent promouvoir l'art du futur ; Khlebnikov, là encore, trouve la désignation slave de ces combattants de l'art du futur, *Budetljane*, mot qu'ils utilisaient entre eux, mais qui leur est resté dans l'histoire officielle de la littérature, concurremment avec les deux autres appellations de « futuristes » et de « cubofuturistes ». Il n'est pas opportun d'examiner ici la doctrine (s'il est permis d'employer un tel mot à propos d'un mouvement aussi informel que celui des *budetljane futuristy*) du *budetljanstvo*[4], mais on peut noter ici la part importante prise par Khlebnikov dans la dénomination du mouvement, et l'intégration de sa personnalité poétique dans un combat commun qu'il sentira jusqu'en 1914 au moins comme son propre combat. En tout cas, dès le printemps 1910, Khlebnikov apparaît, sinon comme le maître d'œuvre du *budetljanstvo* (il n'avait aucun goût pour cela, et D. Burljuk remplissait admirablement ce rôle), du moins comme un des inspirateurs les plus originaux du mouvement auquel il avait donné son nom (en « slave ») : la « futurie ». Les œuvres qu'il publie dans *Sadok sudej* ne sont pas très anciennes : *Zverinec, Žuravl'* et *Markiza Dèzes* ont été écrits l'année précédente[1]. Le recueil *Sadok sudej* est fraîchement reçu par la critique officielle (celle des néo-classiques, des symbolistes), et N. Gumilëv est un des rares à remarquer parmi les noms des auteurs celui de Khlebnikov. « Khlebnikov est, écrit-il, un visionnaire »[2]. Brjusov se montre assez méprisant : « Il y a certaines choses qui sont intéressantes chez Khlebnikov, mais plus dans sa prose que dans ses vers »[3]. On peut supposer que le « poème en prose » que Khlebnikov ne put imprimer dans *Apollon* était précisément *Zverinec*... Ceci explique-t-il cela ? En tout cas, les libertés que prenait Khlebnikov avec la rime et le rythme dans *Markiza Dèzes* avaient de quoi effaroucher même l'auteur des *Opyty*[4].

L'été 1910, Khlebnikov est invité par D. Burljuk à Černjanka (*Čërnaja Dolina*) dans un domaine que gérait son père pour le compte d'un latifundiaire, le comte Mordvinov. Il y fait la connaissance du peintre M. Larionov. Malheureusement, nous ne savons rien d'autre sur cette intéressante rencontre entre deux frayeurs de voies nouvelles en art, entre le créateur du rayonnisme et l'inspirateur du *budetljanstvo*. Par contre, nous possédons la relation d'une rencontre tout aussi importante – celle de B. Livšic et des manuscrits de Khlebnikov aux vacances d'hiver 1911, à Černjanka également. Les manuscrits en question ne pouvaient être que ceux laissés par leur auteur lors de son séjour de l'année précédente, puisque le second séjour de Khlebnikov n'eut lieu que quelques mois plus tard (mai 1912). Quels étaient ces manuscrits ? B. Livšic, dans ses mémoires *l'Archer à l'œil et demi*, écrits vingt ans plus tard, ne le dit pas, mais raconte avec précision l'impression produite par la lecture de ces feuilles[5]. Cette rencontre entre un poète qui, lui-même, recherchait dans sa poésie la libération du mot et l'œuvre d'un autre poète qui, déjà, la réalisait *de facto* doit être jugée déterminante pour la formation du groupe *Gileja* (« Hylée »). L'idéologie du mouvement dont, on peut le dire, Livšic fut le seul théoricien conséquent, est, à l'époque de la genèse de *Gileja*, celle du « primitivisme » : il faut entendre par cette désignation conventionnelle le point de convergence des recherches effectuées en poésie, à ce moment-là, par Livšic, Khlebnikov, D. et N. Burljuk, et, en peinture, par Gončarova et D. Burljuk. Du point de vue qui nous intéresse, celui de la poésie, rien n'illustre mieux cette tendance régressive que la phrase 411 déjà citée de V. Khlebnikov : « *My xotim devy slova, u kotoroj glaza žažgi-snega* »[6]. Cette recherche d'un art pré-historique (c'est l'époque où Khlebnikov compose *I i È – povest' kamennogo veka*...) implique en corollaire la lutte contre l'art contemporain qui, lui, s'inscrit dans

« l'histoire », celle d'une civilisation « étrangère » à l'âme du peuple slave : il n'est point étonnant que les poètes et critiques néo-classiques occidentalistes aient trouvé quelques relents de barbarie dans les mets présentés par les briseurs d'images qu'étaient les « futuriens », et qui, à la suite de Khlebnikov, leur déclaraient : « Nous vous accusons ! »[1]. Paradoxalement, Khlebnikov, porte-parole d'un groupe que la critique littéraire soviétique qualifie volontiers de « moderniste » (avec toute la nuance dépréciative qu'a le mot *modernist* dans la terminologie soviétique), se révèle extrêmement anti-moderniste ici, le modernisme s'identifiant pour lui au mouvement symboliste très « occidentaliste », et partant, décadent, ainsi que son successeur, l'acméisme. Les œuvres modernistes sont, par leur thématique, « vénéneuses » et « porteuses de mort »[2], les œuvres « primitivistes », elles, affirment la totalité d'un art qui s'enracine dans le sol national, d'un art jeune qui se nourrit du suc de l'inspiration populaire[3]. Sans doute, l'influence du nietzschéisme, fort répandu dans les milieux intellectuels de l'époque, n'est-elle pas étrangère au « principe bestial » (*zverinost'*) de l'art primitif, à la cruauté et à la crudité des œuvres qu'il engendre aussi bien en peinture qu'en poésie[4]. L'état de la vision khlebnikovienne du monde au moment de l'« hyléisme » peut assez bien se restituer par l'article *Učitel' i učenik* publié en brochure séparée par les soins de D. Burljuk à Xerson en 1912[5] : « antisymbolisme » militant, expérimentation scientifique revendiquée pour la rénovation du langage en même temps qu'un certain matérialisme mathématique qui affirme la cognoscibilité de l'histoire par le biais du Nombre.

L'événement le plus important de 1912 pour Khlebnikov est assurément sa collaboration à *Poščečina obščestvennomu vkusu* (novembre 1912), aux côtés des « anciens » de *Sadok sudej* et de deux nouvelles « recrues » : V. Majakovskij et A. Kručënyx. La participation à *Poščečina* engageait – en théorie – ses membres par la présence, au début du recueil, d'un manifeste portant le même nom (ce n'était point le cas pour *Sadok sudej*). Bien que Khlebnikov n'eût pas contribué à son élaboration (tout en acceptant de signer), l'irréductible autarcie du mot, proclamée à la fin du manifeste, coïncidait avec sa propre revendication de libérer le langage en le laissant développer une prodigieuse effervescence (*samovitost' slova*) splendidement illustrée par une de ses œuvres, parue en partie dans le recueil, *Pesn' mirjazja*[6], que Burljuk appelait poème du mot-mythe. C'est à une semblable résurrection du mythe par le mot et par le thème que l'on assiste dans une autre production, *Devij bog*, où le « dieu des vierges » est bien le mot slave saisi dans sa pureté originelle, non encore contaminée par les dialectes étrangers (occidentaux)[7]. Dans cette œuvre, comme dans *I i È* (présenté également dans le recueil), la forme du mystère symboliste telle que Khlebnikov pouvait la trouver chez Blok ou Sologub[1] est subvertie par l'irruption d'un personnage majeur, le langage. Dans la mesure où parodie signifie étymologiquement « chant qui détourne, qui change », alors le chant khlebnikovien est éminemment parodique. Malheureusement, la dévaluation sémantique du mot a entraîné, même chez les admirateurs de Khlebnikov, une fausse appréciation de l'aspect parodique de bien de ses œuvres, les faisant passer pour ce qu'elles ne sont pas, à savoir une imitation péjorative de modèles réputés grands et classiques. Ainsi, par exemple, D. Burljuk, dans *Poščëčina*, met Khlebnikov à contribution, de manière partisane ; ceci n'est que le premier jalon sur la voie d'une exploitation ultérieure, intéressée, de l'œuvre de ce dernier, à seule fin de pouvoir illustrer des thèses, qui, sans cela, n'eussent été que les extravagances d'un penseur médiocre[2]. Pareil fait oblitère une approche impartiale de l'œuvre de Khlebnikov en rendant très malaisé un examen de la valeur intrinsèque de son art poétique. Néanmoins Burljuk ne se trompe pas : les courts poèmes publiés par Khlebnikov (dont les fameux *Bobèobi* et *Krylyškuja zolotopis'mom*) justifient bien l'homologie établie par le « parrain » du groupe hyléen entre méthode picturale et méthode poétique[3]. Et « l'échantillon des innovations verbales dans la langue »[4] (*Obrazčik slovonovšestv v jazyke*) présenté par Khlebnikov étaie fort opportunément les prétentions théoriques du manifeste d'introduction. Khlebnikov clôt le recueil par son « Regard sur 1917 » (*Vzor na 1917*), le regard de l'œil à demi-ouvert du Scythe qui scrute l'horizon du futur...

411 *V 1913 godu byl nazvan velikim geniem sovremennosti*, écrit-il dans une notice autobiographique rédigée l'année suivante[5]. A la fin de cette année-là, en effet, les « Hyléens », toujours sous la direction de Burljuk, éditent un tract intitulé également *Poščëčina obščestvennomu vkusu*, dans lequel est violemment reproché aux « maîtres » littéraires de la capitale d'avoir méconnu le génie khlebnikovien lors de son apparition dans *Sadok sudej*. Afin que pareille bévue ne se renouvelle pas, le groupe édite au même moment (février 1913) un recueil (*al'manax*) qui porte aussi le nom de *Sadok sudej*, ce qui affirme, s'il en est besoin, la continuité du mouvement. Khlebnikov y est représenté par un ensemble quelque peu hétéroclite d'œuvres qui sont, en majeure partie, exhumées des cartons des années 1906-1910[6]. Plus intéressant, quoique d'apparence anodine, est le fait que Khlebnikov ait offert à l'éditeur, M. Matjušin, de retirer une de ses œuvres, *Carskaja Nevesta*, afin que celui-ci pût imprimer à la place les poèmes d'une petite fille de treize ans, Milica[7]. L'explication de semblable requête se trouve dans une notice rédigée en janvier 1913, intitulée *Pesni 13 vesen*, le titre même sous lequel parurent les poèmes de la fillette : les « erreurs » de mesure (au sens de la « métrique » poétique

– *razmer* –), et il ne peut pas ne pas y en avoir sous la plume d'une enfant encore inexpérimentée, dévoilent beaucoup mieux le visage de la beauté nouvelle – la nature de la mesure elle-même, du « mètre » – que les savantes acrobaties d'un Brjusov par exemple (dans ses *Opyty* [« Expériences »][1]). Aussi bien le sous-titre de l'article est-il « Bavardage autour de la beauté » (*Boltovnja okolo krasoty*). Les licences poétiques non motivées par la conscience dévoilent l'essence de la métrique, mettent à nu, en un mot, le fonctionnement poétique : on a là, au début de 1913, une sorte d'anticipation théorique de ce que les formalistes appelleront plus tard *obnaženie priëma* (« mise à nu du procédé »). On voit donc comment pareille réflexion théorique s'inscrit tout naturellement dans le droit fil d'une pratique depuis longtemps mise en œuvre par le poète, à savoir celle de la subversion intérieure des formes, du subtil détournement des « formes canoniques » effectué par une violence exercée par l'artiste sur ces dernières, au point qu'elles se brisent et qu'apparaissent ainsi la texture même du procédé poétique, la nature elle-même du mètre.
411 Et, déclare Khlebnikov, *èto obščaja čerta ljudej pesni buduščego*[2]. C'est là un moment de la théorisation poétique chez Khlebnikov situé bien au-delà de ce que la critique soviétique proclame « l'infantilisme primitiviste » si caractéristique, d'après elle, des idéologies d'avant-garde ; la préférence accordée par les primitivistes – et Khlebnikov en est un de manière éminente au moment de sa coopération à *Gileja* – à un art « pré-historique » (l'archaïsme) ou « pré-adulte » (l'infantilisme), c'est-à-dire à un art non artificiel, est incontestable dans la pratique poétique primitiviste. Mais une analyse approfondie de ses composantes amènerait à constater, en dernier ressort, une connexité secrète entre cette école de pensée et les théories de l'inconscient (personnel et collectif) formulées entre 1905 et 1910 par les symbolistes qui se sont penchés sur les arcanes de la création artistique. Ce point de la réflexion ouvre d'ailleurs une porte sur l'interprétation possible, par la théorie de l'inconscient, de l'œuvre de Khlebnikov. Relevons seulement, sur l'exemple de cette évocation de l'inconscient collectif slave qu'est *Devij bog*, cette phrase éclairante de
411 Khlebnikov : *« Devij bog » kak ne imejuščij ni odnoj popravki, voznikšij slučajno i vnezapno kak volna, vystrel tvorčestva, možet služit' dlja izučenija bezumnoj mysli*[3]. La *bezumnaja mysl'* de *Devij bog* n'est-elle pas la même qui œuvre derrière les *nevol'nye pogrešnosti* de la petite Milica ? L'art « libre » du primitiviste ne serait-il pas ainsi la libération, l'accès à l'expression, des forces primordiales (primaires, primitives, premières) qui agissent sur le créateur ? En un mot, pour reprendre la formule du manifeste de *Sadok sudej II*, si la mort du mot crée le mythe, le mythe, à son tour, ne créerait-il pas le mot[4] ? *Xovun*, publié dans le recueil, illustre

brillamment cette formule, mais il n'innove guère par rapport au premier poème mythique dont il a déjà été parlé, *Pesn' mirjazja*.

Le travail poétique officiel, public en quelque sorte, chez Khlebnikov, se double d'un travail autrement plus important à ses yeux : le travail sur les nombres, qui ne se manifeste, de-ci, de-là, que de manière intermittente, par un article, une lettre, un poème chiffré. C'est ce travail-là de recherches sur les lois du temps qui conduit le jeune homme au bord de l'épuisement physique, après des journées harassantes passées à compulser des ouvrages scientifiques en bibliothèque[1]. Ainsi, on apprend par sa correspondance du moment, qu'il lit, en même temps que Schiller, Byron, *Le Décameron*, Mjatlev, les œuvres du physicien Ostwald[2], comme il lit, sans doute, celles de Moseley et Lorentz, autres créateurs de la physique atomique, dont le rôle est si important pour l'élaboration de ses théories linguistiques. Au plus fort de la période « hyléenne » – celle des combats de groupe, des conférences, des expositions, des manifestes – il poursuit inlassablement sa quête de déchiffreur de l'Histoire. Ainsi, un mois après *Sadok sudej II*, il livre au public, dans la revue *Sojuz Molodëži*[3], ses réflexions sous forme de deux articles : « *Učitel' i učenik* » (reprise à peine modifiée de la brochure de 1912) et surtout « *Razgovor dvux osob* »[4], où il démontre les relations entre le mot et le nombre. Le même numéro de *Sojuz Molodëži* publie aussi le long poème *Vojna i smert'* qui montre, en même temps que les prouesses néologiques du poète, sa violente hostilité à l'armée et à la guerre. La découverte des lois du temps doit justement permettre de régulariser les événements et, ainsi, d'éliminer ce fléau qu'est la guerre.

Le même mois (mars 1913) voit la parution dans le recueil *Trebnik troix* de vingt-cinq courts poèmes de Khlebnikov qui assoient, s'il en était besoin, sa réputation de maître dans le genre du « poème miniature », d'inspiration essentiellement néologique[5].

En juin 1913, un groupe de « futuristes » – M. Matjušin, K. Malevič, A. Kručënyx – projette d'organiser, le mois suivant, à Kuokkala, en Finlande, le « premier congrès panrusse des parliers (*bajači*) du futur[6] ». Khlebnikov, bien entendu, y est invité, mais ne peut s'y rendre, pour des raisons financières[7]. Ce congrès décide de fonder un théâtre futuriste qui s'appellera « *Budetljanin* » (le vocable même forgé par Khlebnikov) et d'y donner quelques spectacles, parmi lesquels *Roždestvenskaja skazka*, qui n'est autre que *Snežimočka*, pièce composée par Khlebnikov à la fin de 1908 où se mêlent les influences combinées d'Ostrovskij, de Blok, et de l'opéra de Rimskij-Korsakov[8]. Si le projet ne peut se réaliser, il est caractéristique de la volonté, chez les « futuriens », de créer un théâtre slave basé sur la mythologie et le folklore autochtones, et il s'inscrit dans la lutte menée contre le théâtre « cosmopolite » des symbolistes, inspiré, lui, des théurgies helléniques ou des mystères occidentaux. En mars 1913, Khlebnikov avait d'ailleurs publié dans le journal *Slavjanin* (ce même journal qui avait imprimé en octobre 1908 sa « proclamation aux Slaves ») un article «*O rasširenii predelov russkoj slovesnosti*» dans lequel il affirmait la nécessité pour la littérature russe de s'enrichir en puisant aux sources de la slavité, d'une part, en empruntant, d'autre part, thèmes et mots aux littératures-sœurs des autres pays slaves. Cette extension des limites de la littérature recouvre en fait chez Khlebnikov, à ce moment de son évolution poétique, une quête diffuse pour l'avènement, dans la poésie russe contemporaine, d'une épopée purement indigène. Ce matériau d'où se tisse l'épopée que recherche le poète à la veille de la guerre, il le trouvera dans la réalité de la guerre et de la révolution. Pour l'instant, cette poursuite d'un thème épique se camoufle sous l'aspect d'un retour à l'authenticité slave, doublé d'un nationalisme extrêmement impérialiste dans ses prétentions, puisque Khlebnikov va jusqu'à annexer à l'épopée nationale slave des personnages qui ressortissent à un autre complexe culturel[1].

Si les pièces données à *Doxlaja luna* (automne 1913) ne prouvent que la continuité dans l'exploitation du « filon » khlebnikovien par ses compagnons d'armes[2] – recherches étymologiques et arithmosophiques, essai d'un « théâtre expérimental », marqué par les expériences antérieures de Maeterlinck, mais poussant, comme toujours chez Khlebnikov, la micro-analyse des sensations à l'extrême des possibilités du genre –, il n'en va pas de même avec la parution de *Oxotnik Usa-Gali* et *Nikolaj* dans le recueil *Troe* (septembre 1913)[3]. Là, Khlebnikov s'affirme comme un remarquable poète-prosateur, innovant à sa manière particulière, en réhabilitant des sujets considérés comme périphériques par la littérature russe classique, sans pour autant les transformer en prétexte à exotisme[4].

Dans le recueil *Doxlaja luna*, Khlebnikov sert une fois de plus de support à une théorisation, qui cette fois, est le fait d'A. Kručënyx, un des *budetljane* les plus maximalistes du groupe, aux publications duquel Khlebnikov avait déjà collaboré à maintes reprises au cours de l'année 1913[5]. L'article de Kručënyx, « *Novye puti slova* », qui définit les principes poétiques de « l'aile gauche » du groupe Hylée, représentée par Kručënyx et Khlebnikov, cite la poésie khlebnikovienne comme preuve vivante de l'effective libération du mot, ce qui, en retour, permet à l'auteur de formuler le principe de base de la nouvelle poétique : le « verbocentrisme ». C'est ce principe qui est repris et développé par Kručënyx et Khlebnikov conjointement dans la publication *Slovo kak takovoe*. Les principes généraux du *budetljanstvo* y sont réaffirmés avec vigueur (primat du paradigme pictural, antipsychologisme, violence exercée sur la « forme ») mais aussi la volonté de créer un langage nouveau, non point « pré »-rationnel comme pourrait le faire croire le primitivisme idéologique de « Hylée », mais « trans-rationnel »[1], ce qui, en dernière instance, revient au même (du moins à ce premier stade de la formulation commune, telle qu'on la trouve dans *Slovo kak takovoe*) : régression et transgression relèvent en effet d'un même type de démarche qui vise à se placer hors des limites du langage établi (classique, « normal »).

C'est à ce tournant de la recherche khlebnikovienne (l'amorce de la justification théorique de l'invention d'un nouveau langage, ce qui l'amènera bientôt fort loin du groupe hyléen) que se situe la bruyante polémique des hyléens (maintenant baptisés « cubo »-futuristes) avec tous leurs adversaires, polémique à laquelle Khlebnikov ne participe, à vrai dire, que de manière passive, ses talents d'orateur ou de récitant étant assez piètres. Ce sont plutôt des personnalités comme D. Burljuk ou Majakovskij qui dominent l'estrade. Néanmoins, *nolens volens*, Khlebnikov fait partie du groupe et, comme tel, assiste aux réunions, parfois récite (mal) ses poèmes, et surtout, se trouve fréquemment cité et utilisé[2] par ses compagnons qui jettent à la face du public ses vers comme autant de slogans poétiques. La polémique qui l'oppose personnellement à K. Čukovskij est la plus intéressante de toutes dans la mesure où l'opinion de ce dernier sur le manque d'« originalité » des futuristes russes (et en particulier de Khlebnikov) affecte l'essence même de la méthode poétique du plus original des « futuriens ». Non seulement Čukovskij, dans ses articles et conférences, osait comparer l'incomparable, pratiquant l'amalgame entre cubo et égo-futuristes, mais surtout, l'établissement d'une « généalogie » supprimait radicalement toute prétention à la nouveauté pure de la part de ces derniers[3] ; la référence à W. Whitman tout spécialement touchait Khlebnikov : si elle ne manquait pas de fondement objectif, elle donnait, de manière erronée, une interprétation parodique, au sens commun du terme, de la méthode poétique khlebnikovienne[4].

Le bruit des joutes oratoires ou la fureur des attaques et contre-attaques[5] lancées par voie de presse couvrent le discret et lent travail mené par Khlebnikov, loin de la vaine agitation du forum, en ces années 1913-1914. La correspondance avec ses proches nous livre une part de ce travail parallèle qui sous-tend les nombreuses publications et interventions du moment. Ainsi, travaillant chaque jour sur les chiffres[6], Khlebnikov est à présent en mesure de « mettre en équation » les mouvements de son âme et de celle d'autrui, par exemple, de Dostoevskij[7]. Il demande à son ami Kamenskij de bien vouloir établir un « horaire » de ses sentiments, en corrélation avec le mouvement des étoiles, la position du soleil et de la lune ; en somme, de bien vouloir se faire, pour quelque temps, « l'astro-

nome » du ciel de ses pensées[1]. Ainsi, Khlebnikov pourra-t-il devenir le nouveau Newton des lois qui régissent la gravitation universelle des âmes. Dans la poétique khlebnikovienne, au paradigme pictural se substitue le paradigme astro-physique et, bientôt, atomique, basé sur les plus récentes découvertes dans ce domaine et, en particulier, sur la physique ondulatoire et celle des quanta. L'incidence sur la pratique linguistique de ce glissement vers un modèle plus opératoire ne se fait pas attendre : désormais Khlebnikov est engagé sur la voie de la théorie du « son-force »[2]. Pressentant qu'il est en train d'accomplir une véritable révolution dans la science du langage à ce moment, il s'écrie, à la fin d'une lettre à Kamenskij :
411 *Voobšče ne pora li brosit'sja na ustrugi Razina ? Vsë gotovo. My obrazuem Pravitel'stvo Predsedatelej Zemnogo šara*[3]. Razin, Lobačevskij : la révolution dans les sciences et la révolte sociale, l'audace dans le renversement des valeurs, l'instauration d'un supra-gouvernement planétaire qui est l'esquisse de l'État du temps rêvé par le poète, voilà les idées de grandiose mutation qui agitent Khlebnikov à la veille de la guerre. Mais ce « planétarisme » visionnaire ne signifie pas pour autant cosmopolitisme culturel ! Tout comme Razin et Lobačevskij, Khlebnikov est un « subverseur » des idées reçues qui se sent profondément slave, russe, et le prouvent la polémique ardente avec les théoriciens de la science historique allemande[4] contemporaine, la slavisation des mots « étrangers » infiltrés dans le vocabulaire du russe moderne[5] ainsi que le violent rejet de tout assujettissement possible à son homonyme italien du mouvement dont il fait partie. Ce rejet se manifeste dans le célèbre incident qui oppose Khlebnikov et Livšic à N. Kul'bin, l'organisateur des soirées futuristes de Marinetti à Saint-Pétersbourg. Lors de la soirée du 1er février 1914, Khlebnikov et Livšic distribuent un tract de protestation contre la servilité du public russe envers l'hôte étranger[6]. Non seulement la tournée de Marinetti en Russie eut l'effet d'opposer irréductiblement le théoricien et le praticien du « cubo-futurisme » au représentant du mouvement « étranger », mais elle eut comme conséquence pour Khlebnikov son éloignement du groupe, éloignement motivé plus encore par l'écart grandissant entre son évolution personnelle et celle de ses partenaires cubo-futuristes, qui, à ce moment-là, suivaient également leur voie propre, que par sa brouille passagère avec
411 certains membres « futuriens ». «*S členami 'Gilei' ja otnyne ne imeju ničego obščego* », déclare-t-il dans la lettre adressée à N. Burljuk, un des sectateurs de Marinetti. Et il quitte Saint-Pétersbourg pour Astraxan', afin de mieux marquer son éloignement des positions du groupe, qu'il juge opportunistes. Ce nationalisme exacerbé ne doit pas surprendre chez Khlebnikov, dont l'« orientalisme », on l'a vu, est une des composantes essentielles de sa poétique et de son idéologie, mais ce « racisme

culturel » est partagé par d'autres artistes et poètes à l'époque. B. Livšic, par exemple, qui cite Khlebnikov à Marinetti pour montrer à l'Italien la prééminence de l'art du futur chez les Russes, signe en 1914 avec Lur'e et Jakulov (au mois de janvier) un manifeste anti-occidentaliste *My i Zapad*, où est proclamée la supériorité de l'art nouveau oriental, dont les principes seraient cosmiques, sur l'art occidental « territorial » et « archaïque ». Quelques mois auparavant, Larionov, dans un manifeste des « rayonnistes et futurois » (*Lučisty i buduščniki*) avait également affirmé la supériorité de l'art de l'Orient et la nécessité pour les artistes russes de s'unir à ceux de l'Asie[1]. On le voit donc, l'intransigeance khlebnikovienne manifestée à propos de « l'affaire Marinetti » s'inscrit non seulement dans le passé slavophile de Khlebnikov lui-même, mais en même temps dans un courant idéologique nationaliste très ferme qui affecte une bonne partie des artistes avant-gardistes du temps.

Paradoxalement, c'est au moment même où Khlebnikov fait retraite pour approfondir sa réflexion personnelle sur tous les problèmes d'arithmologie et de langage qui lui tiennent à cœur, que surgit une véritable floraison d'œuvres du poète en cette année 1914. D'abord, il y a, dans le sillage du mouvement futuriste accomplissant sa fin de trajectoire, la publication d'ouvrages importants dans des recueils comme *Moloko kobylic*, *Rykajuščij Parnas* et *Pervyj žurnal russkix futuristov*. Il est probable que la plupart ont été publiés sans l'aval de l'auteur. Toutefois, Khlebnikov apparaît encore, comme dans toutes les publications « futuristes » dirigées par ses bouillants amis, dans le rôle d'un drapeau agité pour convaincre le public du bien-fondé des aspirations du groupe à représenter à lui seul le véritable art du futur. La lettre de Khlebnikov à Vjačeslav Ivanov[2], par exemple, publiée partiellement dans *Moloko kobylic* à titre de manifeste, démontre aisément l'orientation idéologique d'un mouvement qui se veut le défenseur des valeurs « russes » devant l'intrusion d'œuvres d'art étrangères à « l'esprit de la race »... Khlebnikov prévoit, dans cette « épître aux Slaves », le remplacement prochain de la science allemande par la science du continent asiatique, car « l'homme du continent est supérieur à l'homme du littoral »[3] ... Il y dévoile aussi, de manière fort curieuse, ses principes de philosophie néo-pythagoricienne d'après lesquels les âmes des grands hommes, errant dans ce monde, élisent comme refuge insulaire l'âme d'un autre grand homme vivant[4]. N'est-ce point le principe illustré par la sixième « voile » (*parus*) de *Deti Vydry*, publiée en janvier 1914 dans le recueil : *Futuristy ; Rykajuščij Parnas*[5] ? Si dans le mystère slave *Devij bog* Khlebnikov éclairait les liens de la slavité et de l'hellénisme, il découvre dans *Deti Vydry* d'autres liens, profonds, tissés entre la culture slave et l'Asie, utilisant à cet effet non seulement les mythes cosmogoniques des peuples d'Extrême-Orient, mais aussi bien les manuels historiques russes qui analysent les relations de la Russie et de l'Asie dans le passé [1], conformément au programme qu'il se fixait dans l'article « *O rassirenii russkoj slovesnosti* » pour la constitution d'une épopée continentale, « asiatique ». L'innovation apportée par Khlebnikov réside pourtant dans la structure achronique de l'œuvre, combinant différentes surfaces thématico-temporelles (*parus, ploskost'*) qui manifestent la volonté d'éliminer le temps hors de l'écriture par le télescopage de « panneaux » hétérogènes. Dans *Deti Vydry*, Khlebnikov ne réalise-t-il pas ce grandiose projet de construire une œuvre « en travers du temps », projet dont il faisait déjà part à Kamenskij en 1909[2] ? Et n'est-ce pas le même projet qu'il poursuivra plus tard dans ces autres « super-récits » (*sverxpovesti*) que sont *Ka* et *Zangezi* ? Lutter contre le temps et le destin par le langage, tel est le sens de l'entreprise prométhéenne du discours poétique khlebnikovien, qui, dans sa forme ultime, débouche sur la parole silencieuse[3]. Seul Kručënyx poursuivra cette folle entreprise de quasi totale raréfaction du langage poétique dans son langage d'outre-raison, alors que Khlebnikov « liquéfie » le matériau verbal (pour reprendre l'expression de Livšic) afin de forger un nouvel outil dégagé de toute subjectivité, créant un langage ultra-rationnel, le contraire même du langage irrationnel de Kručënyx[4]. L'amorce de ce travail de rationalisation du langage est déjà manifeste dans l'article théorique « *Razgovor Olega i Kazimira* » présenté par le *Pervyj žurnal russkix futuristov*[5]. Mais l'excès de raison est déraison, et la sagesse se laisse prendre le plus simplement du monde au langage des oiseaux, qui est peut-être, en fin de compte, le piège du logos khlebnikovien[6].

A côté des recueils consacrés aux œuvres de Khlebnikov seulement – *Rjav* et *Izbornik stixov*, publiés par Kručënyx, et *Tvorenija* publié par Burljuk[7] – l'opuscule *Bitvy 1915-1917 : novoe učenie o vojne*, publié par Matjušin, offre un panorama de la pensée « scientifique » khlebnikovienne au début de la guerre, appliquant sur une masse de données historiques une sorte de « chronologie ondulatoire » qui est l'application à l'histoire du paradigme de la physique ondulatoire. Parallèlement à ces travaux visant à ôter le voile du temps (« *pokryvalo vremeni* »), Khlebnikov poursuit sa réflexion sur le langage en un article donné au journal de Xovin *Očarovannyj strannik* : « *O prostyx imenax jazyka* » ainsi que dans un autre article resté inédit « *O razloženii slova* »[8]. La linguistique devient l'illustration sonore des principes de la physique théorique.

Malheureusement, la « doctrine de la guerre » ne permet pas encore de maîtriser l'horreur de ce fléau que Khlebnikov se donne pour tâche d'éliminer du monde de la « futurie ». Aussi le lui faut-il combattre par l'arme encore la plus efficace, celle de la poésie. Khlebnikov produit dans une série de publications des vers contre la guerre qui, rassemblés par la suite, donneront *Vojna v myšelovke*[1]. Dans le langage comme dans la politique – entendue au sens large de régulation des affaires humaines – l'entreprise est identique : il s'agit de piéger le destin par l'absolue maîtrise du langage. La poésie redevient ce qu'elle doit être : un « faire » tout entier tendu vers l'abolition des obstacles qui offusquent la totale transparence des rapports humains – les langues, les guerres, les États, bref, toutes les limites et frontières imposées par la dictature du *byt*[2]. Le « tambour futuriste » retentit encore une dernière fois sous les baguettes khlebnikoviennes de « *Bugi na nebe* » et « *Predloženia*[3] » avant de céder la place à la retentissante trompette des « Martiens » de Xar'kov. 1916 est, on peut le dire, la fin de la période « hyléenne-cubo-futuriste » de Khlebnikov, bien que ce dernier propose encore des actions communes avec ses anciens partenaires[4]. C'est avec de nouveaux adeptes « futuriens », Aseev et Petnikov, que Khlebnikov publie à Xar'kov la proclamation « *Truba Marsian* »[5] (Aseev et Petnikov avaient fondé à l'été 1914 un groupe, « *Liren'* », qui publiera maintes œuvres de Khlebnikov, devenu en quelque sorte le « maître » de ce groupe provincial). Cet appel fut-il entendu aux quatre coins de la planète ? Curieuse coïncidence, deux Japonais proposent, dans un appel d'octobre 1916, d'unir les forces de la jeunesse des deux pays pour consolider la défense de l'art nouveau ; à cette proposition, Khlebnikov et ses amis de « *Liren'* » répondent en suggérant de réunir un congrès mondial de la jeunesse à Tokyo[6]. L'union des forces de l'art russe et asiatique, le vieux rêve du poète, est près de se réaliser.

Mais la guerre est là, et le « Martien » doit partir pour l'armée. L'épreuve est dure pour celui qui tenait plus que tout à ce que l'on respectât son « rythme intérieur », ainsi que le prouvent lettres et requêtes adressées à ses amis[7]. Il lui faudra attendre la débandade consécutive à février 1917 pour que, guerrier de l'art nouveau, il puisse se libérer des limitations et contraintes du service imposé par l'État de l'espace. Mais si avril 1916 marque le départ de Khlebnikov pour la caserne[8], c'est aussi le mois (nouvelle ruse du temps ?) de la publication dans *Moskovskie mastera* de la nouvelle en prose *Ka*, une de ses œuvres majeures, parmi les plus hermétiques. Les années 1916 et 1917, peut-être parce que Khlebnikov se trouve éloigné par force de ses amis, marquent une véritable mutation dans sa réflexion : le royaume du temps est proche, comme semblent le faire croire les cataclysmes liés à la guerre et aux révolutions de février-octobre 1917. « *Vremja mera mira* »[9], publié au début de 1916, extension de l'article « *On segodnja ; bugi na nebe* », est une mise en équation générale de l'âme des États du temps, dont la chute imminente doit faire place au gouvernement planétaire rêvé depuis 1914, et proclamé d'une manière dithyrambique dans « *Vozzvanie predsedatelej zemnogo šara* »[1]. Cette période inaugure aussi les pérégrinations ininterrompues du poète, qui font croire à son ubiquité : tantôt à Pétrograd, tantôt à Moscou, Nižnij-Novgorod, ou à Astraxan', ou bien à Xar'kov, à Baku, il semble saisi de l'impatience de l'espace qui sera sienne, après le détour par la Perse et le Caucase, jusqu'au moment ultime où, quelque part dans la campagne de Novgorod, son esprit, enfin libéré des limites de ce micro-État de l'espace qu'est le corps, pourra rejoindre le libre royaume du temps. C'est aussi la période la plus productive dans la création khlebnikovienne, ce dont témoigne le « Grossbuch » qu'il colporte dans son errance d'aède vagabond. La poétique khlebnikovienne s'épand jusqu'aux limites de l'univers. La parodie khlebnikovienne démythifie les actes politiques qui peuvent sembler les plus grandiosement révolutionnaires, mais qui sont en fait pure illusion phénoménale, étant intrinsèquement liés à la condition spatiale de l'État : ainsi, faisant voler en éclats, par la parodie, le discours léniniste des thèses d'avril 1917, Khlebnikov rédige ses propres « thèses d'avril »[2] où il proclame la poétisation intégrale du monde : *Mir kak stixotvorenie*[3]. Quelle est la révolution qui peut se proclamer intégrale sans avoir éliminé l'obstacle ultime, la mort, dont le schème sensible est le temps, et qui est, finalement, le fondement de l'angoisse existentielle des poètes touchés par le futur[4] ? Khlebnikov conjure l'obstacle par la dérision, dans sa pièce *Ošibka smerti*[5] : l'humour noir peut faire mourir la mort, en posant la relativité d'un phénomène dont tout le tragique n'est que le signe de l'impuissance humaine à la « chiffrer » (au sens khlebnikovien du terme), c'est-à-dire à en déchiffrer le sens. Mais c'est une sorte de défaite en sursis, tant que n'aura pas été accomplie, et accomplie victorieusement, la plus terrible des insurrections, celle dirigée contre la dictature du temps. Et cette victoire ne sera assurée que par la « certitude de transmettre la conscience lors de la seconde renaissance ». Le but ultime de la lutte contre le destin, c'est de mourir en connaissant l'instant de cette deuxième naissance, où il sera possible de finir un poème laissé inachevé lors de la première vie[6]... Dans le fracas des guerres et révolutions de l'an 1917, ce sont plutôt les vicissitudes des états qui attirent l'attention de Khlebnikov : la publication de *Razgovor*, de *Son*, de *My, predsedateli zemnogo šara* à Nižnij-Novgorod, de *Poedinok s Xammurabi* témoignent l'incessante activité de décodage de l'histoire qui est celle de Khlebnikov, surtout depuis que la chute de l'État russe, qu'il avait prédite trois années auparavant, le confirme magnifiquement dans son espoir de dévoiler le secret de la marche du Temps[7]. Khlebnikov sera-t-il l'homme qui donnera le « code de l'État du temps », comme son illustre prédécesseur, trois mille ans

411

auparavant, avait inscrit sur la pierre, en cunéiformes, le code d'un État de l'espace ? On peut bien affirmer que toute l'ambition de Khlebnikov, sa vie durant, aura été d'être ce législateur du temps qu'aucun des philosophes ou poètes qui se sont engagés dans cette voie avant lui n'a pu être : Pythagore, Leibniz, Novalis... En juin 1918, il fonde, à l'exemple du maître de Crotone, un « moutier » (*skit*) pour les travailleurs du chant, du pinceau et du ciseau » à Nižnij-Novgorod, destiné à accueillir la grande confrérie des Présidents du Globe, une sorte de « Commune des artistes »[1]. En août de la même année, le voici à Astraxan', où il collabore à l'organe révolutionnaire local en publiant une déclaration à l'occasion de l'inauguration de l'Université du Peuple, dans laquelle il voit le futur temple des guerriers de la raison où pourront enfin se conjuguer les ondes de la Russie, de la Chine et de l'Inde[2]. Il y développe également l'idée d'une « Union des inventeurs », chargée de résoudre les problèmes alimentaires de la « Lébédie du futur »[3]. Il semble même prévoir une gigantesque lutte de classes à l'échelle de la planète où se dresseront États prolétaires contre États bourgeois. Puis il va à Xar'kov, y menant une vie misérable, contractant deux fois le typhus, souffrant de la faim. En 1921, la famine qui s'abat sur les contrées de la Volga, conséquence de la guerre civile, lui inspire de splendides poèmes de protestation contre la grande misère du peuple de Russie : *Golod* et *Trubite, kričite, nesite !*[4]. Sa santé est tellement ébranlée qu'il se fait soigner quelque temps dans un hôpital psychiatrique[5] ; il ressort, de l'examen médical auquel il est soumis, qu'il n'est pas fou, mais qu'il présente quelque propension à la bizarrerie. Néanmoins, son état mental ne rassure guère les auditeurs de son « rapport » à l'université « *Krasnaja Zvezda* » de la ville : aux marxistes, il déclare qu'il est hypermarxiste, aux disciples de Mahomet, il avance qu'il est un nouveau Mahomet, annonçant un « Coran des Nombres », ainsi que s'intitule d'ailleurs sa conférence[6]. S'il ne convainc pas l'auditoire, ses nouveaux amis imagistes[7], sous la conduite de Mariengof et Esenin, le couronnent « Président du Globe terrestre » dans le théâtre de la ville (avril 1920). Le rapprochement avec ce surgeon du « futurisme » post-révolutionnaire qu'est l'imagisme amène Khlebnikov à participer aux publications de ce groupe : il collabore par des poèmes à *Xarčevnja Zor'* (1920), et *Noč' v okope* sera publié par les Imagistes en 1921. D'autres poèmes inspirés par les événements révolutionnaires voient le jour durant cette période xar'kovienne : *Poèt*, *Pračka*, *Nastojaščee*, *Ladomir*[8].

La fin de l'année 1920 voit Khlebnikov à Baku[9]. C'est là, qu'à la date précise du 17 novembre il inscrit sa découverte – enfin ! – des lois du temps, ainsi qu'il le communique à Ermilov[10]. Est-ce l'ombre de Baku-nin, planant sur la ville au hasard du jeu des mots, qui l'inspire[11] ? Ou bien est-ce dans cette terre du feu qu'est l'Azerbajdžan que devait avoir lieu la découverte réellement apocalyptique : il n'y a plus de temps ? Tel un nouveau Moïse, Khlebnikov va-t-il présenter, à la descente des cimes de l'arithmologie, les « Tables du Destin », après une vie passée à la lecture des événements constitutifs de l'histoire des peuples[1] ? Tel est bien son projet, comme le montrent l'opuscule *V mire cifr* ainsi que sa correspondance de l'époque[2]. Mais l'épopée vécue de son voyage en Perse (juin-août 1921) interrompt momentanément cette course à la victoire sur le temps. L'expédition à laquelle Khlebnikov prend part comme conférencier n'est peut-être pas un succès sur le plan politique, mais elle est pour le poète l'occasion de voir enfin l'Orient rêvé et d'y écrire ses plus beaux poèmes sur l'Asie et peut-être, aussi, d'y vivre les moments les plus heureux de son existence, de fondre poésie et vie dans un sacerdoce poétique itinérant[3] (ce qui lui vaudra le surnom de « derviche russe » et « prêtre des fleurs »[4]). Revenant épuisé de son voyage en Perse, Khlebnikov ne reste pas longtemps à Baku. Il remonte sur Pjatigorsk, et compose cette encyclopédie du système khlebnikovien qu'est *Zangezi*[5]. C'est précisément pour publier ses œuvres poétiques les plus récentes – *Doski sud'by*, *Zangezi*, et ses poésies sur Razin – que Khlebnikov, malade à peine convalescent, quitte Pjatigorsk pour Moscou. Pense-t-il trouver un appui auprès de ses anciens camarades « futuriens » pour la publication de ses importantes œuvres ? Mais l'éloignement et le « temps intérieur » du poète, en décalage sur le « temps » de ses anciens compagnons à présent dispersés et adonnés à des tâches fort dissemblables des siennes, empêchent sans doute une compréhension par ces derniers du projet poétique de leur ancien « bouclier » de propagande futuriste[6]. Lui est déjà dans le futur, eux sont toujours dans le présent, sinon dans le passé. Khlebnikov se lie d'amitié avec le peintre Miturič, et c'est avec ce dernier qu'il prépare la publication de *Zangezi*. Très malade au printemps de 1922, le poète essaie de revenir chez les siens à Astraxan'. Miturič l'emmène se reposer à Santolovo, un petit village du district de Novgorod ; c'est là qu'il meurt, le 28 juin 1922, dans de pénibles souffrances, laissant, comme il le disait lui-même de son œuvre et de sa vie, un « *immense poème* » qu'il reste encore à achever[7].

2

KHLEBNIKOV ET LE TEMPS

> Le présent n'est jamais notre fin ; le passé et le présent sont nos moyens ; le seul avenir est notre fin.
>
> Pascal, *Pensées*.

> Le temps... qui pourra le définir ? Et pourquoi l'entreprendre, puisque tous les hommes conçoivent ce qu'on veut dire en parlant du temps, sans qu'on le désigne davantage ?
>
> Pascal, *Pensées*.

> *Πυθαγόρας φησὶ γενητὸν κατ'ἐπίνοιαν τὸν κόσμον, οὐ κατὰ χρόνον.*
>
> (d'après Stobée).

411 « *Takim ja ujdu v veka – otkryvšim zakony vremeni* », lisons-nous dans une lettre adressée par Khlebnikov à sa famille en 1915[1]. Il n'est peut-être pas, dans l'histoire de la poésie russe, un poète qui, comme Khlebnikov, ait autant désiré laisser à la postérité un autre souvenir que celui d'un poète. La grande et seule ambition de sa vie fut de découvrir les « lois du temps ». Son œuvre poétique s'intègre à un système de pensée qui l'apparente bien plus aux représentations philosophico-poétiques du monde des penseurs grecs présocratiques qu'à la poétique de ses contemporains, fussent-ils eux aussi « futuriens » (*budetljane*), comme Majakovskij ou Kručënyx par exemple. La temporalité est consubstantielle à la poétique[2] de Khlebnikov et en constitue la spécificité. Au sens où le « système khlebnikovien » est un système de pensée total, on peut appliquer à sa poésie le jugement de Hegel : « La poésie apparaît comme celui des arts particuliers qui marque le commencement de la

dissolution de l'art et représente, pour la connaissance philosophique, l'étape de transition qui conduit à la représentation religieuse, d'une part, à la prose de la pensée scientifique, de l'autre[1]. » Khlebnikov n'était pas sans connaître la secrète parenté de son système poétique avec la cosmogonie mythologique des grands poèmes épiques, religieux, lorsqu'il écrivait : 411 « *My ne dolžny byt' nišči blizost'ju k božestvu, daže otricaemomu, daže liš volimomu* »[2]. Khlebnikov cependant n'est pas un « théophante » inspiré et toute son entreprise poétique est résolument, totalement matérialiste[3]. C'est un positivisme militant qui l'anime dans sa quête des lois du temps ; et c'est la découverte de ces dernières qui, comme il l'espère, extirpera toute mystique et toute religion[4]. Il n'y aura alors plus de dieux, car l'homme sera l'égal des dieux :

411 Точное изучение времени приводит к раздвоению человечества, так как собрание свойств, приписывавшихся раньше божествам, достигается изучением самого себя, а такое изучение и есть нечто иное, как человечество, верующее в человечество[5].

Cette lutte contre la divinité et ses secrets, analogue[6] au *bogoborčestvo* de Majakovskij, est, par nature, tragique : lutte de l'homme contre son destin, elle évoque le mythe de Prométhée[7] volant le feu des dieux pour l'offrir aux hommes :

« Я, тать небесных прав для человека...[8] ».

Ce « rapt » du temps constitue l'essence même du *budetljanstvo*[9] comme science et maîtrise du futur :

411 Вы ! Чем ответить на опасность родиться мужчиной, как не похищением времени[10]?

Le but ultime de cette « formidable insurrection futurienne »[11] contre la Nécessité est la victoire sur la mort[12] : alors, libéré des craintes séculaires liées aux mystères de « l'après », l'homme sera totalement réalisé comme maître suprême de son destin :

И, похоронив времен останки,
Свободу пей из звездного стакана...[13].

C'est la mort, ou plutôt la justification de la mort qui, extérieurement, a déclenché la recherche khlebnikovienne des lois du Temps : justifier l'injustifiable, justifier les morts de Tsushima[14] :

Слушай ! Когда многие умерли
В глубине большой воды
И родине ржаных полей,
Некому было писать писем.
. . . .

Я дал обещание,
Я нацарапал на синей коре
Болотной березы
Взятые из летописи
Имена судов,
На голубоватой коре
Начертил тела и трубы, волны
. . . .
Я дал обещание все понять,
Чтоб простить всем и все
И научить их этому.

Влом вселенной[1].

Intérieurement, et plus profondément, c'est la « décomposition » du monde contemporain, la crise qui atteint, vers les années 1905-1910, l'esthétique dominante et qui a commencé par l'éclatement des formes en peinture, avec le cubisme[2]. L'effritement des vieilles formes en peinture, du mot « signifiant » en poésie annonce la désintégration prochaine de la représentation ordinaire du monde[3]. L'abolition de la normalité du sens commun advient par l'irruption de l'imaginaire dans les lois de la perception esthétique. Sous ce rapport, la mutation survenue dans les arts plastiques, en poésie (avec les *budetljane*) ainsi qu'en musique[4], est analogue à la mutation opérée moins d'un siècle auparavant par Lobačevskij dans la représentation ordinaire, empirique de l'espace (l'espace euclidien). Khlebnikov remarque avec pertinence l'homologie de ces révolutions du « représenter » lorsqu'il dit :

Когда стали видеть
В живом лице
Прозрачные многоугольники,
А песни распались как трупное мясо
На простейшие частицы,
И на черепе песни выступила
Смерть вещего слова, –
Вещи приблизились к краю...[5].

Le problème, pour Khlebnikov, se pose de la manière suivante : comment construire conceptuellement un « temps » nouveau, de telle sorte que le temps empirique, (« notre » temps, celui de l'histoire) n'en soit qu'un cas particulier ? Lobačevskij avait « révisé » le théorème V d'Euclide (le fameux « postulat des parallèles ») pour bâtir son « espace-limite »[6]. Quel postulat du sens commun doit réviser Khlebnikov pour construire un nouveau système de représentation du temps ? Problème d'autant plus ardu que ce champ d'investigation est vierge[7] :

411 Про некоторые области земного шара существует выражение : « Там не ступала нога белого человека ». Еще недавно таким был весь черный материк.

Про время также можно сказать : там не ступала нога мыслящего существа[8].

Si beaucoup d'esprits se sont penchés sur le problème de la géométrie (mensuration et division de l'espace), il est peu de savants qui aient eu l'audace d'aborder le temps avec l'esprit « de mesure et de division » :

411 Новое отношение к времени выводит на первое место действие деления...[1].

Le temps, en effet, n'est pas une donnée aisément conceptualisable. Khlebnikov trouvait beaucoup d'essais de théorisation du temps, remontant à la plus haute antiquité : Héraclite, Pythagore, Aristote, Platon ; dans les temps modernes, Leibniz, Kant, Hegel. Mais aucun de ces philosophes n'abordait le problème du temps dans sa spécificité, le subordonnant toujours au rôle de présupposé gnoséologique, sans en étudier la nature intrinsèque. Prémisse nécessaire à toute analyse, le temps n'était jamais considéré comme « matière autonome », pour reprendre l'expression chère aux *budetljane.* Forme de toute représentation intellectuelle, il semblait un objet échappant irrémissiblement à la connaissance scientifique. Mais, dans la première décennie du siècle, deux révolutions se produisent qui affectent, l'une le langage, l'autre la science : la relativisation des concepts « temps » et « espace » dans la physique[2], la conjonction des deux phénomènes aboutissant à la dépréciation du langage[3] comme moyen cognitif d'une part, de l'autre à une valorisation du paradigme mathématique pour l'interprétation du réel[4]. Les recherches poétiques et « chronologiques » de Khlebnikov l'amènent semblablement à constater l'inadéquation du langage en général au réel. L'herméneutique khlebnikovienne implique donc une dévaluation du moyen verbal, voire son élimination au profit d'un autre moyen cognitif plus efficient pour la construction du « temps imaginaire ». Ce langage idéal, Khlebnikov le trouve dans la Mathématique : langage formalisé, vide de tout psychologisme[5], l'outil pur qui permet une appréhension non modifiante de l'objet analysé qu'exprime le Nombre. La double formalisation opérée par Khlebnikov sur le temps et la langue entraîne un « désossement » de ces deux éléments qui aboutit, par-delà l'apparence existentielle (le phénomène), au dévoilement de l'essence (l'idée) :

И на черепе песни выступила
Смерть вещего слова,
Лишь череп умного слова...[6].

Khlebnikov pense avoir trouvé cette « essence » inaltérable dans le Nombre (*čislo*). La quête du nombre est chez le poète-mathématicien (*rečar-čisl'ar*) une obsession[7] : trouver le nombre-clef, le nombre « magique » qui dévoilera d'un coup la vraie nature du temps et du

412 langage : « *Najti živoe čislo (zverinoe) naša prekrasnaja cel'* »[8]. Il est

curieux de constater que cette passion pour une formalisation mathématique est partagée par un autre poète et théoricien du « futurisme », I.A. Aksënov[1], qui la met en pratique dans sa poésie[2]. Ce n'est cependant pas le fruit d'un simple hasard : à cette élimination du temps du discours poétique correspond celle de l'espace dans la peinture cubiste[3] et suprématiste d'un Malevič par exemple[4]. L'art du futur se base, pour les théoriciens de l'avant-garde, sur le rythme pur des formules mathématiques. L'artiste, dans son œuvre, « construit » les pulsations fondamentales de l'être et de l'histoire en les schématisant selon le modèle abstrait offert par la Mathématique : il met en forme le rythme. Khlebnikov écrivit d'ailleurs un ouvrage sur les « rythmes de l'humanité » (*ritmy čelovečestva*[5]) ; la publication de cet ouvrage eût éclairé d'un jour nouveau les relations tacites entre cette quête du rythme chez les « futuristes » et l'« eurythmie » des symbolistes (de Belyj, par exemple)[6].

L'approche du temps chez Khlebnikov est double, reflétant bien l'ambiguïté de sa démarche théorique : il agit, en effet, tantôt en mathématicien, tantôt en physicien. Dans le premier cas, le temps n'est qu'un concept à construire à l'aide de quelques axiomes et théorèmes ; dans le second, c'est un milieu matériel donné par la nature, dont il s'agit de déceler les lois immanentes. L'important est la possibilité d'une formulation mathématique de la loi qui exprimera les rapports du temps. Le résultat de ces recherches diffère grandement, bien sûr, selon le modèle choisi pour effectuer les « observations ». Abordant le temps, tel un « nouveau Lobačevskij », Khlebnikov agit en « géomètre », c'est-à-dire en « mesureur d'espace » : ces mots (métaphoriques poétiques) en disent long sur l'identification entre temps et espace que réintroduit subrepticement semblable méthode. Considérant *a priori* le temps comme un milieu homogène, il étudie les rapports des distances séparant deux événements de même nature, situés en différents lieux par rapport à un système chronologique référentiel (le calendrier julien, en l'occurrence). Ainsi, écrit-il à sa famille : « *Učenie o vojne perešlo v učenie ob uslovijax podobija 2-x toček vo vremeni* »[7]. Il effectue, en quelque sorte, une périodisation d'événements homologues dans un espace linéaire (unidimensionnel), en introduisant le principe de répétitivité dans l'histoire générale (fondations d'empires, chutes d'empires, batailles navales, conquêtes, promulgations de codes, de lois ou apparitions de nouvelles religions) ou dans l'histoire d'un individu[8]. Kamenskij, à la demande du poète, doit étudier le plus scrupuleusement possible la « courbe » de ses sentiments et même à ce dessein, établir une sorte de « carnet de route » de ses sensations[9]. Khlebnikov met en formule l'âme de Gogol', celle de Puškin et la sienne propre[10] ! Ainsi pourra-t-il (du moins c'est son espérance), en chiffrant

412

les rapports d'événements reproductibles, prévoir la réapparition dans le futur d'événements semblables. Khlebnikov, « arpenteur du temps », élude la spécificité de l'objet mesuré : l'irréversibilité[1]. La chute d'un empire est fréquente dans l'histoire des peuples et Khlebnikov n'avait guère de mérite (à la date près, à vrai dire) à prévoir dès 1914 la chute d'un État en 1917. Rome est tombée et ne s'est plus relevée. La chute de l'Empire russe en 1917 ne répète pas la chute de l'Empire romain, mais seulement l'« idée » (le concept) de « chute-d'-empire », ce qui est notablement différent, surtout lorsque le procédé de « chronométrie » khlebnikovienne est appliqué, non plus à l'histoire des nations, mais à une histoire individuelle, singulière, irréductible à toute répétition. Pas plus que la naissance de l'Empire moscovite ne reproduit l'Empire romain, la naissance de Khlebnikov n'est la résurrection de Puškin. Il y a donc un hiatus dans la théorie mathématique (« géométrique ») de Khlebnikov, que seule pourrait combler une doctrine métaphysique comme la métensomatose qui, elle, maintient la permanence de la conscience (par la mémoire) lors de la « réapparition » ! Il semble attiré par cette doctrine de l'ésotérisme pythagoricien, comme le laissent entendre certaines formules dans sa correspondance ou dans ses *Doski sud'by*[2]. Mais la prudence du rationaliste qu'il est lui fait révoquer en doute semblable réintroduction d'une métaphysique que son « matérialisme mathématique » avait justement pour but d'éliminer. « Là où ne va la science, va la poésie ». Khlebnikov supplée à cette « défaillance » du système mathématique par la fiction poétique :

412 Искусство обычно владеет желанием в науке власти.

. . . .

Так ли художник должен стоять на запятках у науки, быта, событиия, а где ему место для предвидения, для пророчества, предволи ?[3]

(*Из записных книжек*).

La science mathématique, grâce à la poésie, devient « science-fiction »; dans ces œuvres d'anticipation[4] la mort est vaincue *modo poetico* : on y prévoit sa propre mort, on y ressuscite avec le bénéfice de la mémoire de la première vie, comme dans cette ébauche de pièce où l'un des personnages déclare :

412 Э-э-э... Да как это ни грустно, – я завтра умру. Я должен окунуться в реку смерти и принять холодное купание. Брр... Но ничего. Умирая в последний раз, я немного простудился и схватил насморк – теперь возьму набрюшник.[5]

Khlebnikov, contemporain de la révolution accomplie dans les sciences physiques, lit les ouvrages de Poincaré, Lorentz, Moseley, Planck[6].

C'est à eux qu'il emprunte sa deuxième conception du temps. Cette théorie « physique », même si le but visé est, ici également, de « mettre en formule » le temps, semble plus féconde pour sa propre pratique poétique, car elle lui fournit une merveilleuse échappée sur une interprétation du langage comme « sonorisation » des forces de la Terre. La physique du début du siècle est bouleversée par la théorie de la relativité qui redéfinit les rapports classiques du temps et de l'espace, mais également par les nouvelles conquêtes de la physique atomique, et, d'une manière plus générale, par l'instauration de la physique (mécanique) quantique qui révolutionne la mécanique traditionnelle, comme Lobačevskij avait révolutionné la géométrie en 1828. Les travaux sur la lumière engendrent les théories de la physique ondulatoire qui ne seront systématisées qu'en 1924, mais Khlebnikov s'empare de ce qui n'est encore avant cette date qu'une hypothèse, sans doute fasciné davantage par ses retombées poétiques que par son intrinsèque valeur scientifique. En cela se révèle la nature gnostique de Khlebnikov et de son système : ce que la science admet sobrement comme hypothèse devient chez lui croyance et s'amplifie en système unique d'explication totale du Monde. La science engendre la Fable du Monde. Tout pour lui devient onde lumineuse : le temps, ce « moment » du temps qu'est l'homme, le système sonore appelé « langage » : 412 « *Mir ponimaetsja kak luč... My postroenie vremeni* »[1]. – « *My – novyj rod ljud-lučej* »[2]. Cette théorie matérialiste « moniste » englobe dans un même schéma explicatif le temps, les peuples, la genèse des cités, l'homme, la langue... Ainsi s'élabore une fantastique cosmogonie dont le centre n'est plus l'homme, mais la lumière même, prise comme élément primordial. 412 « *My, ljudi, podobny volnam... Prijatno oščutit' sebja vešč'ju* »[3].

L'homme n'est donc plus qu'une chose parmi tant d'autres, une « onde lumineuse stationnaire ». Son langage n'est que la sonorisation 412 terrestre d'ondes intersidérales. De cette manière, « *bogi čisla živut vo vremeni i zvuke* »[4]. Une fois établie l'équation des ondes lumineuses, le Nombre règne de nouveau sans partage sur le monde khlebnikovien : 412 « *Čistye zakony vremeni odni i te že u vsex veščej, zvëzd i ljudej* »[5]. Ce matérialisme « moniste », qui ne donne aucune prise à une possible restauration de l'idéalisme ou de la religion, n'est pas sans rappeler les constructions monolithiques des matérialistes français du XVIIIe siècle : à l'homme-plante de La Mettrie succède l'homme-onde lumineuse de Khlebnikov.

Élargissant ses principes à l'univers, le physicien se transforme en astronome[6], « inventant » les événements futurs, tout comme Adams et Le Verrier ont « inventé » la planète Neptune. Mais l'espace interstellaire de Khlebnikov n'est pas muet et effrayant comme celui de Pascal : le poète y décèle ces voix qui lui parviennent de l'histoire universelle, des hommes et de leur langage :

Я – звученник будизн.[1]

Khlebnikov accomplit un gigantesque travail de lecture[2] de l'Univers, à l'affût de la signification cachée qui court partout, secrète, mais ne se
412 révèle qu'au poète qui est à l'écoute de la musique des sphères : « *Èto to penie zvëzd, povyšenie golosa vremeni, o kotorom dumali drevnie* »[3]. Le lieu privilégié où le physicien-astronome-poète peut étudier « expérimentalement » les ondes stellaires, c'est le langage humain[4]. Hommes et étoiles sont unis par la chaîne des chiffres :

412 Через законы быта люда прорубил окно в звезды.[5]

. . . .

Сходство уравнений солнечного и людского мира равносильно обращению людей в звезды, и наоборот, звезд в людей в постройке какого-то светлого общежития людей и звезд.[6]

Khlebnikov apparaît, certes, un peu confusionniste dans sa méthode : il emprunte tantôt à la physique atomique, tantôt à la physique ondulatoire, ou bien à l'acoutisque, à la cinématique, à la chimie, à la biologie ; la science devient un arsenal de métaphores où s'alimente le matérialisme poétique qui lui permet de déchiffrer le Monde sans l'aide des dieux : *Mir kak stixotvorenie*[7].

Le dévoilement du chiffre omniprésent derrière tous les phénomènes de l'univers dissout non seulement la religion, mais également les peuples, les États, les langues, et, en fin de compte, l'homme. Le phénomène lui-même s'évanouit dans le Nombre :

И понял вдруг : нет времени.
. . . .
И стало ясно мне
Что будет позже.
И улыбался улыбкой Будды.[8]

Tout est nombre, le nombre est tout : le panarithmisme de Khlebnikov dégage une structure de l'univers qui enveloppe son inventeur, le poète, dans l'immobilité du Nirvāna bouddhique[9]. La poésie meurt, se transformant en « calcul ». Leibniz disait : « *Dum deus calculat, mundus fit* ». Le physicien remplace désormais Dieu, et son calcul fait le monde :

412 Достаточно созерцать первые три числа, точно блестящий шарик, чтобы построить вселенную. Законы мира совпадают с законами счета.[10]

Les « Tables du Destin » sont des tables d'opérations, dont l'écriture impersonnelle est réversible : a + b = b + a. Le sens de la poésie en langue empirique, là où elle subsiste encore, réside dans la palindromie de chaque vers (*pereverten'*), où les sons ne signifient que l'épiphanie sensible du chiffre. La poésie « en langue » est abolie :

412 Если существуют чистые законы времени, то они должны управлять всем, что протекает во времени, безразлично, будет ли это душа Гоголя, *Евгений Онегин* Пушкина, светила солнечного мира, сдвиги земной коры и страшная смена царства змей царством людей, смена Девонского времени временем, ознаменованным вмешательством человека в жизнь и строение земного шара.[1]

L'avènement des « lois pures du temps » entraîne l'abolition de toutes les limitations[2] liées au politique : les classes sociales, les institutions civiles, les armées, les États, les frontières entre pays s'évaporent, à l'instar des langues, devant la suprématie du Nombre. Les penseurs réformateurs, dans le passé, décrivaient des « Utopies » qui étaient autant de satires contre les imperfections de la société réelle, existante. Mais les principes mêmes constitutifs de toute société étaient préservés. Chez Khlebnikov, au contraire, « l'Utopie » est dépassée : son « uchronie » nie l'idée même de toute société spatiale (liée à un *topos* réel ou fictif). Son « État du temps », « chronocratie » de la jeunesse, du talent, de l'inventivité « futurienne » est un « non-État », comme son gouvernement des Présidents du Globe terrestre est un « non-gouvernement », comme sa poésie hyperlogique (*zaumnoe stixotvorčestvo*) est « non-poésie » : le monde khlebnikovien est la négation du monde ordinaire. Si Khlebnikov consent à le « localiser »... sur la planète Mars (cf. le titre de l'appel : *Truba Marsian*[3]), c'est là une ruse qui lui est familière, une parodie de l'utopie commune. Les *budetljane* ne sont pas des petits hommes verts venus de Mars ou de Sirius, mais les « guerriers du Temps »[4] (« *voiny vremeni* ») proclamant la lutte des classes... d'âge[5] (jeunes contre vieux, inventeurs [« *izobretateli* »] contre acquéreurs [« *priobretateli* »], esprit contre matière, temps contre espace).

412 Разрушится темница частериков земли, окончится великая небыча в полоне пространства.
Не надобны проборы на голове человечества.
Пусть люди перепутаются как волосы пророка.
Наш земень станет великой грезарней.[6]

Le marxisme appartient lui aussi au musée des idéologies du passé, étant un système de pensée orienté vers l'« espace » également[7]. Pour Khlebnikov, la révolution dans la politique équivaut à une imposture : une révolution, pour « l'astronome » qu'il est, ramène au point de départ, si grande soit l'orbite. Aussi bien le programme « achronique » de Khlebnikov est bien plus que révolutionnaire : il signifie une rupture avec le système de pensée politique usuel ; il instaure un départ. C'est l'arrachement à l'orbite des révolutions indéfiniment répétées pour une course ouverte à l'infini, l'envol de l'imagination sur le tremplin des chiffres et des équations, vers le royaume de la liberté[8].

Le système « métrologique » khlebnikovien, avec son matérialisme mathématique naïf (dont l'exagération se transforme en son contraire), ressemble à celui de Charles Fourier, dont on connaît l'influence en Russie au milieu du XIXe siècle (le cercle de Petraševskij avait pour but d'en populariser les dogmes ; Černyševskij, dans son roman *Čto delat'*, en avait largement diffusé les idées) : même manie du plan, de la mesure des calculs ; même fierté d'avoir découvert les « Lois Universelles » qui régissent le monde, exprimée en des termes quasi semblables[1]. Il n'est pas jusqu'aux « Tables du Destin » de Khlebnikov que l'on ne retrouve chez Fourier avec son « Livre des Destins »[2]. Mais la différence fondamentale qui sépare les deux systèmes est que l'un est résolument orienté vers la découverte des lois de la société, alors que l'autre se donne pour but de découvrir les lois pures du temps en général et que l'application de ces lois à la société est dérivée : l'un est un penseur social (« la science sociale », aux yeux de Fourier, est la « mathématique des passions »), l'autre est davantage un philosophe – « métaphysicien », doublé d'un poète. Fourier veut réformer la société en décrivant une utopie (la « Grande Harmonie ») basée sur le modèle physique de Newton, Khlebnikov se propose de dépasser toute société en projetant dans le temps une « chronocratie » qui est la négation de toute coexistence spatiale : il montre bien que cette « chronocratie futurienne » (car les *budetljane* en seront les premiers citoyens d'honneur) est, en somme, une famille des grands esprits qui réunit, en un même lieu spirituel[3], au-delà du temps et de l'espace, les génies de l'humanité. Fourier est un « utopiste » au sens classique du terme, Khlebnikov est un poète de « nul lieu » et de « nul temps » : utopiste[4] et « uchroniste » à la fois, cherchant à dépasser les formes phénoménales limitées pour parvenir, par réduction éidétique de l'Univers, à une réalité nouménale d'essences stables, sempiternelles, inchangeantes[5].

Après l'instauration de la dictature du chiffre, qu'adviendra-t-il de la poésie ? Khlebnikov, dans son *Uchronie*, lui réserve le rôle de servante de la science. Dans sa « morale provisoire », en attendant l'avènement d'un langage totalement intemporel – le pur langage des concepts dont rêvait déjà Leibniz au XVIIIe siècle – Khlebnikov écrit des poèmes dans le langage ordinaire. A l'exception de « poèmes-limites » comme *Razin*[6] ou des « poèmes numériques »[7] intégrés aux calculs des *Tables du Destin*, qui sont fort peu nombreux, Khlebnikov écrit, sa vie durant, des œuvres poétiques « classiques » par la langue, mais qui s'inscrivent dans la ligne générale de lutte contre l'espace et le temps. Ce sont des œuvres qui, *par leur structure*, sont « achroniques » : *Ka*, *Deti Vydry*, *Zangezi*.

Dans une lettre à V. Kamenskij d'août 1909, Khlebnikov écrivait :

412 Задумал сложное произведение *поперек времени*, где права логики времени и пространства нарушались бы столько раз, сколько пьяница в час прикладывается к рюмке.[8]

On peut voir en *Ka*, *Deti Vydry* et *Zangezi* autant de phases dans la réalisation progressive de ce projet. La structure de ces œuvres défie les lois du temps du récit communément admises. A la diachronie d'un récit qui suivrait l'unilinéarité du temps, Khlebnikov oppose la synchronie de « panneaux » (*ploskosti*), ou « voiles » (*parusa*) temporels, ce qui permet la coexistence de différentes époques dans la même trame textuelle. Le simultanéisme et la polyphonie du discours littéraire se créent en réalité par une spatialisation du temps : le jeu des « surfaces » ou « plans » (*koloda ploskostej*) dans *Zangezi*, des « voiles » (*parusa*) dans *Deti Vydry* renvoient à un modèle pictural, en l'occurrence à la construction simultanéiste par plaques de taches juxtaposées chez les peintres cubistes[1]. La suppression de la perspective rationnelle au profit de la superposition, sur la même surface peinte, de « plans de réalité » différents (par exemple, sur la toile de Malevič *Un Anglais à Moscou* : un homme, un poisson, une chandelle, une église, un sabre, une cuillère et des lettres) est un modèle du télescopage des plans temporels hétérogènes qu'effectue le poète grâce à l'addition d'une multiplicité de « sous-discours » étrangers les uns aux autres ; c'est la forme même du polyptyque ou « tableau ployant » sur lequel se projette le monde comme discours ; plus précisément, le monde comme réseau de significations se projette sur la « surface » du discours organisée en « panneaux », c'est-à-dire en sous-unités stylistiques[2]. La logique de la composition est d'ordre onirique. Les images se suivent, happées les unes par les autres en vertu de la seule loi de la contiguïté, ou de la continuité d'un seul et même désir qui court d'un bout à l'autre du champ narratif : la négation du temps.

Dans son poème *Burljuk*, Khlebnikov dit :

> Странная ломка миров живописных
> Была предтечею свободы, освобожденьем от цепей.[3]

La libération des lois classiques du temps s'opère chez le poète de la même manière : briser le principe de successivité du discours classique, reconstruire une réalité poétique par le montage des « blocs » épars provenant de sa ruine. Ce n'est pas différemment que Tatlin construisait ses « contre-reliefs » ou Rodčenko ses montages. La terminologie utilisée par Khlebnikov dans l'introduction de *Zangezi* fait d'ailleurs expressément référence au vocabulaire technique des constructivistes[4] :

412 Повесть строится из слов, как строительной единицы здания.

. . . .

...Рассказ есть зодчество из слов. Зодчество из « рассказов » есть сверхповесть. Глыбой художнику служит не слово, а рассказ первого порядка.[5]

L'intemporalité structurelle est renforcée par la synchronie des thèmes qui s'y encastrent, et des genres différents (historique ; dramatique ;

philosophique) qui coopèrent à l'édification de la « super-nouvelle » (*sverxpovest'*). La construction de *Ka*[1], *Deti vydry* ou *Zangezi* ressemble à celle d'un panoptique : d'un coup d'œil sont embrassées les époques et les cultures, les religions les plus hétérogènes[2]. Ce syncrétisme des cultures, des races, des langues, des « temps » révèle chez Khlebnikov une conception « panchronique » de l'histoire qui est le reflet de la philosophie « résurrectionnaliste » de Fëdorov : toutes les générations passées, présentes et futures, coopèrent à l'histoire dans une simultanéité qui nie le temps de l'histoire elle-même. Mandel'štam écrit avec raison[3] :

412 Хлебников не знает, что такое современник. Он гражданин всей истории, всей системы языка и поэзии. Какой-то идиотический Эйнштейн, не умеющий различить, что ближе – железнодорожный мост или *Слово о полку Игореве*. Поэзия Хлебникова идиотична, в подлинном, греческом, неоскорбительном значении этого слова.

Khlebnikov, brûlé de la passion de l'Un, aspire à fonder, ainsi que le remarque fort justement Ripellino, une « ontologie du continu »[4]. Abolir les frontières entre les espèces, entre les sens, afin de créer un *sensorium continuum*[5], restaurer l'unité primordiale par-delà la fragmentation du temps qui éparpille l'être[6] : quelle Isis pouvait ressouder les morceaux de « l'Osiris » du XXe siècle[7], sinon la toute-puissante Mathésis ?

Познал я числа,
Узнал я жизнь.[8]
. . . .
Мы равенство миров, единый знаменатель.
Мы ведь единство людей и вещей.
Мы учим узнавать знакомые лица в корзинке овощей Бога лицо.
Повсюду единство мы – мира кольцо.[9]

Сестры-молнии.

Ce même savoir fondé sur la certitude que la pluralité des phénomènes se réduit à l'unité, un autre « poète-philosophe-physicien », Héraclite, l'affirmait, vingt-cinq siècles avant Khlebnikov, à peu près dans les mêmes termes :

... Ὁμολογεῖν σοφόν ἐστιν ἕν παντα εἶναι...[10]

Mais Khlebnikov, poète « futurien »[11] contemporain d'Einstein, fonde cette unité de l'Univers sur la formule mathématique et la composition poétique, désormais conçue comme une solution singulière de l'équation générale du monde.

3

KHLEBNIKOV ET LA LANGUE

> Toute la terre avait une seule langue, et les mêmes mots.
>
> *Genèse*, XI, 1.

> La nature est un temple où de vivants piliers laissent parfois sortir de confuses paroles...
>
> Baudelaire, *Correspondances*.

> A quoi bon la merveille de transposer un fait de nature en sa presque disparition vibratoire selon le jeu de la parole, cependant, si ce n'est pour qu'en émane, sans la gêne d'un proche ou concret rappel, la notion pure ?
>
> Mallarmé, « Avant-dire au *Traité du Verbe* de René Ghil ».

Les recherches de Khlebnikov sur la langue se déroulent sur le fond d'une crise qui, au début du XXe siècle, affecte, en Russie comme en Europe occidentale, aussi bien les valeurs éthiques et esthétiques de la tradition que la science et la politique. Crise de société, « crise de vers » : la mutation subie par le langage poétique dans la première décennie du siècle n'est que l'image d'une vaste mutation idéologique qui trouvera son terme naturel dans les révolutions de 1917. Autant de pièges pour les juges que de gifles au parler commun sont les manifestes du groupe « hyléen » (puis « cubo-futuriste ») auquel appartient Khlebnikov : le « futurianisme » (*budetljanstvo*) est avant toute chose la recherche d'un langage qui rompe avec celui des anciennes générations[1]. Dans cette rupture générale des formes, l'art pictural[2] sert de modèle à la poésie :

désormais, ce sont les lois propres du « matériau » qui dictent la forme. L'affranchissement de tout référent, de toute signification extrinsèque convertit le regard sur l'art : celui-ci devient le développement autarcique et autonome des possibilités du matériau artistique. Dès lors, en poésie, le mot[1] – pris comme l'élément poétique – ayant reconquis ses droits usurpés par le sens, pouvait, libre de toute entrave, « provigner » dans la luxuriante prolifération de la *samovitost'* qu'aucune limitation ne venait freiner de l'extérieur. Le langage libéré signifiait donc l'évacuation de toute *literaturščina*, de toute psychologie ainsi que de toute idéologie (ce que les « futuriens » nommaient *tendencioznost'*[2]). Ainsi, comme l'affirmait le manifeste *Slovo kak takovoe*, le « mot » pouvait se développer en tant que mot : « *slovo razvivalos', kak takovoe* »[3]. Le mot est son propre contenu, la poésie est l'ensemble des procédés formels qu'elle met en œuvre, indépendamment de toute subordination à un sens extérieur. Dans l'entreprise de déplacement de la représentation (l'œuvre d'art, poème ou toile, représentant le moyen de représentation lui-même[4], et non plus un objet), deux voies se présentaient en poésie : ou bien la « gélification » du langage poétique dans le silence, ou bien son auto-consomption, son extinction dans la conflagration provoquée par la destruction des principes constitutifs de la signifiance dans le langage. C'est cette deuxième solution qui a fait fortune dans le « futurisme » russe au point d'en devenir la marque distinctive et même de s'identifier à lui sous le nom de *zaum'* (ou *zaumnyj jazyk*), langage « transmental » ou « transrationnel » qui est comme la limite du langage poétique libéré. Ainsi que l'écrit R. Jakobson dans *la Nouvelle Poésie russe* : « Le langage poétique tend, à la limite, vers le mot phonétique, plus exactement (...) euphonique, vers le discours transmental »[5]. C'est la conséquence logique du déplacement d'accent sur le mot et le mot seul que soulignait B. Livšic dans son article théorique *Osvoboždenie slova* :

413 Что непроходимой пропастью отделяет нас от наших предшественников и современников – это исключительный акцент, какой мы ставим на впервые свободном – нами освобожденном – творческом слове.[6]

Qu'est-ce que la *zaum'* ? [7] C'est sans doute Kručënyx qui, pour la première fois[8], en établit l'usage et la signification dans un article du recueil : *Troe* intitulé : « *Novye puti slova* »[9]. L'article est hautement polémique et vise à instituer une sorte de « contre-langue » antisymboliste (le sous-titre de l'article est : « *Jazyk buduščego smert' simvolizmu* »). Kručënyx y proclame l'insurrection du mot contre le sens, symbole manifeste du joug de la raison (*um*) : la langue libre saute par-dessus la barrière de la raison et devient donc *za-um'*, trans-rationnelle :

413 Ясное и решительное доказательство тому, что до сих пор слово было в кандалах является его подчиненность смыслу
до сих пор утверждали :
« мысль диктует законы слову, а не наоборот. »
Мы указали на эту ошибку и дали свободный язык, заумный и вселенский.

Le mot induit le sens, et non plus l'inverse. Le « transrationnel », dans l'esprit de Kručënyx, est l'irrationnel, le mystique, « l'esthétique » au sens étymologique de la sensation pure. La *zaum'* de Kručënyx est, pourrait-on dire, profondément lyrique, puisque les « sons » du langage sont chargés de « traduire »[1] les émotions. Il faut sentir le mot comme tel, charnellement, sensuellement, et non plus le dissoudre à n'en laisser apparaître que l'ossature intellectuelle. Très curieusement, Kručënyx, tout en rejetant la mystique symboliste, l'écran derrière lequel il y a « quelque chose », bref toute la métaphysique, réintroduit en contrebande la mystique en faisant appel, « derrière » la raison, aux forces les plus obscures de l'âme[2] : ses exemples de « glossolalie » de sectes le prouvent assez, ainsi que la référence explicite à l'ouvrage de P. Uspenskij, *Tertium Organum*[3]. La malheureuse formule que Kručënyx emploie pour caractériser sa voie (« *čem istina sub'ektivnej – tem ob'ektivnee sub'ektivnaja ob'ektivnost'* ») est un aveu d'aporie intellectuelle : détruisant l'objectivité du sens (l'intellectualisme du mot), Kručënyx déverrouille les écluses de l'inconscient sans instaurer pour cela le règne d'une subjectivité très objective... La *zaum'* est donc, dans cette première définition, une pratique fondamentalement in-signifiante, et, comme telle, ne peut absolument pas constituer une langue. L'expression *zaumnyj jazyk* est une antinomie, ainsi que le dénonçait avec raison Baudouin de Courtenay[4]. Ju. Lotman écrit fort justement, dans *Analiz poètičeskogo teksta*[5] :

413 Бытующее представление о зауми как о бессмыслице неточно уже потому, что « бессмысленный (то есть лишенный значений) язык » – это противоречие в терминах. Понятие « язык » подразумевает механизм передачи значений (смыслов). Так называемые « заумные слова » составлены из фонем, а очень часто и из морфем и корневых элементов определенного языка. Это – слова с незафиксированным лексическим значением. Однако это именно слова, поскольку они имеют формальные признаки слова и заключены между словоразделами. Раз это слова, то, следовательно, предполагается, что у них есть значение (слов без значений не бывает), только оно по какой-либо причине неизвестно читателю, а иногда и автору (« Люблю я очень это слово, Но не могу перевести » (*Евгений Онегин*) – случай, когда автор не может дать или делает вид, что не может дать перевода слова, типологически близок к зауми).

А. Крученых, вводя понятие зауми, имел в виду субъективные, текучие, индивидуальные значения, противостоящие « застывшим » общеязыковым значениям слов. Такое понимание было определено его литературной позицией и логикой полемической борьбы вокруг языка поэзии. Считать это определение до сих пор обязательным для науки нет никаких оснований.

La transparence du mot au mot que voulait instaurer Kručenyx aboutissait au résultat contraire : les borborygmes de *Dyr*, *bul*, *ščyl* clapotant dans les ténèbres de l'esprit (*um*) étaient la conséquence inévitable de ce fétichisme du « son en soi », de cette « phonolâtrie »[1]. Kručënyx qui citait fréquemment les Écritures, ignorait les admonestations de l'apôtre :

> Voyons, frères, de quelle utilité vous serais-je, si je venais à vous parler en langue ?... Si vous ne faites pas entendre avec la langue une parole distincte, comment saura-t-on ce que vous dites ? Vous parlerez en l'air. Quelque nombreuses que puissent être dans le monde les diverses langues, il n'en est aucune qui consiste en sons inintelligibles. Si donc j'ignore la valeur du son, je serai un barbare pour celui qui parle, et celui qui parle sera un barbare pour moi...[2]

Quoi qu'il en soit de l'évolution personnelle de Kručënyx, qui le mène du « futurianisme » à la systématisation « zaumienne » du groupe caucasien « 41° »[3], il reste toujours prisonnier d'un représentationnisme naïf, qui fait de sa *zaum'* un prolongement (sur le mode d'une régression infantile, « primitive ») du symbolisme phonétique tel que l'exposaient certaines théories symbolistes. Dans ces conditions, un critique aussi peu favorable au « futurisme russe » que l'était G. Tasteven[4], pouvait-il dire, non sans quelque apparence de raison, que, ultrasubjectivistes, des « destructeurs du langage », comme A. Kručënyx, par exemple, n'étaient que des maximalistes du symbolisme, et, plus particulièrement, du « mallarméisme »[5]. Les « cubo-futuristes » (parmi lesquels il rangeait, outre Kručenyx, les poètes Vasilisk et Gnedov !) vulgarisaient, à son sens, les idées de Mallarmé et de Platon, avec leur « création verbale » (*slovotvorčestvo*) et leur « mystique des mots » (*mistika slov*)[6]. Ils se voyaient donc accusés de restaurer, pour ainsi dire, à leur insu, une métaphysique : celle de l'immanence, de l'en-soi. La sensation (de la contemporanéité, de l'instant, de la vitesse) était dans ce crypto-système ce que la chose en soi était dans la tradition philosophique idéaliste[7]. Là où les symbolistes écrivaient *Tajna* (« le Mystère »), *Večnost'* (« l'Éternité »), les « futuristes » installaient de nouvelles hypostases : *Èlektričestvo* (« l'Électricité »), *Mašina* (« la Machine »), *Ènergija* (« l'Énergie »). Bannissant tout psychologisme de l'art, les « futuristes » étaient ainsi condamnés à le restaurer par le biais de la synthèse des impressions de l'individu, et, en ce sens, ils dépassaient l'impressionnisme qui, lui, se contentait d'impressions visuelles. Après ce sévère constat de délit « métaphysique », l'issue du procès était claire : les « futuristes » avaient recours à un symbolisme naïf de procédés pour *rendre* les états d'âme, ces fameux états d'âme qu'ils croyaient avoir à tout jamais exorcisés[8]. Les « futuristes » « acheveurs » (dans tous les sens du terme) du symbolisme présenteraient donc un art qui serait un « romantisme d'un caractère aéroplano-machino-automobile ! »[9]. Le

« futurisme » serait un « symbolisme renversé »[1]. Si nous nous sommes ainsi attardé sur le réquisitoire, à maints égards injuste[2], de G. Tasteven, ce n'est pas à cause de quelque tacite complicité qui unirait notre propre jugement à celui du critique « pro-symboliste ». Cependant, celui-ci avançait quelques rapprochements, destinés principalement, du moins dans son esprit, à « réduire » le « futurisme russe »[3]. Mais il est un point, surtout, dans l'analyse de Tasteven, qui méritait que l'on s'y arrêtât quelque peu longuement : la dénonciation, très juste, du « néo-représentationnisme » de l'art « futuriste » ; nous ajouterons avec plus de précision : de *certains* « futuriens » (Kručënyx principalement, mais D. et N. Burljuk également, et, de manière épisodique seulement, V. Majakovskij). Tasteven relève en cette matière *la* contradiction majeure du « futurianisme », qui l'a très rapidement transformé, malgré les avertissements du très lucide B. Livšic[4], en un nouveau (mais, en son essence, très ancien !) « réalisme » ou « naturalisme ». Le problème, très sérieux, que pose Tasteven est le suivant, dans son application à la *zaum'* : qu'*imite* donc l'art du discours ? Dans son « ironie » pleinement socratique, Tasteven nous renvoie, bien au-delà du seul *Cratyle*, à la doctrine de la *μίμησις* dans l'art. La question peut être reformulée dans toute sa généralité philosophique de la manière suivante : quel est le statut ontologique de l'art[5] en tant que forme de représentation ?

La question est d'une telle importance pour le destin de l'art qu'il serait d'une extrême présomption de vouloir ne serait-ce qu'esquisser un commencement de réponse[6]. Ce problème engage les relations entre la philosophie et l'art. Toutefois, dans le cadre précis de la problématique engendrée par le scandale que représente, dans l'histoire de la *mimésis* occidentale, le phénomène de la *zaum'* comme système de composition dans le langage, il est possible d'avancer l'hypothèse suivante : la *zaum'* est le signe d'une crise de la *fonction mimétique* de la logotechnie (le discours composé). La *zaum'* marque la crise de croissance d'un discours artistique qui se détache de sa dépendance immémoriale vis-à-vis de modèles situés *hors de sa réalité*. La restauration de « l'imitation » par le biais d'un langage qui dirait (« donnerait » selon la terminologie de Kručënyx) *immédiatement* ce dont il est signe (ce qui équivaudrait, en fait, à l'abolition pure et simple de la forme même de la représentation, donc à la « mort » de l'art !) parle éloquemment du vertige dont ont dû être saisis les premiers « autonomistes du mot » lorsqu'ils sentirent fuir de dessous les mots le sol des « choses », c'est-à-dire lorsqu'ils décidèrent d'abolir la référentialité, la relation du discours littéraire à autre « chose » que lui-même. Le primitivisme, l'infantilisme, l'esthétisme pur[7] (non médiatisé) du discours artistique sont autant de paravents qui masquent mal et ne sauraient excuser autrement que spécieusement la carence théorique de la plupart des « futuriens » : prompts à libérer le discours artistique, ils n'étaient pas prêts théoriquement à affronter la vacuité référentielle. Khlebnikov le premier eut l'audace de *penser* le « zéro » de sens, en étendant sur le « trou » de signifiance la subtile résille des formules mathématiques[1]. Mais le chemin ne fut pas facile, ni droit, qui devait le mener, par une série de tâtonnements, d'une *zaum'* mimétique à un discours totalement autosémique – et de là, à une conclusion capitale pour l'avenir du discours littéraire : l'autonomie intégrale de la logotechnie implique l'invention de formes entièrement nouvelles de *composition*.

La position de Khlebnikov, au départ, en effet, est passablement ambiguë : d'une part, il participe à l'élaboration de manifestes, contresignant des proclamations qui l'engagent apparemment dans la voie de Kručënyx, vers une *zaum'* suicidaire ; d'autre part, il poursuit, tant dans sa pratique poétique que dans ses articles théoriques, des recherches totalement originales qui devaient le conduire, en étroite connexion avec son calcul des lois du temps, à la constitution d'une langue « ultrarationnelle », malencontreusement dénommée *zaum'*, bien qu'elle n'eût rien de commun avec la langue « trans-rationnelle » de Kručënyx...

En *budetljanin* conséquent pour qui la peinture[2] avait montré, la première, la voie de l'émancipation du matériau artistique, Khlebnikov, au début, traite le matériau verbal à l'instar des couleurs. Dans la brochure *Slovo kak takovoe*[3], il est déclaré que :

413 Живописцы будетляне любят пользоваться частями тел, разрезами, а будетляне речетворцы разрубленными словами, полусловами и их причудливыми сочетаниями (заумный язык), этим достигается наибольшая выразительность, и этим именно отличается язык стремительной современности уничтожившей прежний застывший язык.

Le *zaumnyj jazyk* est ici un terme de technique compositionnelle, instrument de la *zvukopis'* (« peinture des sons » ou « phonographie »), poésie picturale ou « chromatique » illustrée par le fameux poème : *Bobèobi pelis' guby*. Dans *Zangezi*[4], Khlebnikov explicite le sens de cette « écriture des sons » : « *No vot pesni zvukopisi : gde zvuk to goluboj, to sinij, to čërnyj – to krasnyj'* ». Dans ses *Carnets*[5] il établit la correspondance des sons et des couleurs, correspondance qui fonde la *zvukopis'* :

413 Звукопись

Этот род искусства – питательная среда, из которой можно вырастить дерево всемирного языка.

м – синий цвет
л – белый, слоновая кость
г – желтый
б – красный, рдяный
з – золотой
к – небесно-голубой
н – нежно-красный
п – черный с красным оттенком.[5]

Ainsi, il peut gloser son poème *Bobèobi* : « *B ili jarko krasnyj cvet, a potomu guby bobèobi, vèèomi – sinij i potomu glaza sinie, püèo – čërnoe* »[1]. Mais cette « glose » est l'indice même de la faillite de la *zvukopis'* : sous peine de verser dans le langage « inconscient » de Kručënyx, Khlebnikov est obligé de donner une « traduction » de ses « tableaux sonores ». Ainsi, dans *Zangezi*[2] encore :

Звукопись
Вэо-вэя- зелень дерева,
Нижеоты- темный ствол,
Мам-эами- это небо,
Пучь и чапи- черный грач.
Мам и эмо- это облако.

Il n'y a aucun lien de nécessité entre consonnes et couleurs, ainsi que le fait remarquer Baudouin de Courtenay dans son article : « *K teorii 'slova kak takovogo' i 'bukvy kak takovoj'* »[3]. De plus, la théorie des correspondances n'est pas neuve ! Déjà Rimbaud s'écriait, dans son poème « Voyelles » (écrit en 1871) :

A noir, E blanc, I rouge, U vert, O bleu : voyelles,
Je dirai quelque jour vos naissances latentes...

Avant lui, Baudelaire affirmait dans *Correspondances* que « Les couleurs, les parfums et les sons se répondent ». Avec honnêteté, Khlebnikov note dans ses *Carnets* sa dette envers ses prédécesseurs :

413 Еще Маллармэ и Бодлер говорили о звуковых соответствиях слов и глазах слуховых видений и звуков, у которых есть словарь.

(*Из записных книжек*)[4].

Khlebnikov, cependant, n'était point enclin à établir une « glossolalie » comme le fit A. Belyj dans son monumental « Poème sur le son »[5] (*Poèma o zvuke*), entreprise qui rappelait dangereusement les théories mystiques des symbolistes. Son tempérament de matérialiste[6] convaincu le poussait au contraire à chercher une raison du langage qui ne pouvait en aucune manière se réduire à l'équation posée par Kručënyx : A = A (A étant ici le son). Semblable aporie signifiait, en dernière instance, la capitulation de l'intellect et laissait le passage libre à l'invasion massive des forces crépusculaires de l'extase dionysiaque, que l'esprit apollinien et ordonnateur de Khlebnikov ne pouvait admettre. D'ailleurs, il reconnaît lui-même l'échec de l'efficience du « mot » purement phonétique, lorsqu'il écrit, dans *Svojasi*[7] :

414 Во время написания заумные слова умирающего Эхнатена « Манч, манч ! » из *Ка* вызвали почти боль ; я не мог их читать, видя молнию между собой и ими ; теперь они для меня ничто. Отчего – я сам не знаю.

La recherche sur le langage, chez le poète, s'accompagne d'une recherche plus fondamentale, qui sous-tend en quelque sorte la première : celle de la « chronométrie ». Comment le « géomètre du temps » eût-il pu laisser gâter le champ du discours par l'ivraie de l'alogisme transcendantal d'un Kručënyx ? Khlebnikov découvre que le nombre régit l'histoire et l'ensemble des phénomènes humains ; le nombre régit donc aussi le langage, et, de manière éminente, le langage poétique qui est le « langage nombré » (*numeri* en latin signifie aussi bien « poésie » que « nombres »), le langage « mesuré », celui de la métrique. La *zvukopis'* elle-même, la poésie chromatique, obéit aux lois du nombre, de même que ce sont les rapports numériques qui commandent la structure du « langage autonome » dans son entier :

414 Я изучал образчики самовитой речи и нашел, что число пять весьма замечательно для нее ; столько же, сколько и для числа пальцев руки.[1]

Мы говорим : остров мысли внутри самовитой речи, подобно руке, имеющей пять пальцев, должен быть построен на пяти лучах звука, гласного или согласного, сквозящего сквозь слова, как чья-то рука. То есть правило пяти лучей как изысканное строение звонкой речи с 5 осями. Так « Крылышкуя золотописьмом тончайших жил » (*Пощечина общественному вкусу*) образует четные строчки ; первые построенные на к, л, р, у, – по пяти (строение пчелиных сот). « Мы, не умирающие, смотрим на вас, умирающих » построены пять м. Довольно примеров и пятиосного строения морских звезд нашей речи.[2]

Le logos est discours et raison ; la raison du discours est le nombre, qui exhibe, en quelque sorte, la nature purement relationnelle du logos.

Il y a, d'autre part, à l'arithmétisation du langage chez Khlebnikov, une autre cause que celle de la pure rationalisation : luttant contre la dispersion de l'être opérée par le temps – n'écrit-il pas dans ses *Carnets* : 414 « *Ja čuvstvuju grobovoju dosku nad svoim prošlym. Svoj stix kažetsja čužim.* »[3] ? – il combat cette autre dispersion, également pernicieuse, qu'est la multiplicité des langues : il l'appelle une « limite qui assiège l'homme », à l'instar du temps et de la foule (la multiplicité des êtres) : « *Tri osady – osada vremeni, slova i množestv* »[4]. Khlebnikov se donne pour tâche de désenclaver le territoire linguistique de l'humanité entière en débusquant l'un sous le multiple, réduisant la différence phénoménale à l'unicité éidétique : à une idée ne peut correspondre qu'une expression. La multiplicité linguistique est-elle l'effet d'une quelconque malédiction divine consécutive à la confusion de la tour de Babel ? Ou serait-elle, plus simplement, l'effet de l'oubli par l'humanité de la langue primordiale ? Les conséquences de cet « oubli » sont la guerre linguistique et la lutte armée entre les nations.

414 Языки изменили своему славному прошлому. Когда-то, когда слова разрушали вражду и делали будущее прозрачным и спокойным, языки, шагая по ступеньям, объединили людей 1) пещеры, 2) деревни, 3) племени, родового союза, 4) государства – в один разумный мир, союз меняющих ценности рассудка на одни и те же меновые звуки. Дикарь понимал дикаря и откладывал в сторону слепое оружие. Теперь они, изменив своему прошлому, служат делу вражды и, как своеобразные меновые звуки для обмена рассудочными товарами, разделили многоязыковое человечество на станы таможенной борьбы, на ряд словесных рынков, за пределами которого данный язык не имеет хождения. Каждый строй звучных денег притязает на верховенство и таким образом языки, как таковые, служат разъединению человечества и ведут призрачные войны.[1]

La solution de la multiplicité et de l'hétérogénéité mutuelle des langues passe par la solution de l'équation à x inconnues qu'est chaque langue empirique existante, où x représente le nombre de phonèmes de la langue donnée. Khlebnikov ne se prend donc pas au piège métaphysique qui consisterait à essayer de répondre à des questions qui excèdent l'expérience humaine. Peu importe l'origine des langues ; il faut partir des langues telles que l'expérience ordinaire les donne. Réfléchissant sur la nature de l'enchantement exercé sur l'esprit par la *zaum'*, suite de sons incompréhensibles à la raison ordinaire, Khlebnikov interprète la *zaum'* comme un langage rationnel en puissance : les sons que nous entendons sans les comprendre exercent néanmoins une influence sur l'inconscient, car ils ont un sens latent, que la conscience claire, rationnelle, ne perçoit pas encore. Analysant l'effet des incantations magiques ou des prières en langue archaïque sur l'esprit des croyants, Khlebnikov écrit :

414 ...Если различать в душе правительство рассудка и бурный народ чувств, то заговоры и заумный язык есть обращение через голову правительства прямо к народу чувств, прямой клич к сумеркам души или высшая точка народовластия в жизни слова и рассудка, правовой прием, применяемый в редких случаях.

...речь высшего разума, даже непонятная, какими-то семенами падает в чернозем духа и позднее загадочными путями дает свои всходы. Разве понимает земля письмена зерен, которые бросает в нее пахарь ? Нет. Но осенняя нива все же вырастает ответом на эти зерна.[2] (*О стихах*).

Tout le problème pour Khlebnikov consiste donc dans la lecture de ce « méta-langage », dont il s'attache à découvrir la rationalité (*vysšij razum*) derrière (*za*) l'incohérence et l'incompréhensibilité apparentes. Il déclare, dans son très important essai théorique *Naša osnova*[3] :

414 ...Эти свободные сочетания, игра голоса вне слов, названы заумным языком. Заумный язык – значит находящийся за пределами разума. Сравни « Заречье » – место, лежащее за рекой, « Задонщина » – за Доном. То, что в заклинаниях, заговорах заумный язык господствует и вытесняет разумный, доказывает, что у него особая власть над сознанием, особые права на жизнь наряду с разумным. Но есть путь сделать заумный язык разумным.

Ainsi, la raison de la *zaum'* khlebnikovienne est derrière la raison commune, parce qu'elle en excède les étroites limites. Mais l'extension de la raison à la *zaum'* la fait apparaître comme un langage ultrarationnel : de proto-langage, ainsi que la nomme avec mépris Čukovskij[1], elle devient « méta-langage ». De la même manière qu'il « lit » l'histoire à travers la grille des chiffres, Khlebnikov lit la *zaum'* à travers les sons fondamentaux du langage : ce qu'il appelle « l'alphabet du Monde » (*Azbuka mira*). Partant du principe que les sons primordiaux de la langue russe étaient les mêmes pour toutes les langues de la terre, donc pouvaient devenir universels et constituer la langue du Monde, Khlebnikov devait en découvrir le sens. Le postulat des « sons-chefs » lui permettait la construction de cette langue des concepts qu'il appelle *zaumnyj jazyk*. Le « son-chef », dans un mot, est le son qui commence le mot, et en « commande », en quelque sorte, le sens. Une comparaison du sens commun à plusieurs mots commençant par le même son l'autorisait à déduire le concept général, non-empirique, qui était représenté par une lettre unique (un son unique) de l'alphabet fondamental, et qui était, bien entendu, le « son-chef », commun à tous ces mots. Khlebnikov résume ces principes qui lui permettent l'élaboration de son « alphabet du Monde » et la constitution d'une « langue conceptuelle » dans *Naša osnova* :

415 Заумный язык исходит из двух предпосылок :

1. Первая согласная простого слова управляет всем словом – приказывает остальным.

2. Слова, начатые одной и той же согласной, объединяются одним и тем же понятием и как бы летят с разных сторон в одну и ту же точку рассудка.[2]

La conclusion est d'un ferme optimisme :

...Таким образом, заумный язык есть грядущий мировой язык в зародыше. Только он может соединить людей. Умные языки уже разъединяют.[3]

Cette langue ultrarationnelle – en comparaison de laquelle les langues rationnelles et raisonnables (*umnye*) déraisonnent – n'est pas la langue des enfants ou des sauvages, comme le disait en ironisant Čukovskij dans son article sur les égo et cubo-futuristes : c'est la langue des enfants et des sauvages, raisonnée, c'est-à-dire une récupération rationnelle de la langue la plus simple et la plus antique, celle de la Nature :

415 ...Простейший язык видел только игру сил. Может быть в древнем разуме силы просто звенели языком согласных. Только рост науки позволит отгадать всю мудрость языка, который мудр потому, что сам был частью природы.[4]

Bâtissant sa « logométrie » sur les rapports *de force* exprimés par les sons fondamentaux du discours ultrarationnel, Khlebnikov pouvait en déduire une sorte de cinétique logique, où les sons fondamentaux sonorisent les lois physiques des mouvements des corps. Le langage du Monde est le chant du Monde, une sonorisation, par la voix de l'homme, substance terrestre, de la dynamique des forces de la Terre. C'est le langage ultrarationnel « vocateur » de la planète Terre (une « étoile parmi les étoiles ») que Khlebnikov appelle suggestivement le « langage stellaire » (*zvëzdnyj jazyk*), reliant ainsi la phonation humaine non seulement aux forces naturelles de la planète, mais à l'ensemble des forces cosmiques œuvrant dans le système stellaire :

415 Итак, с нашей площадки лестницы мыслителей стало ясно, что простые тела языка – звуки азбуки – суть имена разных видов пространства, перечень случаев его жизни. Азбука, общая для многих народов, есть краткий словарь пространственного мира.[1]

Dans sa postface à *Izbornik stixov*, Khlebnikov pouvait ainsi affirmer :

415 (...) 30-29 звуков азбуки суть 30 дней месяца и (...) звук азбуки есть скрип Месяца слышимый земным слухом (...). Сквозь прозрачную азбуку виден месяц.[2]

A ce niveau de théorisation du système linguistique, nous pouvons mieux juger la distance qui sépare Khlebnikov des intuitions mallarméennes. Dans *les Mots anglais*, ouvrage destiné à l'étude de l'anglais, Mallarmé a esquissé quelques hypothèses qui jettent une vive lumière sur ses principes « linguistiques » et qui montrent aussi, chez ce professeur d'anglais minutieux et méthodique, un poète attentif aux secrètes parentés qui associent et composent les mots en cette grande famille qu'est le corps de la langue. Car la langue, pour Mallarmé, est un organisme vivant, qui, tout en étant perfectionné par l'esprit de l'homme, participe aussi de la nature :

Qu'est-ce que le Langage, entre les matériaux scientifiques à étudier ? A chacun d'eux, le Langage, chargé d'exprimer tous les phénomènes de la Vie, emprunte quelque chose ; il vit : et, comme (pour aider l'enfance à saisir) force est que le monde extérieur prête ses images, toute figure du discours, relative à une manifestation quelconque de la vie est bonne à employer à propos du langage. Les mots, dans le dictionnaire, gisent, pareils ou de dates diverses, comme des stratifications : vite je parlerai de couches. Ou le développement en a lieu selon telle ou telle loi inhérente à leur croissance, les faisant dépendre d'une souche ou de plusieurs : je groupe en rameaux, que parfois il faut élaguer de quelques rejetons ou même greffer, ce vocable enté sur cet autre ; ou bien un afflux se détermine dans un sens, irruption et débordement, simple courant. A toute la nature apparenté et se rapprochant ainsi de l'organisme dépositaire de la vie, le Mot présente, dans ses voyelles et ses diphtongues, comme une chair ; et, dans ses consonnes, comme une ossature délicate à disséquer. Etc., etc., etc. Si la vie s'alimente de son propre passé, ou d'une mort continuelle, la Science retrouvera ce fait dans le langage : lequel, distinguant l'homme du reste des choses, imitera encore celui-ci en tant que factice dans l'essence non moins que naturel ; réfléchi, que fatal ; volontaire, qu'aveugle.[1]

Par conséquent, la langue est double : construite, elle offre la symétrie d'un système ; fruit du hasard, elle présente d'innombrables irrégularités et anomalies, que la raison est impuissante à réduire. En fin pédagogue, désireux de capter l'intérêt de son lecteur, Mallarmé propose un examen *des rapports entre le sens et le son des mots*, afin que s'opère plus aisément le regroupement des vocables en familles « phono-sémantiques », et donc que l'étude du vocabulaire anglais soit rendue plus agréable et intelligente (la mémorisation d'un lexique, « herbier de mots », est, en effet, la chose la plus fastidieuse qui soit, et la moins instructive conséquemment, puisqu'elle ne saurait montrer les secrets mécanismes de la langue, ces mécanismes que le pédagogue-poète veut suggérer à son élève) :

Relativement aux mots de terroir, c'est-à-dire aux vocables issus, pour l'Anglais actuel, du seul Anglo-Saxon ; qu'y a-t-il à faire après les citer ? Toute distinction à noter, entre des traces antérieures dans la langue qui vécut jusqu'à la Conquête et se transforma depuis, représente de prime abord à vos yeux quelque chose d'intéressant, mais de spécial comme un caprice historique. Le profit ? reconnaîtrez-vous mieux l'Anglais pour cela : plus tard, soit ; mais ce dont il sied de se rendre compte, à présent, me paraît le rapport qui existe entre le sens des mots que je vais croire inconnu de vous, et leur configuration extérieure : et si quelqu'un de ces rapports concerne plusieurs vocables. Citer, disais-je tout-à-l'heure ; je dis maintenant grouper et éliminer. Tous les mots d'une langue ne sont pas au nombre de deux ou de trois ; mais peut-être non plus de mille et mille. Ceux de même famille, pourquoi ne pas les considérer ensemble ; et d'autres, solitaires, les discerner un à un quand ils présentent quelque curiosité ? Captivante autant qu'utile, certes, voici l'unique investigation ; mais l'esprit admet plus d'une réflexion préliminaire...[2].

Pourtant, et là se révèle toute la délicatesse du philologue, Mallarmé prend le soin le plus extrême à définir la portée exacte de son entreprise : la fragilité du langage requiert moins la rigoureuse discipline du savant, avant tout soucieux de fonder un système, que la subtile intuition du poète, préoccupé de faire sentir le jeu des rapports internes de la langue :

Ce qu'on nomme du *jeu*, il en faut, dans une mesure raisonnable, pour réussir quelque chose comme ce travail complexe et simple : trop de rigueur aboutissant à transgresser, plutôt que des lois, mille intentions certaines et mystérieuses du langage. Quelle plus charmante trouvaille, par exemple, et faite même pour compenser mainte déception, que ce lien reconnu entre des mots comme **house**, *la maison*, et **husband**, *le mari* qui en est le chef ; entre **loaf**, *un pain*, et **lord**, *un seigneur*, sa fonction étant de le distribuer ; entre **spur**, *éperon*, et **to spurn**, *mépriser* ; **to glow**, *briller*, et **blood**, *le sang* ; **well !**, *bien*, et **wealth**, *la richesse* ou encore **thrash**, *l'aire* à battre le grain et **threshold**, *le seuil*, tassé ou uni comme un dallage ? Venus de plus loin se rencontrer, même de trop loin, soit ! certains vocables ne montrent pas cette conformité d'impression ; mais alors comme une dissonance. Le revirement dans la signification peut devenir absolu au point, cependant, d'intéresser à l'égal d'une analogie véritable : c'est ainsi que **heavy** semble se débarrasser tout-à-coup du sens de *lourdeur* qu'il marque, pour fournir **heaven**, *le ciel*, haut et subtil, considéré en tant que séjour spirituel. (...) Remarquer ce fait que les mots les moins usités servent souvent de conducteurs, inattendus et précieux, entre une double acception distante de deux termes considérables.[1]

C'est cette « harmonie » (conflit résorbé entre la consonance et la dissonance), entre sens et son qui fonde l'intention profonde de Mallarmé ; plus que les mots eux-mêmes, c'est « l'entre-mots » qui l'intéresse, l'intervalle plus ou moins grand entre notions et configurations sonores. Toute la doctrine (si l'on peut employer un pareil terme à propos d'une démarche si peu dogmatique), tout « l'art fabricatoire » de Mallarmé se dévoile dans ce passage où l'onomatopée est présentée au lecteur comme l'exemple de la belle conjonction entre intellection et perception :

Un lien, si parfait entre la signification et la forme d'un mot qu'il ne semble causer qu'une impression, celle de la réussite, à l'esprit et à l'oreille, c'est fréquent ; mais surtout dans ce qu'on appelle les **onomatopées**. Le croirait-on : ces mots, admirables et tout d'une venue, se trouvent, relativement aux autres de la langue (exceptons ceux comme **to write**, *écrire*, imité du bruissement de la plume dès le Gothique **writh**), dans un état d'infériorité. Pourquoi : faute de titres nobiliaires et immémoriaux ; après plusieurs siècles d'existence, de tels vocables, qui ne sont point d'une race quelconque, paraissent nés d'hier. Vos origines ? leur demande-t-on ; et ils ne montrent que leur justesse : il faut ne pas les humilier, cependant, car ils perpétuent, dans nos idiomes, un procédé de création qui fut peut-être le premier de tous. Ces tard-venus causent, à qui veut distribuer une langue en familles, quelque embarras : car de fait ils n'appartiennent à aucune Famille. Historiquement, c'est vrai ; logiquement, point cependant : et voici pourquoi les autres vocables montrent, eux aussi, plus d'une analogie du sens à la forme. Si de tels rapports que ceux fournis par un alphabet unique et des milliers de significations offrent nécessairement entre eux certaine similitude, à plus forte raison avec un mot juste, issu tout fait de l'instinct du peuple même qui parle la langue. Quelques onomatopées se trouveront donc presque toujours rangées ici dans les Familles ; rarement dans les Mots Isolés, car peu existent sans quelque liaison ici ou là : la liaison se fera attache.[2]

A ce moment de la présentation de son « cours », Mallarmé donne sur sa méthode une précision qui, à notre sens, frappe d'inanité, à l'avance, toute possibilité, pour la critique ultérieure, de rapprocher sérieusement ses principes de ceux de Khlebnikov : si le travail onomatopéique, tel qu'il vient de le définir, est le propre du poète, cultivateur de la langue (celui qui édifie, par ses constructions, la « culture »[3] de la langue), le professeur limite son ambition à faciliter la lecture d'une nomenclature par un principe de regroupement qui n'est rien moins que scientifique. Le poète lit les analogies latentes, potentielles entre configurations sémantiques, parfois, par un heureux travail de style, crée de nouveaux sens grâce à de nouvelles combinaisons phoniques, bref il *œuvre* la langue ; le professeur, lui, invente une intelligente mnémotechnique. Très sobrement et non sans quelque scepticisme, Mallarmé remet à la fin des temps le dévoilement, par la science, du secret ultime de la langue :

La stricte observance des principes de la linguistique contemporaine cédera-t-elle devant ce que nous appelons *le point de vue littéraire*, ou de la langue une fois cultivée ; rien, à proprement parler, de semblable ici : qu'il s'agit de l'âme même de l'Anglais. Notre classification quelquefois s'étend fort loin ; mais elle se perdrait et s'effacerait, admis tels et tels secrets (banals pour quiconque écrit l'Anglais). Au poète, ou même au professeur savant, il appartiendra, par un instinct supérieur et libre, de rapprocher des termes unis avec d'autant plus de bonheur pour concourir au charme et à la musique du langage, qu'ils arriveront comme de lointains plus fortuits : c'est là ce procédé, inhérent au génie septentrional et dont tant de vers célèbres nous montrent tant d'exemples, l'**allitération**. Pareil effort magistral de l'Imagination désireuse, non seulement de se satisfaire par le symbole éclatant dans les spectacles du monde, mais d'établir un lien entre ceux-ci et la parole chargée de les exprimer, touche à l'un des mystères sacrés ou périlleux du Langage ; et qu'il sera prudent d'analyser seulement le jour où la Science, possédant le vaste répertoire des idiomes jamais parlés sur la terre, écrira l'histoire des lettres de l'alphabet à travers tous les âges et quelle était presque leur absolue signification, tantôt devinée, tantôt méconnue par les hommes, créateurs de mots : mais il n'y aura plus, dans ce temps, ni Science pour résumer cela, ni personne pour le dire. Chimère, contentons-nous, à présent, des lueurs que jettent à ce sujet des écrivains magnifiques : oui, **sneer** est un *mauvais sourire* et **snake** un animal pervers, le *serpent*, SN impressionne donc un lecteur de l'Anglais comme un sinistre diagramme, sauf toutefois dans **snow**, *neige*, etc. **Fly**, *vol* ? **to flow**, *couler* ? mais quoi de moins essorant et fluide que ce mot **flat**, *plat*. Des analogies de ce genre que l'étudiant, ambitieux de se livrer plus tard à la culture littéraire de l'Anglais, saisira dans les familles de Mots, comme dans les Mots Isolés, qu'il les confie à ses souvenirs : et attende ; maintenant il ne fait autre chose sinon de considérer les lettres, sous lesquelles viennent se ranger des groupes de vocables, comme des initiales patronymiques. Que pour rompre par quelque causerie une liste, monotone à qui doit la parcourir, ainsi que pour relier entre elles deux classes de mots fournis contenus dans chaque série, tantôt apparaisse ici une tentative d'expliquer par la Consonne dominante la Signification de plus d'un vocable : c'est là un recueil de notes, fournies par l'observation, utiles à quelques efforts de la Science, mais ne relevant pas d'elle encore. Noblement distraits tout à l'heure par une des beautés du style, revenez à notre investigation modeste.[1]

Bien entendu, le principe de la consonne initiale dominante, commandant le « sens » du mot[2], engendre des séries que l'on retrouve sans peine chez Khlebnikov, transposées dans le système de la langue russe avec une remarquable similitude dans l'expression des rapports cinétiques que manifestent les « sons » initiaux. Ainsi, chez Mallarmé, après l'exposition du principe qui préside à l'investigation du vocabulaire anglais :

Le sens qui peut résulter de mainte combinaison, voici, dans les limites de l'observation exacte, l'objet seul des Notes accompagnant cette Nomenclature, et encore rien ne se passe-t-il qu'au commencement des vocables : mais il sied d'ajouter que c'est là, *à l'attaque*, que réside vraiment la signification (la voyelle ou la diphtongue médianes prenant dans les langues du Nord une importance médiocre et les consonnes finales apparaissant à l'état de suffixes point toujours discernables)[3],

suit un examen des différents groupes de mots subsumés sous les différentes « initiales patronymiques ». Voici quelques échantillons parmi les plus caractéristiques des commentaires qui concluent certaines tables :

– pour la lettre B :

B fournit de nombreuses Familles ; et s'appuie au commencement de chacun des mots, sur toutes les voyelles, peu d'entre les diphtongues et les seules consonnes *l* et *r* : cela pour causer les sens, divers et cependant liés secrètement tous, de production ou enfantement, de fécondité, d'amplitude, de bouffissure et de courbure, de vantardise ; puis de masse ou d'ébullition et quelquefois de bonté et de bénédiction (malgré certains vocables dont plus d'un va isolément défiler ici) ; significations plus ou moins impliquées par la labiale élémentaire.[1]

– pour la lettre H :

Doit-on accorder à H, appuyée forcément sur une voyelle ou sur une diphtongue, la même valeur qu'à toute autre consonne ; oui, puisqu'à de rares exceptions près, cette lettre s'aspire au commencement des mots aussi distinctement qu'éclate ou se prolonge toute autre articulation de l'alphabet. *H* traduit, quoique avec quelque vague, un mouvement direct et simple comme le geste de tenir avec la main, hâtivement même ; et le cœur ou la tête, ce qui *se cache derrière*, oui, mais ce qui *s'élève* très haut, enfin puissance et domination. Ces caractères, ici plus que jamais, se révèlent dans les Familles ; pour disparaître un peu dans les Mots Isolés.[2]

– pour la lettre L :

L, ne pouvant s'unir à l'autre liquide *r*, ni en tant que consonne initiale se redoubler, frappe au commencement des mots, toujours une voyelle ; et apparaît donc là dans toute son intégrité. Cette lettre semblerait parfois impuissante à exprimer par elle-même autre chose qu'une appétition point suivie de résultat, la lenteur, la stagnation de ce qui traîne ou gît ou même dure ; elle retrouve, cependant, de la spontanéité dans des sens comme sauter et tout son pouvoir d'aspiration avec ceux d'écouter et d'aimer, satisfait par le groupe de **loaf** à **lord** : noter aussi liaison et analogie.[3]

– pour la lettre N :

Avec sa valeur gardée pure (car, pas plus qu'*m* et *l*, cette lettre ne supporte le voisinage d'une consonne) N est beaucoup moins fréquent qu'*m*, marquée au sceau de la plénitude : jugez-la plutôt incisive et nette, comme dans l'acte de tailler ou dans les sens exprimés par les Familles de **nail** et de **nose**, *ongle* et *nez*, d'où *bec*. Voir **near**, *près*, et **new**, *nouveau*, où semblerait se révéler l'intention même de la lettre : celle d'un état simple comme pour *l*, avec proximité dans l'espace ou dans le temps. **Name, nasty**, **need**, très divers, ne restent pas moins significatifs.[4]

Il est aisé de trouver des exemples semblables[5] chez le poète russe :

415 (...) я утверждаю, что :

1) В на всех языках значит вращение одной точки кругом другой или по целому кругу или по части его, дуге, вверх и назад.

2) Что Х значит замкнутую кривую, отделяющую преградой положение одной точки от движения к ней другой точки (защитная черта).

. . . .

8) Что Л значит распространение наиболее низких волн на наиболее широкую поверхность, поперечную движущейся точке, исчезание измерения высоты во время роста измерений широты, при данном объеме бесконечно малая высота при бесконечно больших двух других осях – становление тела двумерным из трехмерного.

. . . .

14) Что Н значит отсутствие точек, чистое поле.[6]

Mais ce qui rend tous ces parallélismes inefficaces pour toute argumentation ou démonstration, est le fait que, là où Mallarmé agit avec toute la prudence froide d'un scientifique (et avec la sagacité d'un poète aussi !), Khlebnikov opère en gnostique[1] qui transforme la science en une foi d'un type nouveau capable d'expliquer par un principe unique l'ordre du monde (notons toutefois que la poésie est sauve, dans cette théorie scientiste ; car Khlebnikov est un génial poète qui, à son insu[2], poétise la science en l'annexant au système de son art...) ; aussi déclare-t-il péremptoirement[3], après une démonstration des sens des différentes « lettres de l'alphabet »[4] :

415 (...) Таким образом Ч есть не только звук, Ч – есть имя, неделимое тело языка.

Если окажется, что Ч во всех языках имеет одно и то же значение, то решен вопрос о мировом языке : все виды обуви будут называться че ноги, все виды чашек – че воды – ясно и просто. Во всяком случае хата значит хата не только по-русски, но и по-египетски ; В в индоевропейских языках означает вращение. Опираясь на слова хата, хижина, халупа, хутор, храм, хранилище, – мы видим, что значение – черта преграды между точкой и движущейся к ней другой точкой. Значение В в вращении одной точки около другой неподвижной. Отсюда – вир, вол, ворот, вьюга, вихрь и много других слов. М – деление одной величины на бесконечно малые части. Значение Л – переход тела, вытянутого вдоль оси движения, в тело, вытянутое в двух измерениях, поперечных пути движения. Например, площадь лужи и капля ливня, лодка, лямка. Значение Ш – слияние поверхностей, уничтожение границ между ними. Значение К – неподвижная точка, прикрепляющая сеть подвижных. Таким образом заумный язык есть грядущий мировой язык в зародыше. Только он может соединить людей (...)

. . . .

Итак, каждый согласный звук скрывает за собой некоторый образ и есть имя.

Si Khlebnikov, dans sa théorie du langage, n'est pas mallarméen, encore moins est-il « cratyléen ». L'imprudente comparaison, lancée par la critique, comme nous l'avons vu, dès 1913 et qui reparaît encore dans des œuvres ou articles contemporains, prouve une fois encore que tout parallèle, dans le domaine littéraire, malgré toute l'érudition dont, à l'occasion, il peut être le signe, est dénué de valeur *s'il arrache les faits mis en parallèle à la structure de l'œuvre* (ou du système) *à l'intérieur de laquelle* (ou duquel) *uniquement, ils trouvent leur sens.* Prenons quelques exemples :

– Ainsi, en un moment du dialogue, Socrate tente-t-il de prouver à Hermogène que le même sens peut s'exprimer par des groupements de syllabes différents sans cesser pour cela de manifester la même essence : « Que le même sens s'exprime par telles ou telles syllabes, peu importe ; qu'une lettre soit ajoutée ou retranchée, cela non plus n'a aucune importance, tant que domine l'essence de l'objet manifestée dans le nom »[5]. La démonstration (appuyée sur l'exemple des noms de rois et de noms de chefs militaires) une fois achevée, Socrate conclut : « ...et sans doute en trouverions-nous une foule qui, tout en rendant un son différent par leurs syllabes et leurs lettres, disent, pour ce qui est de la valeur, la même chose. »[1]

Khlebnikov, pour avoir eu la même intuition à ce sujet[2], se situe dans une perspective toute différente : ce qui l'intéresse au premier chef (et ce qui, au contraire, ne soucie nullement Socrate), c'est la rétention, dans la succession des noms, de certaines lettres (sons) qui, à ses yeux, prouvent avec évidence la permanence d'un même concept primordial qu'il ne lui reste plus qu'à identifier à ce « son » invariant :

416 ...Мы говорим и открываем особую природу заглавного звука, звука имени, независимую от смысла слова, присваивая ей имя провода судьбы.

В первой согласной мы видим носителя судьбы и путь для воль, придавая ей роковой смысл.

Этот волевой знак иногда общ у разных имен : Англия и Альбион, Иберия, Испания.[3]

. . . .

Важно отметить, что судьба звуков на протяжении слова не одинакова и что начальный звук имеет особую природу, отличную от природы своих спутников. Примеры упорства этого звука при перемене остальных : Англия и Альбион, Иберия и Испания.[4]

. . . .

...Итак, природа первого звука, иная, чем остальных. А упорно стоит в начале названий материков – Азия, Африка, Америка, Австралия, хотя названия относятся к разным языкам. Может быть, помимо современности, в этих словах воскресает слог А праязыка, означавший сушу.[5]

Le projet démonstratif de Socrate est entièrement différent : la permanence du sens, manifesté par les mêmes « lettres » ou non, assure, à son avis, que « les êtres dont la génération est conforme à la nature doivent donc recevoir les mêmes noms »[6]. S'il en est ainsi, le nom est bien adéquat à l'essence de la chose qu'il imite, et c'est bien cette adéquation de l'*ὄνομα* au *πρᾶγμα* qui constitue l'objet de la quête socratique.

– C'est principalement dans la partie « étymologique » du *Cratyle* que la critique a cru apercevoir un « khlebnikovisme » linguistique offert quelque vingt siècles avant Khlebnikov[7]. De fait, Socrate se livre à une débauche d'étymologies et de rapprochements qui semblent bien transformer le sage en poète[8] « futurien » (« hyléen ») ; en voici un exemple, particulièrement célèbre, portant sur l'explication des noms *ψυχή* (« âme ») et *σῶμα* (« corps »)[9] :

Socrate. – Eh bien, pour improviser une explication, voici à peu près, je crois, la pensée de ceux qui ont nommé l'âme (*τήν ψυχήν*) : c'est ce qui, par sa présence, est pour le corps cause de la vie, en lui procurant la faculté de respirer et en le rafraîchissant (ἀναψῦχον) ; dès que ce principe rafraîchissant vient à manquer, le corps périt et meurt ; de là, selon moi, le nom de ψυχή qu'ils lui ont donné. Mais, si tu préfères, prends patience : je crois apercevoir une explication plus plausible aux yeux des Euthyphrons. Car la première, j'imagine, leur semblerait méprisable et vulgaire. Examine donc si toi-même tu trouveras celle-ci à ton goût.

Hermogène. – Tu n'as qu'à parler.

Socrate. – La nature du corps tout entier, qu'est-ce qui, selon toi, la maintient et la véhicule, pour la faire vivre et circuler ? N'est-ce pas l'âme ?

Hermogène. – C'est bien elle.

Socrate. – Et la nature de tous les autres êtres ? Ne crois-tu pas avec Anaxagore que c'est un esprit et une âme qui les ordonne et les maintient ?

Hermogène. – C'est mon avis.

Socrate. – On aurait donc raison de donner le nom de φυσέχην à cette force qui véhicule (ὀχεῖ) et maintient (ἔχει) la nature (φύσις), mais on peut aussi, par enjolivement, dire ψυχή.

Hermogène. – Parfaitement, et même, à mon avis, cette explication est plus savante que l'autre.

Socrate. – Elle l'est, en effet ; néanmoins le nom paraît vraiment risible, sous la forme qu'il a reçue.

Hermogène. – Et la suite, que devons-nous en penser ?

Socrate. – Le corps (σῶμα), veux-tu dire ?

Hermogène. – Oui.

Socrate. – Le nom m'en paraît complexe ; pour peu qu'on en modifie la forme, il l'est au plus haut point. Certains le définissent le tombeau (σῆμα) de l'âme, où elle se trouverait présentement ensevelie ; et, d'autre part, comme c'est par lui que l'âme exprime ses manifestations, à ce titre encore il est justement appelé signe (σῆμα) d'après eux. Toutefois, ce sont surtout les Orphiques qui me semblent avoir établi ce nom, dans la pensée que l'âme expie les fautes pour lesquelles elle est punie, et que, pour la garder (σῴζηται), elle a comme enceinte ce corps qui figure une prison ; qu'il est donc, suivant son nom même, le σῶμα (la geôle) de l'âme, jusqu'à ce qu'elle ait payé sa dette, et qu'il n'y a point à changer une seule lettre.

Hermogène. – Ces explications, Socrate, me semblent suffisantes.

A partir de cet extrait, il est aisé d'attirer Khlebnikov vers l'étymologisme socratique :

416 ...В именах чисел мы узнаем старое лицо человека. Не есть ли число семь усеченное слово « семья »?

В именах числительных сквозят занятия родового быта, свойственные и доступные этому числу членов.

Числом семь называется общество из пяти зверенышей и двух старцев, идущих на охоту ; 8 образованное первым словом и предлогом « во », указывает на нового неделимого, присоединившегося к их обществу.

Если первобытный человек не нуждался в чужой помощи во время еды, то число « единица » справедливо названо занятием именно этим делом. В нем зубами рассказывались берцовые кости добычи и кости трещали. Это говорит, что первобытный человек голодал. Сто означало общину, управляемую старым, синеглазым вождем племени (рыба, рыбарь, сто, старик).

Число пять можно выводить из слова пинки (распять, распинать), и означало наиболее презираемую часть семьи, на долю которой в суровом быте того времени доставались одни окрики и пинки ; во время странствий она держалась за одежды старших.

Особой родовой единицей вызвано одинокое имя 40.

Существуют подобные пары слов : темь, тороки, зоркий – земля. Имя

« сорок » означало союз семей. Каждая семья вступала в отношения свойства с пятью новыми семьями по 7 членов ; 35 людей и 5 первой семьи (кроме двух старшин) есть сорок. Именем числа стали названия занятий пращура в этом числе.[1]

. . . .

Каким образом в со есть область сна, солнца, солода, слова, сладкого, соя, сада, села, сол, слыть, сын.

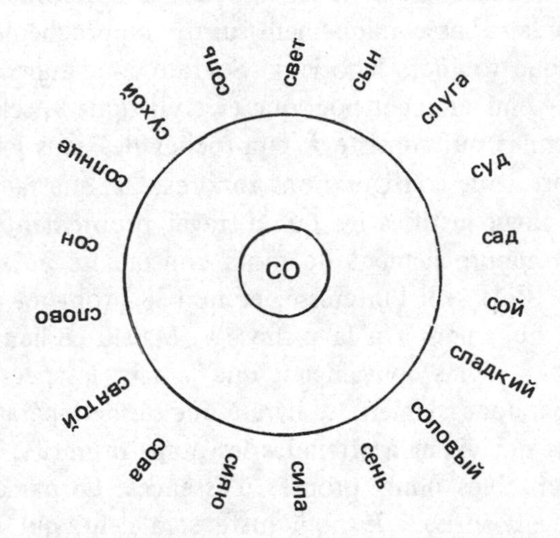

Хотя утонченный вкус нашего времени различает оттенки соленый и сладкий, но во времена дорогой соли подобной драгоценным камням, и соли и соленое казались сладки ; солод и соль также словесно близки, как голод и голь. Соль по строению звона обратна сору (посторонней примеси), следовательно в ней есть значение нарочитой примеси, посольства. Между послом и солью, любимой зверьми и древними людьми, то общее, что они посланы, увеличивая узы (со) между пославшим 1) дальней страной и 2) едой то есть между двумя неспособными сами по себе притти в связь предметами. Соль вызывает влечение к пище и призвана установить мир и согласие между ртом и вкусом пищи.

Сухой увеличивает связь со между частями и частицами. Вода растворяет, и льющаяся грязь делается, высыхая, сушей : в ней частицы вошли в со, став неподвижными. Слива или сладкая. Ясно значение сетей, как связывающих движение улова и являющихся со узами между охотником и добычей. Общая кровь потомков – сой, то есть люди общего племени связаны общими правдой и нравами и идут со. Село – место, где люди находятся в со с землей или неподвижная ось людей, а сад – то же для растений. Слово есть своего рода посланник между людьми ; слыть – значит быть посланным в слове ; славить – создавать для других ; слух – приемник слова, а слуга – исполнитель слова.

Если сухой тот, из кого вытекла вода, то судно, посудина, то, что мешает течь воде, непроницаемо для нее.

Если грязь – источник гор на дороге, князь – источник, водопад закона (кона), то связь – условие сов и сычей, то есть малоподвижных, неуклюжих движений сучков : людей неподвижных, молчаливых в обществе называют совами.

В то же время, так как сон есть состояние неподвижности, – со в самом себе, то сова есть и сонное животное. Соловый – готовый уснуть.[2]

Mais la comparaison exhibe son inanité dès que l'on se penche sur les présupposés respectifs de Socrate[1] et Khlebnikov. Socrate, désireux de trouver les noms justes, démontre *a contrario*, par *l'excès* du procédé étymologique, la vanité de cette méthode utilisée par Euthyphron et ses sectateurs. Tous les passages « étymologiques » ne sont donc qu'une longue parodie destinée à mettre en évidence le non-fondé d'une investigation du vocabulaire basée uniquement sur des rapprochements arbitraires, fortuits et presque toujours laborieux. Socrate condamne donc expressément le procédé éminemment poétique (« stylistique », selon la terminologie mallarméenne) qui consiste à rapprocher des sens lointains d'après un voisinage fortuit de configurations sonores. Or, que fait Khlebnikov ? Moins de l'étymologie justificative, qu'un travail proprement d'abstraction : il soustrait, par rapprochement de mots consonants à leur initiale, un « son-concept ». Cela seul l'intéresse, et non le problème philosophique de l'adéquation du « nom » à la « chose ». Mais à ce lieu de son travail d'abstraction surgit, plus convaincant que jamais, le spectre du « cratyléisme ». Car Socrate, également, se livre à une série d'opérations de réductions successives qui visent à atteindre les noms primitifs, éléments indécomposables, véritables noms propres d'essences. Le paradigme pictural domine toute l'entreprise : le nom juste sera celui qui « imite » bien l'essence qu'il nomme[2] :

Eh bien, pour commencer, le r m'a l'air d'être comme l'instrument propre à rendre toutes les sortes de mouvement[3]. (...) Quoi qu'il en soit, revenons à la lettre r. Je le répète, c'est un instrument fort propre à rendre le mouvement que l'auteur des noms a cru y trouver pour leur faire reproduire la mobilité. En tout cas, il s'en est maintenant servi pour la rendre : d'abord, dans le mot même de *ῥεῖν* (« couler ») et dans celui de *ῥοή* (« courant »), c'est au moyen de cette lettre qu'il imite la mobilité ; ensuite dans *τρόμος* (« tremblement »), puis dans *τραχύς* (« raboteux ») ; en outre, dans des verbes tels que *κρούειν* (« heurter »), *θραύειν* (« broyer »), *ἐρείκειν* (« déchirer »), *θρύπτειν* (« briser »), *κερματίζειν* (« déchiqueter »), *ῥυμβεῖν* (« faire tournoyer »). Tous ces mots-là, en général, il les rend expressifs au moyen du r : il voyait, je suppose, que c'est sur cette lettre que la langue s'arrête le moins et vibre le plus ; aussi me semble-t-il en avoir tiré parti pour les former. L'i, à son tour, lui a servi pour tout ce qui est léger et particulièrement capable de traverser toutes choses. Voilà pourquoi l'action d'aller (*ἰέναι*) et celle de s'élancer (*ἵεσθαι*), c'est au moyen de l'i qu'il les reproduit, comme au moyen du ph, du ps, du s et du z, lettres qui comportent une aspiration, il a imité, en le nommant par elles, tout ce qui a ce caractère, par exemple *ψυχρόν* (« froid »), *ζέον* (« bouillant »), *σείεσθαι* (« s'agiter ») et, en général, l'agitation (*σεισμός*). Et quand son imitation vient à porter sur ce qui est plein de vent (*φυσῶδες*), partout, en général, ce sont les lettres de ce genre que semble y employer l'auteur des noms. D'un autre côté, l'effet du d et du t, qui est de comprimer la langue et d'appuyer sur elle, semble lui avoir paru utile pour imiter l'enchaînement (*δεσμός*) et l'arrêt (*στάσις*). Voyant que la langue glisse particulièrement sur le l, il a désigné par des noms faits à cette ressemblance ce qui est lisse (*λεῖον*), l'action même de glisser (*ὀλισθάνειν*), l'onctueux (*λιπαρόν*), le collant (*κολλῶδες*) et toutes les autres notions du même genre. Et comme la langue, dans son glissement, est arrêtée par l'effet du g, il s'en est servi pour imiter le visqueux (γλίσχρον), le poisseux (γλυκύ), le gluant (γλοιῶδες). Remarquant, d'autre part, le caractère interne du n, il a donné leur nom au dedans (ἔνδον) et à l'intérieur (ἐντός), avec le sentiment de reproduire les faits par les lettres. A méga (μέγα) il a attribué l'a, et à μῆκος (« longueur ») l'ê, parce que ces lettres sont longues. Ayant besoin de l'o pour désigner le rond (γογγύλον), c'est cette lettre qu'il a fait dominer dans le mélange dont il formait le nom. Et de même pour les autres notions : le législateur semble les ramener à des lettres et à des syllabes, en créant pour chacun des êtres un signe et un nom, et partir de là pour composer le reste, par imitation, avec ces mêmes éléments. Voilà, Hermogène, en quoi me paraît consister la justesse des noms, à moins que Cratyle ici présent ne soit d'un autre avis.

Oui, nous trouvons là toute la théorie de notre poète-linguiste : les « lettres de l'alphabet » (en fait, les sons élémentaires de la langue, c'est-à-dire des phonèmes du système linguistique) sont les noms propres de mouvements (de rythmes), de rapports mutuels entre les éléments (*τά ὄντα*)[1] les « étants », les « choses » sont en fait des *inter*valles, des relations. Les signes minimaux *signifient* des rapports. N'est-ce pas là, déjà, irréfutablement, la thèse de Khlebnikov ?

418 Не сохранились ли простейшие слова в нашем языке в предлогах ?[2]

. . . .

Бо – причина.
То – следствие.
Во – поверхность внутри очертания и разрыв очертания.
До – длина черты, перерезанной точкой.
Со – равенство расстояний двух движущихся точек.
По – движение выше поверхности.
Ко – уменьшение расстояния и объема при сохранении веса ; направление движения.
Мо – распадение одного объема на мелкие многочисленности.
Но – встреча сил.
Зо – область вне данного очертания.
Хо – нахождение объема в другом.[3]

Cependant, la rencontre apparente entre Khlebnikov et Socrate est l'indice d'une divergence insurmontable entre les deux systèmes : ce qui, pour le premier, est point d'arrivée, est, pour le second, un point de départ. L'enquête de Socrate se situe dans une perspective gnoséologique : après sa « démonstration » (nous mettons ce mot entre guillemets, car le ton du discours est toujours parodique) de la concordance entre les noms primitifs et les « choses », Socrate va s'appliquer à démonter le mécanisme de « l'imitation » pour en prouver l'imperfection[4], et arriver à la conclusion que la langue n'est pas un bon moyen de connaissance puisqu'il n'y a pas de parfaite adéquation entre « noms » et « choses ». Les noms n'étant pas « justes », la meilleure connaissance est l'appréhension directe des « choses », indépendante des noms. Le *Cratyle* en son entier est placé sous le signe de cette quête fondamentale dans le système de Socrate (et de Platon assurément) : « Κρατύλος ἤ περί ονομάτων ὀρθότητος », dit le titre de l'ouvrage.

Or, rien de tel chez Khlebnikov. Son investigation se veut, dès le début, scientifique. Le problème de l'adéquation (ou de l'inadéquation) du nom à la chose ne se pose même pas : la problématique de la *μίμησις* n'a pas de sens pour lui. Le son-concept primordial est nom et chose, primitifs à la fois. La chose est le son et vice-versa. « L'imitation » s'évanouit dans la totale fusion de l'être et du nom. L'autosémie du signe implique la destruction *du signe en tant que signe* ; il exhibe, immédiatement, sa vérité, résorbe en elle la contradiction *όν/ὄνομα* : le son-concept primordial est une *δύναμις* (*sila*, « force »). La *zaum'* khlebnikovienne n'est donc rien de moins qu'un « passage outre les mots » vers la *ratio* du réel, une quête transverbale de l'*um* : la raison ultime du réel (des choses) s'identifie au jeu des « sons ultimes » du langage parce que l'une *et* l'autre sont des *forces* qui s'autodifférencient continuellement. La dichotomie langage/réalité est résolue dans une grandiose synthèse qui fait du langage une solution particulière, « régionale », du grand jeu des forces universelles dont les interférences, l'entrecroisement perpétuels trament indéfiniment le texte du Monde. Ainsi, le génial délire scientiste du « physiologue de la langue » résolvait-il (sur un mode mythique, donc éminemment poétique[1]) le passage du langage épistémologique vers le langage ontologique, passage que le philosophe grec confiait à la dialectique. La découverte de Khlebnikov était en effet géniale car elle étendait la poésie[2] dans l'espace infini de l'univers : l'univers parle déjà, et le poète, par sa parole, actualise la langue maternelle universelle.

Par la lecture (car il s'agit bien d'une lecture et de l'explication de l'immense texte-univers) de cette langue universelle, « œcuménique », (*vselenskij jazyk*), Khlebnikov avait rempli l'obligation qu'il s'était posée

418 en 1914 : « *...čerez zakony byta ljuda prorubil okno v zvëzdy* »[3]. Ainsi était rebâtie une tour de Babel aux dimensions de l'Univers. Ainsi également, malgré les apparences scientifiques de la démarche, était réalisé le rêve primitiviste des « Hyléens » : retrouver une langue tellurique qui soit l'expression immédiate des forces les plus simples qui meuvent l'homme, un langage naturel (*prirodnyj*) qui le rapproche du primitif, et, à la limite, des animaux (des oiseaux), et, qui sait, peut-être même des dieux. Dans *Zangezi*, Khlebnikov présente un spécimen du langage de ces deux catégories d'« êtres »[4] : dans les deux cas, il s'agit d'une *zaum'* non déchiffrée, mais qui figure, à rang égal, à côté de la *zvukopis'* et du *zaumnyj jazyk*. Mais les dieux, dans la pièce, retournent dans l'ombre après leur brève intervention : l'homme en effet, rendu maître de son Logos, détrône les dieux : « *Bogi uleteli, ispugannye mošč'ju našix golosov. K xudu ili dobru ?* », s'écrie la foule dans la pièce[5].

La théorie « rayonniste », physique, du langage est le marchepied de la théorie purement « arithmologique » : le langage, comme l'histoire, est 418 l'enveloppe sensible, sonore, de rapports numériques : « *slova sut' liš' slyšimye čisla našego bytija* »[1] . Le langage serait définitivement éliminé au profit d'une algèbre de signes numériques, ce qui n'est guère nouveau comme solution (Leibniz[2] et Pascal[3] considéraient déjà la langue comme un système de signes algébriques), mais a l'avantage poétique considérable d'homogénéiser chronométrie et logométrie dans la science du 418 Nombre : « *Vo vremeni kak i v zvuke, bogi čisla živut kak pokazateli stepeni i imejut ix oblik* »[4] . Ainsi la langue devient « langue-nombre » : 418 « *Čisloreči. Um osvoboditsja ot bessmyslennoj rastraty svoix sil v povsednevnyx rečax.* »[5] A ce dessein, Khlebnikov sollicite la collaboration des artistes : ceux-ci devraient tracer les idéogrammes correspondant à chaque son-concept de « l'Alphabet du Monde », au besoin, en associant telle ou telle couleur à tel ou tel son-concept :

418 Эта цель – создать общий *письменный язык*, общий для всех народов третьего спутника Солнца, построить *письменные знаки*, понятные и приемлемые для всей населенной человечеством звезды, затерянной в мире. Вы видите, что она достойна нашего времени. Живопись всегда говорила языком, доступным для всех. И народы китайцев и японцев говорят на сотне разных языков, но пишут и читают на одном *письменном языке.* (...) Пусть один *письменный язык* будет спутником дальнейших судеб человека и явится новым собирающим вихрем, новым собирателем человеческого рода. Немые начертательные знаки помирят многоголосицу языков.

На долю художников мысли падает построение азбуки понятий, строя основных единиц мысли, – из них строится здание слова. Задача художников краски дать основным единицам разума начертательные знаки.

(...) Задачей труда художников было бы дать каждому виду пространства особый знак. Он должен быть простым и не походить на другие. Можно было бы прибегнуть к способу красок и обозначить М темно-синим, В – зеленым, Б – красным, С – серым, Л – белым и т. д. Но можно было бы для этого мирового словаря, самого краткого из существующих, сохранить начертательные знаки. Конечно, жизнь несет свои поправки, но в жизни всегда так бывало, что в начале знак понятия был простым чертежом этого понятия. И уж из этого зерна росло дерево особой буквенной жизни.[6]

Le recours à l'écriture[7], appuyé par de nombreuses répétitions dans le passage cité (cf. les mots en italique), dit bien la nature abstraite de la langue-nombre. La référence à l'idéographie orientale n'est pas fortuite : ce que veut dessiner ici le poète, c'est le système, autrement invisible, de relations qui constitue la forme de la langue. Plus que des « idées », c'est *des graphes de relations entre idées* dont il s'agit ici. On comprend dès lors l'intérêt capital du mathématisme khlebnikovien pour l'intellection correcte de tout son système poétique : ce que définit ici Khlebnikov, c'est l'essence même de la « logotechnie »[8], ce que nous appelons l'« Harmonie ». Nous atteignons là le niveau le plus profond dans la lutte contre la temporalité *dans* le langage : le paradigme mathé-

matique sauve le discours de la dispersion sémantique par la rigoureuse contrainte de la formule poético-mathématique intemporelle. Dans ces conditions, le mot « empirique » pourrait subsister, dans les arts, pour le
418 mot lui-même, *enfin débarrassé de tout fardeau conceptuel* : « *Slovo ostaëtsja ne dlja žitejskogo obixoda, a dlja slova* »[1]. « *Jazyki ostanutsja dlja iskusstv i osvobodjatsja ot oskorbitel'nogo gruza. Slux ustal.* »[2] ; la poésie sera alors la science des lois du libre développement des forces
418 vives de la langue, selon Darwin : « *Stixi dolžny stroit'sja po zakonam Darvina* »[3]. La poésie comme production du discours — logopoèse — retrouve ainsi sa fonction originaire : elle est « ontopoèse », elle pose l'être. L'antique dichotomie μίμησις/« réalité » se résout à un palier supérieur : à l'échelle ontique. Cet ultime degré dans l'épuration du mot est indiqué, à titre de voie possible, d'audacieuse hypothèse, dans le
418 deuxième volet des *Tables du Destin* : « *Možno byt' nedovol'nym ubogost'ju slovarja živyx suščestv i pristupit' k suščestvotvorčestvu* »[4]. Le langage composé est homogène à la chose, puisqu'il la crée. La poésie fabrique l'être : de langage esthétique frivole, analogue au jeu de poupées en chiffon chez les enfants[5], elle acquiert le statut de langue ontologique qui suscite à l'être son monde propre.

Il s'agit de bien autre chose que du néo-adamisme ambigu des débuts « futuriens »[6]. Adam, d'après le récit biblique, appliquait des noms à des choses déjà là, qu'il n'avait pas fabriquées. Comme premier nommeur des « choses », il est bien, dans la tradition littéraire occidentale postérieure à l'antiquité païenne, le patron des poètes imitateurs, étant lui-même le Prince des imitateurs. Avec le « futurianisme », Adam rentrait dans le Jardin de la Poésie[7] ; avec Khlebnikov, Dieu lui-même est détrôné par Adam en révolte et le poète se sacre, par la puissance de la Fable, créateur du Monde.

4

KHLEBNIKOV ET LA RÉVOLUTION

La révolte naît du spectacle de la déraison...
Son souci est de transformer.
A. Camus, *L'homme révolté*.

О ! гул восстаний !...
В. Хлебников, *Скуфья Скифа*.

Position du problème

Situer la poétique de Khlebnikov par rapport à la révolution constitue une première falsification de la quête du créateur, si le terme même de révolution n'est pas défini au préalable. La révolution, définie par son sens obvie de « changement brutal dans la politique d'un État », est entendue dans le seul sens qui semble s'imposer eu égard aux conditions de la vie sociale russe des années 1905-1917 : c'est la *revoljucija*, qui, comme événement extérieur au poète, fournit matière à sa réflexion poétique. Mais ce serait une singulière réduction de la poésie khlebnikovienne que de la présenter comme un « reflet » (fût-il accompagné de méditation) de quelque chose qui, par sa nature même, lui resterait purement extérieur, étranger, une sorte d'accident hétérogène à l'essence de sa poésie. C'est à un tout autre niveau sémantique que la révolution se manifeste comme consubstantielle à la quête poétique de Khlebnikov. Placée dans la perspective où, toute sa vie, le poète a œuvré, la révolution apparaît comme ce que Khlebnikov lui-même définissait, dans une lettre à Mejerxol'd, « *perevorot v ponimanii vremeni* »[1]. Débarrassée de toute connotation politique appauvrissante, la révolution est ce retournement des valeurs ou concepts fondamentaux sur lesquels vivait l'humanité dans le passé, elle s'identifie à cette « révolution copernicienne », pour reprendre le mot de Kant[1], qui consiste à déplacer le point de vue d'où l'on considère le monde. Le déplacement du concept de temps, qui commande toute l'histoire de la pensée humaine, fait de la révolution une subversion métaphysique dans la mesure où, déplaçant le point de vue du sujet sur les choses, il transforme tout à la fois et les choses et le sujet. Le renversement de la notion suprême du temporel représente l'ultime étape du soulèvement spontané d'une sensibilité déchirée par l'idée de la sénescence et de la mort : le « *perevorot v ponimanii vremeni* » est la théorisation d'un *vosstanie* originel, réponse de l'homme en révolte contre la provocation du Temps dévoreur d'être[2]. Conséquemment, l'insurrection de la rue ne pouvait sembler au poète qu'un jeu bien innocent en comparaison de l'audace insurrectionnelle de la pensée :

419 На улицы, растерзанные львиными челюстями восстаний, мы выходим как мученица, неумолимая в своей вере и кротости поднятых глаз (как правящих молнии на море земных звезд).

Мировой рокот восстаний страшен ли нам, если мы сами – восстание более страшное ?[3]

Dans la dimension profonde de l'insurrection intérieure, la révolution est la poésie de Khlebnikov : tout son œuvre donne l'exemple de la révolution. Mais la contradiction, toutefois, guette l'insurgé : issue d'une émeute irrationnelle contre l'emprisonnement du Temps, la pensée de Khlebnikov parvient à installer une dictature de la raison qui nie l'idée de liberté. La Poésie accompagne l'esprit dans cette tragique aventure : perception dans le langage de la pulsion de l'Histoire comme suite événementielle, elle se fige dans l'immobilité de l'équation mathématique. Mais, simultanément, elle montre la dictature qu'elle exerce sur l'esprit : la *poésis*, en tant que *faire* de la langue en procès d'autocréation, démontre que c'est elle qui, en dernière instance, forme la pensée de Khlebnikov. Aussi ce dernier apparaît-il souvent comme un « glossolâtre », le serf de la langue, captif de cette forme pure qui dicte sa loi à l'esprit. Et la revanche de l'esprit consiste dans l'imposition du mètre (de la mesure) à la langue qui le tyrannise. La pensée « métrique » de Khlebnikov se déploie souverainement dans la mesure de sa poésie, dont le projet fondamental est, lui, démesuré, comme toute révolution.

Toute la complexité du phénomène poétique khlebnikovien réside dans cette révolution permanente qui en est la loi intime et transforme la poésie en une sorte de métabolisme des formes langagières, qui serait le mode phonique du changement qu'est la vie, saisie dans sa signification la plus vaste. La révolution, comprise comme insurrection permanente, nous place au cœur du problème : quelle est la volonté poétique de

Khlebnikov ? Si les coordinations « Khlebnikov et le temps », « Khlebnikov et la langue » traçaient autant de voies d'approche qui permettaient de discerner l'originalité de Khlebnikov dans ses options philosophiques, l'équivalence de poésie et révolution installe dans la place même où la poésie se fait révolution, où la révolution se fait poésie ; cette équivoque introduit dans le lieu spirituel où il n'est plus possible de les distinguer l'une de l'autre sous peine de mutiler, au prix de cette artificielle dichotomie, le nœud même de la création. Faut-il pour autant parler ici de mystère, d'arcanes de la création où s'opérerait magiquement l'échange entre la pensée et le langage ? Et renoncer à une tentative d'analyse, sous le prétexte qu'aucun objet ne s'offre à elle ? Une partie de la question se résout dans la méthode même de l'analyse : libérée de toute connotation restrictive, la révolution se laisse appréhender dans l'œuvre poétique de Khlebnikov indépendamment de toute référence explicite à une donnée extérieure qui entrerait dans la poésie comme thème, sous la rubrique « *revoljucija* ». Ainsi, d'une part, l'extension sémantique du mot légitime la valeur révolutionnaire de poèmes qui n'ont pas expressément la révolution (*revoljucija*) comme thème : la subversion est autant à l'œuvre déjà dans *Zakljatie smexom* que dans *Noč' v okope*. D'autre part, les poèmes appelés commodément « soviétiques » — ceux qui offrent l'évidence du thème de la révolution politique — révèlent une autre intentionnalité que l'apologie ou l'allégorie politique. Ces poèmes « parlent » en fait autre chose que la révolution politique et s'inscrivent dans la suite des productions où le poète essaie de penser la catastrophe métaphysique (le « *perevorot* ») dans une structure de discours totalement originale. Le problème méthodologique est donc celui du choix : d'où partir pour suivre le procès de transformation de l'insurrection en parole ? Les poèmes « soviétiques » facilitent l'appréhension du problème en thématisant la révolution politique, c'est-à-dire en la posant en point de départ : l'instructif de ces poèmes est justement *le départ* de la révolution politique, la mutation de cette dernière par l'insertion dans le grand mythe de l'insurrection, clef de voûte du système khlebnikovien. Ainsi, le thème de la révolution politique permet-il de saisir le processus de distorsion familier au poète, qui fait de ces poèmes bien autre chose qu'un discours poétique *sur* des événements historiques. Le parcours de la distance qui éloigne le poète de l'histoire permet de mieux comprendre, pour reprendre l'expression imagée d'un critique, la formation d'une des « constellations »[1] les plus complexes de la poésie de Khlebnikov.

Razin

La pensée de Khlebnikov, en effet, est emblématique et procède par agglutination de figures-symboles qui s'associent chez lui pour constituer le mythe insurrectionnel. Ce mythe s'édifie sur deux principes antithétiques : la raison (*um*) et les sentiments (*čuvstva*), qui trouvent leur incarnation dans deux figures-symboles : Lobačevskij et Razin. Les deux insurgés de l'intellect et du sentiment (de la justice) sont les hypostases du « Je » insurgé de Khlebnikov, les deux patrons (au sens de modèles) sous lesquels se subsume une personnalité divisée dès son surgissement initial au monde des formes poétiques : antinomie originelle qui commande les emblèmes utilisés pour illustrer *sa* révolution. Ceux-ci sont suscités par des associations traditionnelles à l'image de l'insurrection – le feu, la mer, le couteau – mais trouvent leur justification dans le système de pensée khlebnikovien : mort de Dieu, mort de la mort, abolition du temps et restauration d'un panthéisme païen primitif dans l'utopie intemporelle, idées qui convergent vers la conception centrale de l'insurrection comme retour compensatoire d'énergie, rétablissant ainsi l'équilibre cosmique primordial. L'organisation des images symboliques est produite par leur agencement en des structures de discours poétique qui fondent l'originalité de Khlebnikov, puisque ce sont elles qui profèrent la révolution poétique, la subversion du discours poétique. Pour cette raison, l'analyse du traitement du thème révolutionnaire constitue le préambule à cette transformation du discours qui est, à proprement parler, le phénomène poétique khlebnikovien, et dont les lignes de force sont : l'intemporalité, la neutralité (disparition du sujet) et la fluence organisée en rythme comme principe cardinal de la construction du poème.

La synthèse[1] des deux figures antithétiques de Lobačevskij et de Razin se résume dans l'expression de Khlebnikov : « *Umnoe vosstanie* ». Le trouble de l'émeute (« *mjatež* ») s'allie à la rectitude du dessin géométrique (« *čertëž* ») dans un même mouvement de départ :

Это Разина мятеж,
Долетев до неба Невского
Увлекает и чертеж
И пространство Лобачевского.[2]
. . . .
Там близ кумира Лобачевского
Мятель мятежная поет.[3]
. . . .

Le poète, héros diaphane de sa poésie, combine l'esprit novateur du mathématicien dont il répète, à un plus haut degré, la rébellion intellectuelle dans sa découverte des lois du Temps, et, d'autre part, la ferveur du *buntar'*. Néanmoins, la charge affective, et poétique, n'est pas égale dans la figure de Lobačevskij et dans celle de Razin. Le « *voin Razuma* »[1] donne, dans sa poésie, la préséance à l'émeutier qui, pour citer sa propre expression, était « *razumom niščij* »[2]. Néanmoins, Razin a « sa raison » (« *Raum* ») qui n'est pas la raison spéculative (« *Razum* ») : « *reči ego – rarogi* » dit Khlebnikov dans *Zangezi*[3]. C'est, ainsi qu'il le définit autre part, le discours de la raison-qui-transperce (« *Rezat'* »), le discours du couteau (« *nož* »)[4]. De fait, le « phantasme » razinien occupe une place considérable et joue un rôle de premier ordre dans la constitution d'une généalogie révolutionnaire imaginaire chez Khlebnikov. L'identification mythique à Lobačevskij s'opère dans le discours rationnel de Khlebnikov, tel qu'il se déploie dans les « traités » où le poète veut démontrer la légitimité scientifique de la démarche qui vise à établir les lois pures du Temps. Mais c'est la poésie qui, de manière pour ainsi dire exclusive, apparaît le lieu privilégié où s'épanche la « folie » razinienne. S'il y a homologie du projet lobačevskien et du projet khlebnikovien au sens où l'un et l'autre entendent opérer un renversement des représentations scientifiques dominantes, le rapport entre la conduite de Razin et celle du poète est infiniment plus complexe. Il serait plus opportun de parler à ce sujet de symétrie. Les aveux maintes fois répétés de Khlebnikov sur cette *inversion* de son attitude incitent à user de ce terme mathématique :

Я Разин напротив,
Я Разин навыворот.[5]

Le rapport enfin est d'autant plus délicat à analyser qu'il ne se limite pas à une inversion subjective de Khlebnikov. Razin est non seulement un personnage, mais un mot, une séquence de phonèmes où se mêlent inextricablement géographie, histoire, langue et psychologie. Razin n'est pas seulement un « antikhlebnikov » (ou Khlebnikov, un antirazin) : il est aussi le héros positif de l'épopée insurrectionnelle du poète, à l'intersection idéale de l'insurrection métaphysique et de la révolution politique, à la charnière de la langue russe et de la pensée russe. Ainsi accomplit-il, dans le système poétique khlebnikovien, la fonction d'un véritable phantasme qui, dans le même temps où il apparaît, révèle la structure de pensée de Khlebnikov, dénude l'ossature de son action poétique. Razin apparaît comme la clef de voûte d'un micro-système poético-politique, où s'opère la transformation de la négation insurrectionnelle en une splendide affirmation poétique[6].

La pensée et l'œuvre poétiques de Khlebnikov sont déterminées par la conviction de ce dernier qu'il est l'envers de Razin, parce que destiné à une double anabase : selon le temps, à la recherche de son identité idéale, selon l'espace, dans la quête de l'impossible union de deux cultures cardinales (l'Orient et l'Occident). Razin était un destructeur (« *on grabil i žëg* »...), Khlebnikov est un constructeur (« *a ja slova božok* »)[1] : il s'édifie et édifie la langue dans un acte démiurgique qui consomme, *de facto*, l'anéantissement de l'ancien monde. Le « faire » de Khlebnikov est aussi « destructeur » que celui de Lobačevskij, et l'exact opposé du « nihilisme » razinien : ce dernier enlevait (dans un acte d'appropriation : « *grabil* ») et consumait (« *žëg* »), Khlebnikov crée, dans un geste donateur (le contraire du pillage), un système nouveau qui, à l'instar de la géométrie lobačevskienne, empêche tout retour naïf à l'ancien, sans le supprimer pour autant ; il est non point consomption de l'ancien, mais assomption dans de nouvelles structures qui relativisent sa signification antérieure. De la même manière qu'on ne peut plus parler de géométrie euclidienne après Lobačevskij comme on le faisait avant lui, ainsi tout discours sur le langage poétique, après Khlebnikov, est transformé : le passage de l'un comme de l'autre opère la péremption des concepts ou des valeurs établies antérieurement. C'est plus profondément aux racines mêmes de la personnalité entière de Khlebnikov qu'il faut remonter pour saisir l'analogie négative qui oppose le poète au chef des insurgés de la Volga : c'est au niveau du destin que se situe la symétrie. Conformément aux lois de périodicité découvertes par le « Lobačevskij du Temps », tout phénomène historique (collectif ou singulier) suscite son opposé : l'événement appelle « l'antiévénement » (« *protivosobytie* »), pour reprendre les termes mêmes de Khlebnikov[2]. Ainsi, à la négation razinienne répond, sur l'onde temporelle, la négation de la négation : la positivité khlebnikovienne n'est que le renversement, sur la courbure du temps, de la négativité de cet autre qui est lui-même. Assoiffé de connaître l'avenir, Khlebnikov, en quête de son destin, va à contre-courant du temps, remonte, sur la nef de son imagination, le destin de Razin pour retrouver le sien propre :

419 На гордом уструге нет-единицы плыть по душе Разина по широким волнам, будто по широкой реке, среди ветел и вязов править челн поперек волне, поперек течению, избрав Волгой его судьбу, точно орел жестким клювом оконченную плахой, но дав жизни другое течение, обратное относительно звезд над нею, перерезая время наперекор ему от калмыцких степей к Жигулям, плывя через шумящий поток его.[3]

L'axe de cette anabase introspective est la destinée temporelle dont la figure symbolique, chez le poète, est le Fleuve.

Мы, низари, летели Разиным.[4]

Se mirant dans les eaux de ce fleuve, le Razin-à-l'envers (« *Nizar'* » : « l'homme de la basse-Volga et des basses classes ») contemple son reflet. Mais qui est reflété : Razin en Khlebnikov, ou Khlebnikov en Razin ? Qui est « phantôme » de qui, lorsqu'on sait, comme Khlebnikov-« chronocrator » le sait, qu'il n'y a aucune surface réfléchissante, qu'il n'y a ni avant ni après dans la condition humaine, que l'imaginaire est aussi réel que le réel est fictif ?[1] Le milieu de l'homme est la panchronie où tout est contemporain de tout. Le monde se transforme en spectacle panoramique, en jeu de miroirs où tout se renvoie en reflets inversés :

419 Я был у озера среди сосен. Вдруг Лада на белоструйном лебеде с его гордым черным клювом подплыла ко мне и сказала : « Вот Числобог, он купается. » Я посмотрел в озеро и увидел высокого человека с темной бородкой, с синими глазами в белой рубахе и в серой шляпе с широкими полями. « Так вот кто Числобог, – протянул я разочарованно : я думал, что что-нибудь другое ! » – Здравствуй же, старый приятель по зеркалу, – сказал я, протягивая мокрые пальцы. Но тень отдернула руку и сказала : « Не я твое отражение, а ты мое ». Я понял это и быстрыми шагами удалился в лес. Я этим не смущался.[2]

419 Comme le montre ce bref passage, la langue elle-même voit : « *on učil, čto est' slova, kotorymi možno videt', slova-glaza* »[3]. Le son Z est l'aspect
419 phonique du reflet[4]. Ainsi que l'affirme le savant de l'an 2 000 : « *Jazyk – večnyj istočnik znanija.* »[5]. La spéculation khlebnikovienne prend sa source dans le jaillissement même de la langue : aussi ce fleuve destinal où le monde se contemple a-t-il nom « *Ra-zin* », le « Fleuve des yeux »[6] :

Ра – видящий очи свои в ржавой и красной болотной воде,
Созерцающий свой сон и себя
В мышонке тихо ворующем болотный злак,
. . . .
Окруженный Волгой глаз.
Ра – продолженный в тысяче зверей и растений,
Ра – дерево с живыми, бегающими и думающими листами, испускающими шорохи, стоны.
Волга глаз,
Тысячи очей – смотрят на него, тысячи зер и зин.[7]

La langue dans le jeu de ses reflets se donne comme l'image de ce panoptique qu'est le monde : elle sonorise la nature spéculaire de l'univers. Le surgissement du mot coïncide avec le destin[8] ; ainsi y a-t-il confluence de la structure dynamique (a) de R (« *silovoj pribor* ») et de la mission insurrectionnelle de Razin (b) telle qu'il la définit lors de sa résurgence dans « l'âme insulaire » de Khlebnikov :

419 a) Р – непокорное движение, неподвластное целому.[1]

. . . .

Р – присуще значение разрушения преград.[2]

. . . .

. . . Р значит разделение тела « плоской пещерой » как след движения через него другого тела.[3]

. . . .

Эр – точка, просекающая насквозь поперечную площадь.[4]

b) Разин : Я полчищем вытравил память о смехе
И черное море я сделал червонным,
Ибо мир сделан был не для потехи,
А смех неразлучен со стоном.
Топчите и снова топчите, мои скакуны,
Враждебных голов кавуны.[5]

Conséquemment, la palindromie dans le destin trouve son écho dans la poésie palindrome : tel est le double sens du fameux poème *Razin*. La lecture du destin s'accomplit dans l'anagramme :

Я Разин со знаменем Лобачевского логов.
Во головах свеча, боль ; мене ман, засни заря.[6]

Khlebnikov donnait comme sous-titre à cet immense poème palindrome : « *Zakljat'e dvojnym tečeniem reči, dvojakovypuklaja reč'* »[7]. Ce discours « biconvexe » est l'analogue de la révolution (« *perevorot* ») entendue comme changement de courbures, passage de la biconcavité de la lentille à la biconvexité :

Свежий переворот : двояковогнутая чечевица пала.
Власть у двояковыпуклых стекол ! Смена мировых чечевиц !

. . . .

Величавый переворот на земле.
Грозная смена кривизны власти.[8]

Non seulement le mot de Razin se prête à une remontée phonique, mais il montre également la Mathématique œuvrant dans le langage : Ra-zin révèle, au niveau linguistique, la négativité essentielle du phénomène razinien. Lorsque Khlebnikov affirme qu'il est la racine carrée de – 1 ($\sqrt{-1}$), il ne fait que développer mathématiquement ce qui gisait, implicitement, dans la séquence sonore Razin, et qu'il justifie par sa théorie néopythagoricienne du nombre comme essence des phénomènes :

419 Конечно, даже вы допустите, что может быть человек и еще человек, положительное число людей. Два. Но знаете, что когда кого-нибудь нет, но его ждут, то он не только увеличивает число вещественных людей его не только нет, но он и отрицательный человек ? И что по воззрениям иных мы переживаем столетия [кусты мигов] отрицательного пришельца с терновником в руке (...).

А вы знаете, что природа чисел та, что там, где есть да числа и нет числа (положительные и отрицательные) существа, там есть и мнимые $\sqrt{-1}$?

Вот почему я настойчиво хотел увидеть $\sqrt{-1}$ из человека и единицу делимую на человека. И его лицо преследовало меня всюду в шуме улиц.

Впрочем, скоро я понял, что если любимый, ожидаемый, но отсутствующий человек отрицательное существо, то каждое враждебное постороннее собранию не присутствующий в нем будет $\sqrt{-1}$, существом мнимым.[1]

théorie qu'il expose également dans le passage déjà cité de *Skuf'ja Skifa* :

...Я знал, что $\sqrt{-1}$ нисколько не менее вещественно, чем 1 ; там, где есть 1, 2, 3, 4 там есть и -1, и -2, и -3, и $\sqrt{-1}$, и $\sqrt{-2}$, и $\sqrt{-3}$. Где есть один человек и другой естественный ряд чисел людей, там конечно есть и $\sqrt{-}$ человека, и $\sqrt{-2}$ людей и $\sqrt{-3}$ людей и n – людей = $\sqrt{-m}$ людей.

Пора научить людей извлекать вторичные корни из себя и из отрицательных людей.[2]

La racine carrée de -1 est l'emblème mathématique de la liberté[3] ($L = \sqrt{-1}$), le signe de l'affranchissement du temps :

...Не в том ли пролегла грань между былым и идутным, что волим ныне и познания от « древа мнимых чисел ».

Полюбив выражения вида $\sqrt{-1}$, которые отвергали прошлое, мы обретаем свободу от вещей.

Делаясь шире возможного, мы простираем наш закон над пустотой, то есть не разнотствуем с богом до миротворения.[4]

C'est en extrayant de son négatif la racine que Khlebnikov rejoint son « double ennemi », dans l'attrait d'une nymphe « omineuse »[5] (*Rusalka u kokorin*) :

Он взял ряд чисел, точно палку,
И корень взяв из нет себя,
Заметил зорко в нем русалку
Того, что ничего нема,
Он находил двуличный корень,
Чтоб увидать в стране ума
Русалку у кокорин.[6]

Est-ce l'arithmétique qui guide la langue, ou la langue qui véhicule inconsciemment et admirablement un jeu de nombres ? Le diaphragme qui sépare la Mathésis du Logos est aussi mince et « idéel » que la feuille de papier dont parle Saussure...[7] Chez Khlebnikov, le mot et le nombre s'interpénètrent si profondément que les deux régions du langage et du calcul ne sont plus que les deux faces d'un même foyer, la double manifestation d'une spéculation fondamentale dont la limite est la pensée du néant, de la mort : l'extraction de la racine carrée négative est l'attraction de l'antidestin. Nous avons là un exemple du procédé de concrétion des sens cher à Khlebnikov. Dans le passage précédemment cité, extrait de *Ladomir*, la rusalka se tient près d'une souche immergée (« *kokorina* ») car elle est la racine (« *koren'* ») carrée négative du poète. Dans le reflet de la spéculation (« *v strane uma* »), le poète rejoint la racine de son négatif : « *ko-koren'* » (« *Ko – umen'šenie rasstojanija i ob'ëma pri soxranenii vesa ; napravlenie dviženija* »[1]).

420

Dans le passage de *Razin-Dve troicy* :

420 Не даром хохочут холмы : « Сарынь на кичку ! », и оси, корни из мнимой « нет » из единицы русалок протягиваются к « да » единицам.[2]

Khlebnikov développe la concaténation des sons et des sens. « *Saryn' na kičku !* » est le cri des insurgés de la Volga : d'après Dal', « *po predaniju, prikaz volžskix razbojnikov, zavladevšix sudnom* »[3]. Khlebnikov donne une autre interprétation :

420 Сарынь есть сарычь – хищник. Сарынь на кичку – значит коршун на голову ; так разбойники обрушивались на суда.[4]

Or, « *kička* » est un synonyme de « *kokorina* ». On voit donc comment l'insurgé de l'intellect (le « géomètre » du temps) rejoint le bateau de Razin : le séditieux Khlebnikov fond sur la racine de son négatif comme le rebelle d'antan sur les nefs de la Volga. Remarquons également chez Khlebnikov la fréquence de la métaphore navale pour désigner le geste de l'insurrection « futurienne » (*budetljanstvo*), « plongée » dans le futur :

420 Вообще не пора ли броситься на уструги Разина ? Все готово.[5]

Сколько городов вы разрушили – красный ворон ? В вас кипит кровь новгородских ушкуйников, ваших предков, и все издание мне кажется делом молодежи, спускающей свои челны вниз по Волге узнать новую свободу и новые берега.[6]

L'image du « Non-destin » (« *nerok* ») est ainsi offerte par la racine (« *koren'* ») du négatif de Khlebnikov. Cette inversion des destinées explique pourquoi Khlebnikov se présente comme l'ombre de Razin (« *Ja prixožu k vam ten'ju Razina* »)[7]; l'ombre (« *ten'* ») est la remontée du négatif (« *net – edinica* »).

Le fleuve axial du Destin a pour nom la Volga (« *Ra* ») : c'est sur elle que le capteur du Destin (l'attrape-Destin : « *sud'bolov* ») navigue dans la nef (« *sudno* ») de Razin pour rejoindre la source de son être :

420 Населить свой парус, свою лодку юношей-моряком – отрицательным Разиным – то в шишаке, то в кумачевой рубахе настежь так, чтобы грудь великих замыслов была распахнутой постелью, и оттуда смотреть в глубь реки – в темный мир омута, смотреть на тени, брошенные убегающим, испуганным раком.

– Эй ! Двойник Разин, садись в лодку меня, – быть лодкой мертвецу, умноженному на нет-единицу, – из кокоры моих суток, на скамейку моей жизни.[1]

La promenade sur le fleuve *dit* le destin : « *sud'ba* » et « *xod'ba* » sont les deux modes d'une même quête, celle de la résurrection des mots (rhizologie étymologique) et des morts (rhizologie ontologique) :

420 На гордом струге нет-единицы плыть по душе Разина по широким волнам, будто по широкой реке[2]...

proclame Khlebnikov au début du récit *Razin-Dve troicy*. Dans *Otryvok iz dosok sud'by*, la Volga a la stature d'un prototype de la « destinologie » par le même jeu du langage russe : « *Sud'ba Volgi daet uroki sud'boznaniju* »[3]. La langue française n'offrant malheureusement pas les mêmes possibilités de jeu sur les racines, le francophone qui essaie de traduire les inventions langagières de Khlebnikov se voit obligé de faire passer le jeu des racines par l'intermédiaire du grec ou du latin ! Fatalité à laquelle condamne une langue où les racines sont « usées » et où ainsi le jeu, dès le départ, se trouve faussé. Comme, pour Khlebnikov, le mot exprime l'essence de la chose, il n'est pas étonnant que son « *korneslovie* » (« rhizologie ») relève autant de la science du langage que de celle de l'être. Comparons les deux démarches :

420 Найти, не разрывая круга корней, волшебный камень превращенья всех славянских слов, одно в другое – свободно плавить, вот мое первое отношение к слову. Это самовитое слово вне быта и жизненных польз. Увидя, что корни лишь призрак, за которыми стоят струны азбуки, найти единство вообще мировых языков, построенное из единиц азбуки – мое второе отношение к слову. Путь к мировому заумному языку.[4]

И хитроумные Эвклиды и Лобачевский не назовут ли одиннадцатью нетленных истин корни русского языка ? – в словах же увидят следы рабства рождению и смерти ! назвав корни – божьим, слова же – делом рук человеческих.[5]

...Море призраков окружило меня... Я сейчас окруженный призраками был $1 = \sqrt{-\text{человека}}$.[6]

Dans l'un et l'autre cas, il s'agit de traverser le spectre, l'apparence (« *prizrak* ») et de ressusciter la vérité de l'être (« *priroda* »). Dans la rhizologie de Khlebnikov se fondent et communient l'étymologie et la métaphysique traditionnelles. C'est cette entreprise transmétaphysique et translinguistique qui, à notre sens, définit la radicalité du discours poétique khlebnikovien[7].

Le voyage imaginaire se double d'un voyage réel (« *xod'ba* ») qui est la marche même de deux cultures antithétiques cherchant leur jonction : Khlebnikov remontant la Volga du sud au nord pour rejoindre la capitale européenne sur les rives de la Néva accomplit là encore la démarche inverse de Razin. Il monte, non pour détruire, mais pour effectuer l'osmose de l'Occident et de l'Orient. Lorsqu'il descend vers la Perse, il « croise » également Razin sur son chemin imaginaire. Pour user d'une permutation de lettres khlebnikovienne, le poète est, à ce moment de son voyage spirituel, un « *Nazir* »[1], le prophète illuminé qui accomplit enfin sa destination fondamentale. Le Fleuve Ra a le rôle d'un psychopompe qui conduit l'âme du poète, par-delà l'identification avec l'Égypte du culte de Rê, au grand pays mythique de l'insurrection (*Vostok*) et des grandes révolutions solaires.

L'eau

Grâce à la sémasiologisation du son-chef, Khlebnikov construit une cosmogonie « lettriste » qui confond, sous la rubrique de la liquide L, l'élément liquide lui-même et la cause de la Liberté[2]. Dénudant le « *silovoj pribor* » (« la structure dynamique ») à l'œuvre derrière le L, il écrit :

420 Л можно определить как уменьшение силы в каждой данной точке, вызванное ростом поля ее приложения. Падающее тело останавливается, опираясь на достаточно большую поверхность. В общественном строе такому сдвигу отвечает сдвиг от думской России к советской России, так как новым строем вес власти разлит на несравненно более широкую площадь носителей власти : пловец – государство – на лодку широкого народовластья.[3]

La cosmogonie khlebnikovienne, ainsi que la théorie linguistique sur laquelle elle s'articule, favorisent la transsubstantiation de l'Eau en Liberté (et inversement) au sein du langage poétique. C'est pourquoi l'on ne peut parler exactement de « réalisation de métaphore »[4] dans les poèmes comme *Nočnoj obysk*[5], par exemple, où la révolution se présente comme l'effluence de la liberté :

Нынче море разгулялось,
Море расходилось,
Море разошлось.
Экая сила.

Море разливанное,
Море – ноздри рваные,
Да разбойничье,
Беспокойничье.
Аж грозой кумачевое,
Море беспокойничье,
Море Пугачева.

Пей, море,
Гуляй, море,
Шире, больше !
Плещись !
Чтобы шумело море,
Море разливанное ![1]

Khlebnikov, dans une ébauche de récit autobiographique, déclare :

421 Мой народ забыл море и, тщетно порываясь к свободе, забыл, что свобода – дочь моря.[2]

On ne passe donc pas de la Liberté à la Mer par déplacement de désignation (métaphore), puisque dans l'un comme dans l'autre gît la même substance. La révolution et l'élément liquide (Mer, fleuve, lac) sont subsumés sous la représentation abstraite de la Liberté comme fluence pure (*volja*)[3]. Celle-ci détermine doublement la poésie khlebnikovienne :

– au niveau de la structure[4], en instaurant une sorte de pulsion de la liberté qui ne passe pas seulement dans les sons de la langue, mais également dans le rythme. La fluence pure détermine la structure compositionnelle du poème transformé en écoulement de parole libre (*rečenie*). Le poète est le lieu où survient ce flux de paroles qu'il subit plus qu'il ne le contrôle, le *masterstvo* se réduisant à l'art de l'effacement devant le rythme :

– ensuite (et c'est l'objet de notre analyse ici même), au niveau du thème de l'insurrection, qui déferle sous l'espèce de l'élément (*stixija*) libéré, dans une catastrophe apocalyptique qui est l'écho du mythe du Déluge[5]. Si, dans *Noč' v okope* et *Nastojaščee*, la Mer (« *more* ») se déchaîne et apporte l'épidémie (« *mor* »), c'est en réponse à un « péché originel » : celui du fondateur de l'État russe moderne et de la nouvelle capitale de l'Empire[6], coupable d'avoir opprimé tout à la fois la liberté du peuple et la liberté de la Mer :

Сияли улиц белых просеки,
Держали кровли тяжкими руками
Трупы умершего моря.
Здесь море после смерти
Училось у людей :
Носило бороду и людям подражало.
И овощи нес на голове
Бородатый труп моря.
А там вдали дымилися горячие поля...
. . . .
Треух немецкий, грозя грозе немецкой палкой,
Построил белый город из трупа морей.
. . . .

В том городе русло свободной волны
Затянуто в доски умершего моря,
Мертвые доски, как женщины грудь
Китовым усом, – и шеи площадей
Ночным ожерельем горят.
Из трупа морей эти львы,
С сердитой лапой,
И серые трупы ступеней
Вели к дворцам,
Покрытым в камень кружевняк.[1]

Cette double méconnaissance de la volonté de deux éléments essentiellement homogènes aboutit dans les deux cas au même ressac destructif. On voit là combien est développé, non sans intention parodique d'ailleurs, le thème du *Mednyj vsadnik* puškinien. L'attitude de Puškin n'est pas dépourvue d'équivoque, car, s'il ne condamne pas explicitement Pierre et son œuvre (« *Ljublju tebja, Petra tvorenje...* »)[2] , il démontre par son poème que l'acte fondateur de Pierre :

Здесь будет город заложен
Назло надменному соседу.
Природой здесь нам суждено
В Европу прорубить окно,
Ногою твердой стать при море[3]

est une domestication de la nature équivalente à la domestication du peuple russe. La réponse de la Néva à la violence étatique se révèle dans les mots qui la désignent :

Над *возмущенною* Невою...
...*Мятежный* шум
Невы и ветров раздавался...
Где волны хищные толпились,
Бунтуя злобно вкруг него...[4]

L'homme russe, lui, pour l'instant, répond par la folie... Puškin note, prémonitoirement :

...С божией стихией
Царям не совладеть.[5]

La polémique de Khlebnikov avec le symbolisme, par contre, se déclare avec vigueur. Dans son poème adressé au « Cavalier de bronze » (*K mednomu vsadniku*), Brjusov écrivait en 1906 :

Ты так же стоял здесь, обрызган и в пене,
Над темной равниной взмутившихся волн...
. . . .

Но северный город – как призрак туманный,
Мы, люди, проходим, как тени во сне.
Лишь ты сквозь века, неизменный, венчанный,
С рукою простертой летишь на коне.[1]

Quelques années après Khlebnikov, Esenin dans son poème *Pesn' o velikom poxode* reprendra l'idée du premier en la vidant de tout ce qui pouvait en constituer l'originalité : chez Esenin, l'image est bien, comme il l'appelle dans son essai théorique *Ključi Marii*[2], une « *zastava* », c'est-à-dire un ornement qui masque les choses au lieu de les donner à voir. Pierre s'écrie, sentant sa fin prochaine :

Средь туманов сих
И цепных болот
Спится гибший мне
Трудовой народ.
Слышу, голос мне
По ночам звенит,
Что на их костях
Лег тугой гранит.
. . . .
Через двести лет,
В снеговой октябрь,
Затряслась Нева,
Подымая рябь.
Утром встал народ
И на бурю глядь :
На столбах висит
Сволочная знать.[3]

On comprend, à lire cette stylisation de byline, combien Tynjanov avait raison d'écrire :

421 Резонанс обманул Есенина. Его стихи – стихи для легкого чтения, но они в большей мере перестают быть стихами.[4]

Cependant, « l'inondation » trahit une insurrection encore plus profonde : celle des sentiments sur la raison. Le « péché » n'est pas seulement politique, il est aussi gnoséologique. Dans le poème *Gibel' Atlantidy*[5], écrit vers 1910-1911 (donc bien avant la révolution de 1917, mais *après* l'expérience de 1905), Khlebnikov reprend le vieux mythe platonicien[6] en lui conférant une portée philosophique qu'il n'avait pas à ce degré-là chez le penseur grec ; le prêtre de la Raison qui sacrifie l'esclave découvre lui-même le sens de son acte :

Не так ли разум умерщвляет,
Сверша властительный закон,
Побеги страсти молодой ?
Та, умирая, обещает
Взойти на страстный небосклон
Возмездья красною звездой ![7]

La Raison tranche de son glaive (« *Vdrug udar meča žreca* »[1]) la vie (« *Tajna žizni im pogublena* »[2]). Le captif des étoiles (« *No ja zakonov neba plennik* »[3]) tue la hiérodule du Verseau (« *U sozvezd'ja Vodoleja/My rezvilis' i peli* »[4]), déclenchant de ce fait le cataclysme expiatoire : c'est la contradiction même de Khlebnikov. Le flux poétique emporte la raison calculante telle qu'elle s'expose dans les traités arithmologiques et qui représente une atteinte ostensible au « secret » de la vie. La poésie est la revanche du sentiment sur la raison. L'onde dévastatrice prend la figure menaçante de la Nemesis aquatique – soit de la Méduse, soit de la *rusalka* slave. Dans le poème *Gibel' Atlantidy* Khlebnikov polémique manifestement avec Brjusov. Dans *Žrec Izidy*, ce dernier présente le soliloque d'un « Sage » à réputation de pureté :

Я – жрец Изиды светлокудрой ;
Я был воспитан в храме Фта,
И дал народ мне имя « мудрый »
За то, что жизнь моя чиста.[5]

dont la conscience est torturée par le souvenir d'un « crime » : celui de n'avoir point empêché le suicide par noyade d'une femme. Le poème *Žrice luny I* donne la parole à un personnage qui déclare, s'adressant à la prêtresse :

В жажде ласки, в жажде страсти
Вся ты – тайна, вся ты – ложь.
. . . .
У Астарты ты во власти,
Ты – ее, ты – не моя ![6]

Semblablement, l'esclave (« *rabynja* ») de *Gibel' Atlantidy* (qui se déclare, d'ailleurs, l'égale du prêtre : « *Ty i ja – my oba ravny* »[7]) est la servante des étoiles (« *On zametil tix i vesel/zvezdy istiny na mne* »[8]) et l'« esclave » de ses passions (« *Rabynja ja nočnyx veselij* »[9]). La tête coupée de l'esclave qui surgit dans les nuées, à la fin du poème de Khlebnikov, sous l'apparence d'une tête de Méduse (« *Zmej snop, glava okrovavlennaja,/Bezdna mest' eë zelënaja* »[10]) rappelle la face de la Méduse du poème de Brjusov *Lik Meduzy* :

Лик Медузы, лик грозящий,
Встал над далью темных дней,
Взор – кровавый, взор – горящий,
Волоса – сплетенья змей.[11]

La polémique réside dans la transformation de formules symbolistes par leur insertion dans un projet philosophique si différent de celui de Brjusov que se dévoile la parodie de la philosophie symboliste. Aussi V. Markov n'a-t-il pas entièrement raison de qualifier le petit « drame » qu'est *Gibel' Atlantidy* de « non idéologique »[1]. La pièce est, en effet, non idéologique dans la mesure où elle n'est pas, bien évidemment, « antisoviétique » ou « antisocialiste » (c'est le sens dans lequel V. Markov utilise le plus souvent, semble-t-il, l'adjectif « idéologique »). Toutefois, elle est bien « idéologique » dans la mesure où elle révèle très clairement la philosophie (« l'idéologie ») khlebnikovienne de cette époque, philosophie déjà fort éloignée du système de pensée symboliste. La différence entre la pensée de Khlebnikov – telle qu'elle s'affirme déjà dans *Gibel' Atlantidy* – et le poète symboliste se mesure dans toute son ampleur par la comparaison de l'œuvre citée avec les poèmes de Brjusov consacrés au thème de l'Atlantide (et écrits *après* la parution de *Gibel' Atlantidy* dans *Sadok Sudej II* en 1912) : *Atlantida* (1913) et les poèmes groupés sous la rubrique « *Otzvuki Atlantidy* » (*Ženščiny Labirinta* (1917), *Piramidy* (1917), *Gorod vod* (1917), *Ègejskie vazy* (1916-1917). Dans *Gorod vod*, Brjusov pousse l'audace de sa pensée jusqu'à écrire, parlant de l'île (*ostrov*) de l'Atlantide :

Был, – но его совершенства
Грани предельной достигли,
Может быть, грань перешли...
И, исчерпав все блаженства,
Все, что возможно постигли
Первые дети Земли.

Дерзко умы молодые
Дальше, вперед посягнули,
К целям запретным стремясь...
Грозно восстали стихии,
В буре, и в громе, и в гуле
Мира нарушили связь.[2]

Il reste néanmoins loin derrière l'hypothèse de Khlebnikov (« *Ne tak li razum umerščvljaet...* »[3]), et, de plus, il n'a pas cette fois l'avantage de l'antériorité.

On voit donc, à tous ces exemples, que dès 1910 (époque où il concevait *Gibel' Atlantidy*), Khlebnikov commençait déjà à penser poétiquement sa propre contradiction en détournant par la parodie les figures mêmes du discours symboliste.

Il ne faut pas perdre de vue également que « l'insurrection » khlebnikovienne est originairement contemporaine de Tsushima :

421 Законы времени, обещание найти которые было написано мною на березе (в селе Бурмакине, Ярославской губернии) при известии о Цусиме...[4]

et que l'engloutissement dans les flots s'associe ainsi à l'idée du « *vozmezdie* » (cf. le poème *Byli vešči sliškom sini*[1] qui polémique avec le *Cusima* de Brjusov[2]). Dans le combat auquel se livrent, en Khlebnikov, Razin et Lobačevskij, lequel des deux l'emporte ? Razin prendrait-il, en fin de compte, l'avantage sur Lobačevskij ? Non pas ; l'un comme l'autre sanctionnent leur insurrection par le crime : le soulèvement de la raison ainsi que la sédition des sentiments tuent le *repos* de la vie et dans la conscience de l'insurgé apparaît, comme un remords, la face de vierge assassinée. La vie, jeune, libre et passionnée, tragiquement interrompue et ressurgissant sous l'onde est un thème commun au folklore et au romantisme. Point n'est besoin de rappeler ici la chanson populaire sur la princesse perse noyée par Razin[3], ou le drame de Puškin *Rusalka* pour montrer tout ce que Khlebnikov leur doit dans l'élaboration de la figure de l'ondine qui hante sa poésie. Son inventivité particulière se manifeste d'abord dans la métamorphose que subit la nymphe dans sa poésie : d'obsession de la conscience torturée (cf. le poème *Rusalka* de Brjusov[4]), elle devient chez le poète-arithméticien le nombre imaginaire i tel que :

$$\text{Khlebnikov} \times i = \sqrt{-\text{Khlebnikov}} = \text{Razin !}$$

L'invention majeure est ensuite et surtout d'avoir osé concevoir l'acte de raison comme le meurtre de la vie, et d'avoir donné à cette représentation philosophique la consistance d'un mythe (au sens où l'on parle justement de « mythes » platoniciens) en figurant le meurtre, dans *Gibel' Atlantidy*, comme la décollation d'une serve par un sacrificateur, victime et bourreau étant foncièrement de même nature (« *Ty i ja – my oba ravny* »[5]).

L'insurrection, manifestation d'un désir érigé contre le rythme de la vie, viole l'élément humide primordial qu'est la vie. La poésie fait monter au jour de la parole ce qui séjourne dans les abysses ténébreux de l'inconscient et ne peut se dire que sur le mode sibyllin :

> О, женщины ! О, меньший брат,
> Вас надо брать,
> Какие вы есть,
> Или время выест
> Жизни сочный и веселый плод,
> Что качается всегда над рекой, где мысль о бессмер⟨тии⟩
> В нерадостный брег плот,
> На стеблях мигов,
> Всегда чуждых игол.
> И там, где женщины, мы всегда с ними.
> Мы вами, в вас лучшее с влаги жизни снимем.
> Ах, нам несказуемо милый сон издавна снится !
> И мила мигов малых колесница ![6]

La révolution est analogue à cette déviation de la course du soleil dont parle Platon dans *le Timée*[7] et qui brûle toute vie à la surface de la terre. L'*hybris* de l'insurgé qui s'exhausse au-dessus de la vie, dans l'attirance du soleil, finit par le précipiter dans les flots mêmes qu'il essayait de nier, en posant son acte créateur : tel est l'enseignement du mythe d'Icare dont l'occurrence dans la poésie khlebnikovienne autorise à parler d'un « complexe solaire » aussi riche en résonances que le « complexe Razin ». Le feu solaire est l'antithèse de l'élément liquide : s'il détruit, c'est par excès. Sa nature est bien plutôt de construire poétiquement la ferveur révolutionnaire.

Le feu

Autre forme de la *stixija*, le feu exerce son hégémonie à l'intérieur du système de Khlebnikov, irradiant du centre de la personnalité du poète sur tout le monde spirituel :

Я вышел юношей один
В глухую ночь,
Покрытый до земли
Тугими волосами.
. . . .
Я волосы зажег,
Бросался лоскутами колец,
Зажег поля, деревья –
И стало веселей.
Горело Хлебникова поле.
И огненное я пылало в темноте.[1]

Le champ de Khlebnikov brûle, tout comme brûle le champ (« *Gorjačee pole* ») où se rassemblent les miséreux de Saint-Pétersbourg, préparant dans le dépotoir de l'ancien monde l'explosion qui doit régénérer l'univers. L'insurrection spirituelle et l'insurrection sociale partent d'une même libération d'énergie qui apparente les deux phénomènes à une supernova. Khlebnikov ne perd pas le regard « froid » de l'astronome lorsqu'il considère l'action du feu universel autour de lui ou en lui-même. Cette osmose, ou, plus justement, cette unité originelle des deux implosions intérieure ou extérieure, justifie la concomitance de deux révolutions : si les palais et les gentilhommières flambent, les livres sont lancés dans le brasier, ou, mieux encore, se jettent eux-mêmes sur le bûcher dans un geste sacrificatoire :

Я видел, что черные Веды,
Коран и Евангелие
И в шелковых досках
Книги монголов
. . . .
Сложили костер
И сами легли на него.[2]

L'autodafé des livres n'indique pas seulement la révolution culturelle (bien que, sarcophages d'un savoir mort[1], ils accompagnent inévitablement les anciennes institutions dans l'anéantissement) ; la relation livre/révolution est plus profonde et équivoque que celle d'une « haine de classe » motivée par l'oppression multiséculaire d'un savoir au service des oppresseurs. Les livres sont les ennemis du poète parce qu'ils retardent l'avènement du « Livre unique » (« *Edinaja Kniga* ») que le poète veut promouvoir : la nature elle-même qu'il offre à tous dans la lecture de ses lois fondamentales. La « bibliomachie » khlebnikovienne revêt une intensité particulièrement aiguë lorsque le livre mime le savoir universel, doublant l'entreprise même de Khlebnikov et anticipant, par le mot, l'investigation arithmologique du « scientifique » : telle est *la Tentation de saint Antoine* que Khlebnikov « consume » en une nuit, lecture faite :

421 ...Я был без освещения после того, как проволока накаливания проплясала свою пляску смерти и тихо умирала у меня на глазах. Я выдумал новое освещение : я взял *Искушение святого Антония* Флобера и прочитал его всего, зажигая одну страницу и при ее свете прочитывая другую : множество имен, множество богов мелькнуло в сознании, едва волнуя, задевая одни струны, оставляя в покое другие, и потом все эти веры, почитания, учения земного шара обратились в черный шурщащий пепел. Сделав это, я понял, что я должен был так поступить. Я утопал в едком, белом дыму, [носящемся] над жертвой. Имена, вероисповедания горели как сухой хворост. Волхвы, жрецы, пророки, бесователи – слабый улов в невод слов 1 000 [человеческого рода, его волн и размеров] , – все были связаны хворостом в руках жестокого жреца...

. . . .

Я долго старался не замечать этой книги, но она, полная таинственного звука, скромно забралась на стол и, к моему ужасу, долго не сходила с него, спрятанная другими вещами. Только обратив ее в пепел и вдруг получив внутреннюю свободу, я понял, что это был мой какой-то враг.[2]

Ce livre apparaît comme l'ennemi de Khlebnikov ; il est, *mutatis mutandis*, à l'œuvre de Khlebnikov ce que Razin est à sa vie : la méthode du poète, inversée, mais au service du même but. Le dévoilement des illusions religieuses au cours de *la Tentation* scande un type de démarche qui pourrait convenablement caractériser la progression khlebnikovienne :

Pour que la matière ait tant de pouvoir, il faut qu'elle contienne un esprit. L'âme des dieux est attachée à ses images[3].

. . . .

Des sept planètes, deux sont bienfaisantes, deux mauvaises, trois ambiguës ; tout dépend, dans le monde, de ces feux éternels. D'après leur position et leur mouvement on peut tirer des présages ; – et tu foules l'endroit le plus respectable de la terre. Pythagore et Zoroastre s'y sont rencontrés. Voilà douze mille ans que ces dieux observent le ciel, pour mieux connaître les Dieux[4].

. . . .

De même, ces Dieux, sous leurs formes criminelles, peuvent contenir la vérité[5].

. . . .

Mon royaume est la dimension de l'univers ; et mon désir n'a pas de bornes. Je vais toujours, affranchissant l'esprit et pesant les mondes, sans haine, sans peur, sans pitié, sans amour et sans Dieu. On m'appelle la Science[1]

. . . .

Mais les choses ne t'arrivent que par l'intermédiaire de ton esprit. Tel qu'un miroir concave il déforme les objets ; – et tout moyen te manque pour en vérifier l'exactitude.

Jamais tu ne connaîtras l'univers dans sa pleine étendue ; par conséquent tu ne peux te faire une idée de sa cause, avoir une notion juste de Dieu, ni même dire que l'univers est infini, – car il faudrait d'abord connaître l'Infini !

La Forme est peut-être une erreur de tes sens, la Substance une imagination de ta pensée.

A moins que le monde étant un flux perpétuel des choses, l'apparence au contraire ne soit tout ce qu'il y a de plus vrai, l'illusion la seule réalité.

Mais es-tu sûr de voir ? est-tu même sûr de vivre ? Peut-être qu'il n'y a rien ![2]

Or, la « tentation » de Khlebnikov consiste à croire précisément en la possibilité d'atteindre les figures primordiales à travers[3] les spectres de la vie quotidienne ! A ses yeux, la voie qui mène à l'aperception des essences est la langue : non seulement par elle il est possible d'aller à l'être, mais elle *dit* l'être. (Il s'agit bien sûr de la langue métalogique, et non de la langue empirique)[4]. La première tentation de Khlebnikov, rappelons-le, avait été de croire naïvement (et là sans doute se faisait-il réellement « pécheur » !) que la prolifération cellulaire de la langue, la tumescence du vocabulaire par accroissement anarchique des néologismes pouvait *dire* adéquatement la germination même de la matière telle qu'elle est célébrée par Antoine, dans un discours « classique », régulier, couronnement du cycle de ses visions :

O bonheur ! bonheur ! j'ai vu naître la vie, j'ai vu le mouvement commencer. Le sang de mes veines bat si fort qu'il va les rompre. J'ai envie de voler, de nager, d'aboyer, de beugler, de hurler. Je voudrais avoir des ailes, une carapace, une écorce, souffler de la fumée, porter une trompe, tordre mon corps, me diviser partout, être en tout, m'émaner avec les odeurs, me développer comme les plantes, couler comme l'eau, vibrer comme le son, briller comme la lumière, me blottir sur toutes les formes, pénétrer chaque atome, descendre jusqu'au fond de la matière, – être la matière.[5]

Le premier récit en prose publié par Khlebnikov, *Iskušenie grešnika*[6] (« La tentation du pécheur ») essayait de *dire* le même vertige frémissant de la matière par l'exubérance verbale continuée[7].

421 И видения все учащались и учащались, и после видения и вытаскивания обратно проглоченного кем-то куска бессмертия, с помощью крючка и при звуках общего хохота – после метели ужасных и страховидных кумиров был Ястмир Людноногий, парящий над всем, и расхаживал некий мирач, никем не мнимый, но оставляющий порой пером ужас о своем существовании.

И ответным клекотом клектал Ястлюд, срывающий клювом человечествянную пену с людяного моря. И повсюду летали пустотелые с бесбытийными взорами враны и все сущее было лишь дупла в дебле пустоты. И молчаниехвостый вран туда и сюда летал над опустелыми жуткими нивами. И была кривдистая правда, и качались грусточки над озером грустин, и был умночий пущи зол, и ужас стоял в полях мыслеземных, и пение луков меняубийц... Волк-следотворец завыл, увидел стожаророгого оленя. И вся вселенная была широко раскрытый клюв ворона.

Н с ее лица не сходила овселеннелая улыбка сил, и время не уставало держать под рукой черный костыль...[1]

« Péché » de jeunesse, sans doute, que de croire en l'efficience d'une parole conçue comme *mimésis* de l'être. Le poète, dans sa maturité de « savant », viendra certainement à résipiscence, mais n'est-il pas simplement relaps en quittant la « glossolâtrie » naïve de 1908 pour un métalogisme qui exhale toujours des relents de « phonématolâtrie » ?... Comment s'étonner, dès lors, que l'autodafé de 1918 soit encore la conséquence d'une querelle littéraire :

421 ...Как гальки в прозрачной волне, перекатывались эти стертые имена людских грез и быта в мерной речи Флобера.[2]

La « révolution » opérée par Khlebnikov écarte toute légitimité pour une littérature qui voudrait *dire* le réel : à cette époque, Khlebnikov sait qu'il n'est accessible que par les chiffres ou par une écriture chiffrée (*zaumnyj jazyk*). A plus forte raison le réel échappe-t-il à tout discours littéraire *régulier* (« *mernaja reč'* ») ! La révolution-Khlebnikov dessèche tout discours littéraire : les livres flambent, et avec eux le « babil » artistique. La combustion révolutionnaire fait apparaître le crâne « intelligent » du verbe[3]. C'est dans le dénudement, comme dans le dénuement, qu'apparaît la vérité de l'insurrection.

Le soleil est cette vérité qu'éclipsent les corps parasites (vieilles institutions, vieille langue), ou que ne voit plus le regard affligé des scotomes de la sénilité. Khlebnikov « brûle » pour dénuder, et dénude pour faire don du soleil :

— soit à son corps :

Россия тысячам тысяч свободу дала.
Милое дело ! Долго будут помнить про это.
А я снял рубаху
И каждый зеркальный небоскреб моего волоса,
Каждая скважина
Города тела
Вывесила ковры и кумачевые ткани.
Гражданки и граждане
Меня государства,
Тысячеоконных кудрей толпились у окон,
Ольги и Игори,
Не по заказу,
Радуясь солнцу, смотрели сквозь кожу.
Пала темница рубашки !

А я просто снял рубашку :
Дал солнце народам меня !
Голый стоял около моря. –
Так я дарил народам свободу,
Толпам загара.[1]

– soit à la langue, à qui il restitue la lumière qui lui est propre :

422 ...Попытаемся с помощью языка измерить длину волн добра и зла. Мудростью языка уже давно вскрыта световая природа мира. Его « я » совпадает с жизнью света. Сквозь нравы сквозит огонь. Человек живет на « белом свете » с его предельной скоростью 300 000 километров и мечтает о « том свете » со скоростью большей скорости света ? Мудрость языка шла впереди мудрости наук. Вот два столбца, где языком рассказана световая природа нравов, а человек понят, как световое явление, здесь человек – часть световой области.

« Тот свет »	« Начало относительности »
. . . .	. . . .
Воскресать	Кресало и огниво
Дело, душа	День
Молодость, молодец	Молния
. . . .	. . . .
Солодка, сладость	Солнце, солния
Сой, семья, сын, семя	Сиять, солнце
. . . .	. . . .
Святой, « светик »	Свет[2]

Nous trouvons dans cette conception « héliaque » de l'insurrection futurienne de Khlebnikov un des nœuds où se tissent inextricablement plusieurs obsessions du poète. Dans le récit *Lubny*, il nous a laissé un témoignage psychologique capital sur cette étrange fascination du Feu (comme principe métaphysique) qui pourrait illustrer mainte page de *la Psychanalyse du Feu*[3] :

422 И в грозном гуле этих звуков, углом подымающихся над миром падающих с неба на мир лавой, скрыт(о) обещание про день огня победителя, в них скрыты предтеча и знаменье милое сердцу народа. Огневая ли природа усопших, дальние ли объятия смерти солнца ? Ведь живое более походит на землю, чем мертвое. И схватка огня и земли, увенчанная победой огня, раскрывшего крышки земных гробов и сожегшего их, вот, что как (нрзб.) волнует вас после (нрзб.).

Он придет, этот гневный вождь – красный багряный огонь. Если смерть – разлука огня и земного воска, то здесь слышится возврат огневого человечества.[4]

Mais c'est dans la méditation du langage poétique nouveau que se déploie la fascination du phénomène de l'ignition :

422 Мелкие вещи тогда значительны, когда они так же начинают будущее, как падающая звезда оставляет за собой огненную полосу ; они должны иметь

такую скорость, чтобы пробивать настоящее. Пока мы не умеем определить что создаст эту скорость. Но знаем, что вещь хороша, когда она, как камень будущего, зажигает настоящее.

В *Кузнечике*, в *Бобѐоби*, в *О, рассмейтесь* были узлы будущего – малый выход бога огня и его веселый плеск. Когда я замечал, как старые строки вдруг стукнели, когда скрытое в них содержание становилось сегодняшним днем, я понял, что родина творчества – будущее. Оттуда дует ветер богов слова.[1]

L'insurgé exécute la volonté du soleil :

Но мы улыбнемся как боги
И покажем рукою на Солнце.
Поволоките его на веревке для собак,
Повесьте его на словах :
Равенство, братство, свобода,
Судите его вашим судом судомоек
За то, что в преддверьях
Очень улыбчивой весны
Оно вложило в нас эти красные мысли,
Эти слова и дало
Эти гневные взоры.
Виновник – оно.
Ведь мы исполняем солнечный шопот,
Когда врываемся к вам, как
Главноуполномоченные его приказов,
Его строгих велений.[2]

Le pays de l'insurrection où se produit la découverte des Lois du temps (celles-là mêmes qui constituent le « *perevorot v ponimanii vremeni* ») est la terre du Feu :

422 ...Я хотел найти ключ к часам человечества, быть его часовщиком, и наметить основы предвидения будущего. Это было на родине первого знакомства людей с огнем и приручения его в домашнее животное. В стране огней – Азербайджане – огонь меняет свой исконный лик. Он не падает с неба диким божищей, наводящим страх божеством, а кротким цветком выходит из земли, как бы прося и называясь приручить и сорвать его.

В первый день весны 20-ого года я был на поклоне вечным огням...[3]

Si l'insurgé-*budetljanin* commande également aux soleils :

423 Клянемся, что наши властные приказания никогда не будут нарушены покорными солнцами !

– Так велики современные владения будетлян – отныне небоводцев (скотоводство приелось).

Ведь мы – пастухи звезд ![4]

s'il se prétend également preneur de soleil (« *solncelov* »), la raison en est que la création elle-même ressemble à une « domestication du feu », l'œuvre éclate comme une décharge de feu contrôlée par l'esprit :

423 Мое мнение о стихах сводится к напоминанию о родстве стиха и стихии. Это гневное солнце, ударяющее мечом или хлопушкой по людским волнам. Вообще молния (разряд) может пройти во всех направлениях, но на самом деле она пройдет там, где соединит две стихии.[1]

423 Творчество – это искра между избытком счастья певца и несчастьем толпы.[2]

La patrie des *budetljane*, l'Uchronie khlebnikovienne se nomme pays du Soleil (« *Solncestan* ») :

Мы входим в город Солнцестана,
Где только мера и длина,
Где небо пролито из синего кувшина
Из рук русалки темной площади...[3]

La ville nouvelle devient la métaphore architecturale de l'héliotropisme végétal :

423 Мы, сидящие в седле, зовем : туда, где стеклянные подсолнечники в железных кустарниках, где города, стройные как невод на морском берегу, стеклянные как чернильница, ведут междуусобную борьбу за солнце и кусок неба, будто они мир растений ; « посолонь » ужасно написано в них азбукой согласных из железа и гласных из стекла.[4]

L'insurrection futurienne se montre, ici également, contradictoire : elle instaure une héliolâtrie dans son principe[5], mais se place en concurrence avec le soleil dans le même temps : l'héliolâtrie se double d'une héliomachie qui en est le symétrique : trait distinctif de l'œuvre futurienne qui se pense comme une usurpation de la fonction mâle de la création[6]. La cosmogonie khlebnikovienne offre, dans le registre du mythe, le même combat pour la suprématie démiurgique. Ainsi le mythe orotche du meurtre des deux soleils alimente le mythe khlebnikovien du combat solaire tel qu'il se déploie dans la première voile de *Deti Vydry*[7] et il devient, dans le poème *Plamena*, l'allégorie du combat amoureux :

Своим серебряным крылом
Я бурю резал, как мечом.
И в этот миг, когда я солнце кромкое убил
И брызнула на землю кровь,
Мне кто-то шептал, что я любил,
Что то была земная первая любовь.[8]

La langue (la *Zaum'* naturellement) parle l'explosion insurrectionnelle : l'explosive du langage métalogique est la parabole de l'éclatement révolutionnaire :

423 П – движение, рожденное разностью давлений : порох, пушка, пить, пустой. Переход вещества из насыщенного силой давления в ненасыщенное, пустое, из сжатого состояния в рассеянное. Пена, пузырь, прах, пыль. П по

значению обратно К. Кузнец сковывает, печь, пушка, порох, пыль, пена, пузырь, пуля – рассеивают прежде собранное вещество. При П мы имеем свободные в одном измерении пути для движения вещества от сильного давления в слабое. Например : Печь, пищаль, пушка, пружина, право, путь, пад, пузо, пасть, горло для питья и пищи, пасти, править для разности давлений воль, палить. В печи дрова обращаются в дым. Перун maximum воли и давления.[1]

Selon le principe habituel de la poésie khlebnikovienne, l'emblème de l'explosion se donne dans le personnage mythologique de Perun[2], dieu du tonnerre, de l'orage et des éclairs dans l'antique panthéon slave. Perun (comme Lobačevskij ou Razin) donne figure (et figure païenne, figure slave) à l'insurrection conçue à présent comme déflagration :

Пою,
Что палки бросает Перун,
Паря, точно палка себя,
Из точки пустоты,
Как палка пустоты,
Пышет пальбою тех пуль,
Что пламенем стали полых
Пилок пения пороха.[3]

La langue poétique (« *penie* »), champ de l'implosion du discours, peut ainsi dire de manière adéquate, par la « grammatomachie », la révolution politique, la lutte des classes :

ПЭ – двигающее начало и сила.
Холоп – рабочий пар паровоза,
Где женщиной нежится холя,
Пересекая мир сотней колес баловства.
Холоп – двигающая сила
Холи пана
Пружина, подымающая холю пана,
Рабочее пламя, посылающее пулю
Панской воли в лоб неба,
Он порох, делающий пение пана.
Пружина, посох все опоры
Для холи пана,
Вы сливаете ваши голоса
И пламенем звучите в Пэ.[4]

Lecteur de Kepler, poète « *zvezdočët* »[5], Khlebnikov sait que la révolution constitue d'abord un phénomène astronomique et qu'en fin de compte elle n'est que la métaphore de lui-même, le «pâtre des étoiles» (« *ved' my – pastuxi zvezd !* »[6], qui opère le passage du cercle de la Nature au cercle de la culture[7]. Brasier ardent dans la solitude nocturne, Khlebnikov exhorte la Russie à devenir le poète afin qu'elle puisse par là accomplir sa révolution :

Мой белый божественный мозг
Я отдал, Россия, тебе :
Будь мною, будь Хлебниковым.[1]

La Révolution orgiaque

L'insurrection n'est pas pensable hors de la dimension métaphysique, qui seule lui donne son sens véritable : celui de l'irruption de la liberté dans le « *byt* »[2]. L'insurrection, pour trouver sa perfection, doit donc s'achever dans le déicide. Le déchaînement (*razgul*) de la *stixija* (sous l'espèce de l'eau ou du feu) se produit comme un mystère orgiastique tendu vers l'anéantissement de l'obstacle à l'expansion infinie de la liberté : le Dieu chrétien, hypostase de la féminité, qui, dans la poésie de Khlebnikov, désamorce l'énergie mâle insurrectionnelle. On voit donc la différence essentielle qui sépare l'entreprise khlebnikovienne de la théomachie (« *bogoborčestvo* ») de ses contemporains : chez Majakovskij (comme chez Esenin), la lutte contre Dieu vise le détrônement de Dieu, sans remettre totalement en cause le principe du pouvoir. Pour Khlebnikov, au contraire, le « *bogoborčestvo* » n'est qu'une figure de l'antithéisme, qui se meut toujours dans la sphère du divin ; il ne saurait donc en aucun cas avoir la valeur exemplaire du déicide qui, lui seul, peut garantir l'évanouissement de l'idée même de Dieu. Très certainement, cette entreprise ne va pas sans contradiction, comme bien d'autres encore chez le poète. Dans *Nočnoj obysk*[3] se dévoile toute l'ambiguïté du rapport de l'insurrection à la divinité, dans la cérémonie orgiaque où s'allient mystérieusement la fête, la mort, le blasphème et l'incendie.

Les marins (« *More razlivannoe* ») de la révolution qualifiés de « *Svjatye ubijcy* », après avoir mis à mort un garde blanc, s'enivrent dans une orgie blasphématoire doublement, puisqu'elle insulte le mort et Dieu lui-même.

О боже, боже !
Дай мне закурить.
. . . .
Даром у него
Такие темно-синие глаза,
Что хочется влюбиться
Как в девушку.
И девушек лицо у бога,
Но только бородатое.
. . . .
Глаза предрассветной синевы
И вещие и тихие
И строги и прекрасны,
И нежные несказанной речью,

И тихо смотрят вниз
Укорной тайной,
На нас, на всю ватагу
Убийц святых,
На нашу пьянку
Убийц святых.[1]

Dieu se voit provoqué dans un duel où l'enjeu est la victoire sur la peur de la mort :

Даешь мне в лоб, бог девичий,
Ведь те же семь зарядов у тебя.
. . . .
Как этот мальчик крикнул мне,
Смеясь беспечно
В упор обойме смерти.
Я в жизнь его ворвался и убил,
Как темное ночное божество.
Но побежден его был звонким смехом,
Где стекла юности звенели.
Теперь я бога победить хочу
Веселым смехом той же силы,
Хоть мрачно мне
Сейчас и тяжко. И трудно мне.[2]

Le marin sort victorieux de l'affrontement, en faisant face avec quiétude à la mort :

Горим ! Спасите ! Дым !
А я доволен и спокоен.
Стою, кручу усы и все как надо.
Спаситель ! Ты дурак.[3]

Bannir la crainte de la mort devient l'acte de désasservissement spirituel qui rend l'homme à lui-même et fait s'évanouir la nécessité de Dieu. Dans *Nočnoj obysk*, c'est le garde blanc qui, par sa mort stoïque, donne l'exemple de l'affranchissement de l'angoisse métaphysique. Mais là n'est pas la plus importante contradiction du poète. Dans son esprit, le Christ et Dionysos sont intimement liés[4] : l'insurrection doit libérer Dieu de la souffrance à laquelle l'ont condamné la servitude et la division spirituelles de l'homme. Le meurtre de Dieu représente donc justement ce qui permet la réalisation de la loi suprême « naturelle », mise en évidence par le poète : pensée religieuse « païenne », qui absorbe l'ancienne religion puisqu'elle affirme comme seule réalité cosmique le flux énergétique. En conséquence, la mort du Dieu chrétien dans le soulèvement orgiaque est contemporaine de la résurrection des anciens dieux du paganisme universel (avec, cependant, une prédilection marquée pour les déités slaves) dans la mesure où ces derniers apparaissent comme les témoins pérennes d'une lecture « énergétique » de l'Univers par les hommes :

Туда, туда, где Изанаги
Читала моногатори Перуну,
А Эрот сел на колени Шангти
И седой хохол на лысой голове
Бога походит на снег,
Где Амур целует Маа-Эму,
А Тиен беседует с Индрой,
Где Юнона с Цинтекуатлем
Смотрят Корреджио
И восхищены Мурилльо,
Где Ункулукулу и Тор
Играют мирно в шашки,
Облокотясь на руку,
И Хоккусаем восхищена
Астарта – туда, туда ![1]

Nous avons vu précédemment comment l'explosion insurrectionnelle suscite derechef la figure de Perun et emplit ce dieu déchu d'une nouvelle validité symbolique :

Парусом песен,
Пламенной палкой питая
Пасть пустоты
Пирующий пламенем
Праведный парень,
Пылкий Перун.[2]

D'autres dieux « poétiques » forgés sur le modèle d'anciens dieux païens historiquement attestés (comme c'est le cas de Perun, par exemple) peuvent d'ailleurs tout aussi bien accomplir la même fonction de structuration de la ferveur insurrectionnelle qui agite le poète :

Жарбог ! Жарбог !
Я в тебя грезитвой мечу
Дола славный стаедей,
О, взметни ты мне навстречу
Стаю вольных жарирей.
Жарбог ! Жарбог !
Волю видеть огнезарную,
Стаю легких жарирей,
Дабы радугой стожарною
Вспыхнул морок наших дней.[3]

Mais la restauration d'une mythologie païenne générale a une double fonction : d'une part, certes, il s'agit de lutter par un paganisme vitaliste contre la suprématie d'une religion dont le projet est de dompter la nature, mais, d'autre part et conjointement à cette fonction polémique, l'entreprise de réhabilitation fait apparaître la valeur purement allégorique de toutes les religions, ce qui constitue une manière d'en montrer l'inanité ontologique. La religion appartient au même domaine que l'art ; elle est située à la périphérie de la science qui dit l'être, mais elle garde néanmoins une certaine faculté allusive qui lui permet de figurer la vérité :

423 Человечество, как явление протекающее во времени, сознавало власть его чистых законов, но закрепляло чувство подданства посредством повторных враждующих вероучений, стараясь изобразить дух времени краской слова.

Учение о добре и зле, Аримане и Ормузде, грядущем возмездии, это были желания говорить о времени, не имея меры, некоторого аршина, ведром как краска.

Итак, лицо времени писалось словами на старых холстах Корана, Вед, Доброй Вести и других учений. Здесь в чистых законах времени, тоже великое лицо набрасывается кистью числа и таким образом применен другой подход к делу предшественников. На полотно ложится не слово, а точное число, в качестве художественного мазка, живописующего лицо времени.

Таким образом в древнем занятии времямаза произошел некоторый сдвиг. Откинув огулы слов, времямаз держит в руках точный аршин.

. . . .

То, о чем говорили древние вероучения, грозили, именем возмездия, делается простой и жестокой силой этого уравнения ; в его сухом языке заперто : « Мне отмщение и аз воздам » и грозный, непрощающий Иегова древних.

Ведь закон Моисея и весь Коран пожалуй укладывается в железную силу этого уравнения.

Но сколько берегается чернил ! Как отдыхает чернильница ! В этом поступательный рост столетий.[1]

Ainsi la théogonie khlebnikovienne, contre-partie du déicide, a-t-elle une valeur éminemment poétique : le syncrétisme des mythes cosmogoniques doit, dans l'esprit de Khlebnikov, faire apparaître les forces libérées du langage[2], le brassage et la permutation opérés par la poésie dans la « matière » religieuse doit donner à voir la *physis* œuvrant dans les images de la religion. Seul le sursaut insurrectionnel est à même de rétablir dans toute son ampleur le « monophysisme » primitif :

Двинемся вместе к огненным песням.
Все за свободу – вперед !
Если погибнем – воскреснем !
Каждый потом оживет.
Двинемся в путь очарованный,
Гулким внимая шагам.
Если же боги закованы,
Волю дадим и богам.[3]

Nous retrouvons là le sens du combat contre *la Tentation de saint Antoine* : l'immersion dans la matière s'accompagne de l'évanouissement de tous les dieux. L'homme réuni à lui-même, à sa nature, donc à la nature, n'a plus besoin, à proprement parler, des dieux : il s'installe lui-même dans une autarcie ontologique qui ne conserve les dieux que comme un emblème commode de sa propre divinité :

424 Точное изучение времени приводит к раздвоению человечества, так как собрание свойств, приписывавшихся раньше божествам, достигается изучением самого себя, а такое изучение и есть нечто иное, как человечество, верующее в человечество.[1]

О, люди, люди !... Если бы вы поняли, что наша божественная власть зависит от вас и вне вас – призрак.[2]

La rétribution

L'équilibre est le grand principe du mouvement : tout ce qui se meut tend au repos comme à son état de perfection. L'insurrection assure la régulation de l'histoire en laquelle combattent des forces opposées qui s'équilibrent mutuellement. La révolution est restauration de l'ordre universel par un désordre dont l'excès même est salutaire. C'est ce principe régulateur que Khlebnikov appelle « *mest'* » ou « *vozmezdie* » et dont la traduction « vengeance » ne rend que l'aspect éthique, en laissant dans l'ombre toute la coloration scientifique que le poète entendait donner à ce terme :

424 Поступок и наказание, дело и возмездие.
Если в первую точку умирает жертва
Через 3 умирает убийца.

. . . .

Теперь докажем нашу истину, что событие, достигшее возраста 3^n дней меняет свой знак на оборотный (множитель да-единица как указатель пути сменяется множителем нет единицей (+ 1 и – 1), что через повторные времена числового строения 3^n события относятся друг к другу как два встречных поезда, идущих по одному и тому же пути, на малых степенях n.

Если крупные показатели степени заняты пляской и плеском государств, управляют своей палочкой большим гопаком нашествий, переселением народов, то малые относятся к жизни отдельных людей, управляя возмездием, или сдвигами в строении общества, давая в числах древний подлинник, древние доски своего перевода на язык слов.

« Мне отмщение и аз воздам. »

. . . .

Движению давался порог, преграда, остановка, побежденному победа, победителю поражение. Событие делало поворот на 2^d, два прямых угла, и давало отрицательный перелом времени. Полночь события становилась его полднем, и вскрывался стройный, тикающий пылающими взорванными столицами государств, ход часов человечества.[3]

Peut-être la sensibilité du poète lui a-t-elle, dans ce domaine aussi, joué un mauvais tour : comment, en effet, saurait-il masquer sous l'aspect d'une scientificité objective et sereine, la pitié et l'indignation ressenties devant le spectacle de l'injustice triomphante ? La « *mest'* », mutation de forces et rétablissement d'équilibres dans les essais théoriques ou les doctrines « scientifiques » de Khlebnikov, apparaît comme quelque chose de plus qu'une simple compensation dans sa poésie : la « *mest'* » s'y dévoile dans la cruauté simple de la vengeance, du meurtre accompli comme unique réponse du désespoir des opprimés à l'insulte de l'oppression[1]. Les victimes de l'insurrection sont les puissants d'hier : ainsi s'accomplit de manière catastrophique la révolution des choses humaines, la loi du retour énoncée dans les équations mathématiques et chantée dans « l'Internationale » (le *Meždunarodnik* khlebnikovien) :

Когда сам бог на цепь похож,
Холоп богатых, где твой нож ?
Вперед, колодники земли,
Вперед добыча голодовки.
Кто трудится в пыли,
А урожай снимает ловкий.
Вперед, колодники земли,
Вперед, свобода голодать,
А вам, продажи короли,
Глаза оставлены – рыдать.[2]

L'instrument qui préside au passage de l'état ancien à l'état nouveau est, dans la poésie de Khlebnikov, le couteau (« *nož* ») : son éclat, son tranchant, l'élèvent au rang d'emblème solaire, de dard transperçant les fils de l'Ombre dans une gigantomachie d'apocalypse :

Наш нож !
– Нате !
Гож нож !
Эй толпы людей !
Гож нож !
Знайте,
В мозгу,
Зарубите.
. . . .
О, красавец, длинный нож,
В сердце барина хорош !
Ножом вас потчую
Простая девка :
Я прачка, чернорабочая !
Ай хорош, ай хорош !
Нож.[3]

За нож, ножом
С нарядом драться
Пора !
За железное дело
Смело
Браться !
– Браться ![4]
. . . .
Мы писатели ножом,
Тай-тай, тара-тай ![5]

La répétition même du motif dans les poèmes dont le « thème » semble être la révolution sociale, lui assure une place éminente dans la mythologie insurrectionnelle, aux côtés des figures de Razin, Lobačevskij ou des éléments comme l'eau, le feu : il est l'arme du rite insurrectionnel, l'outil de la coupure qui fait jaillir la liberté :

Жарко ждут ножи –
Они зеркало воли.[1]

L'irruption de la Liberté (« *volja* ») dans l'histoire élève du même coup la vengeance au niveau de l'insurrection suprême : celui de la lutte métaphysique contre le temps. La vengeance (« *mest'* ») opère la mutation de l'ordre temporel à celui de l'éternel ; là est assurément la rançon (« *vozmezdie* ») d'une insurrection qui se place, dès l'origine, dans la perspective d'une victoire sur l'ultime ennemi : la mort. C'est dans cet acte de « répulsion » contre le temps (« le temps qui dévore ses enfants ») que se donne la vérité de l'insurrection khlebnikovienne et la valeur de la réponse qu'il présente comme « *perevorot v ponimanii vremeni* ». Sans doute le prophète des « Nouvelles Tables du Destin » songe-t-il à l'enseignement de son maître à penser, le Zarathustra nietzschéen qui proclamait :

« Ce fut » : c'est ainsi que s'appelle le grincement de dents et la plus solitaire affliction de la volonté. Impuissante envers tout ce qui a été fait, – la volonté est pour tout ce qui est passé un méchant spectateur. La volonté ne peut pas vouloir agir en arrière ; qu'elle ne puisse pas briser le temps et le désir du temps, – telle est la plus solitaire affliction de la volonté.

Vouloir délivre : qu'imagine la volonté elle-même pour se délivrer de son affliction et pour narguer sa geôle ?

Hélas ! tout prisonnier devient fou ! La volonté, prisonnière elle aussi, se délivre par la folie.

Que le temps ne recule pas, c'est là sa colère ; « ce qui fut », – ainsi s'appelle la pierre que la volonté ne peut soulever.

Et c'est pourquoi, par rage et par dépit, elle soulève des pierres et elle se venge de ce qui n'éprouve pas, comme elle, rage et dépit.

Ainsi la volonté libératrice est devenue malfaisante ; et elle se venge sur tout ce qui est capable de souffrir de ce qu'elle ne peut revenir elle-même en arrière.

Ceci, oui, ceci seul est la vengeance même : la répulsion de la volonté contre le temps et son « ce fut ».[2]

L'insurrection telle que la pense Khlebnikov s'ouvre sur la liberté, c'est-à-dire la considération placide de la mort, le vrai « futur » de l'homme. De là cette coloration intemporelle des poèmes « soviétiques », coloration qui est seulement la marque d'une méditation métaphysique laquelle n'appartient à aucun « camp » politique : la phase de la haine (de la révolution, de la guerre civile) n'est qu'une étape vers la réunion absolvante de tous dans ce qui, justement, a pour nom « l'Absolu ». Ainsi le « rêveur du Kremlin » qui lance ses « escadrons vermeils » à l'assaut du passé songe-t-il :

> Она одна, стезя железная !
> Долой беседа бесполезная.
> Настанет срок, – и за царем
> И я уйду в страну теней.
> Тогда беседе час. Умрем,
> И все увидим, став умней.[1]

tandis qu'« en face », le grand prince médite sur sa destinée :

> Да, настежь ко всему людей пророческие очи !
> Прийдет ли смерть, загадочная сводня,
> И лезвеем по горлу защекочет,
> Я все приму сегодня,
> Чего смерть ни захочет.
> . . . .
> Смерть ! Я – белая страница !
> Чего ты хочешь – напиши !
> Какое нынче вдохновение ее прихода современнее ?
> . . . .
> Часов времен прибою внемля,
> Подкошенный подсолнух я
> Сегодня падаю на землю.
> И вот я смерти кмотр.
> Душа моя готовится на смотр
> Отдать отчет в своих делах.[2]

Figure de l'intemporel, la « vierge de pierre » (« *kamennaja baba* ») contemple de ses yeux aveugles le spectacle de l'agitation humaine :

> Чтоб путник знал о старожиле,
> Три девы степи сторожили,
> Как жрицы радостной пустыни.
> Но руки каменной богини,
> Держали ног суровый камень,
> Они зернистыми руками
> К ногам суровым опускались
> И плоско мертвыми глазами
> Былых таинственных свиданий
> Смотрели каменные бабы.
> Смотрело
> Каменное тело
> На человеческое дело.[3]

L'insurrection futurienne trouverait-elle son achèvement dans l'énigmatique mutisme de l'idole de pierre ? Et la pétrification serait-elle la perfection du mouvement de la pensée tendue vers l'absolu, la figure emblématique de « l'éternité retrouvée » ? Cela serait oublier l'essence dynamique de la poésie qui véhicule l'insurrection de Khlebnikov, *le rythme* même d'une pensée poétique qui ne conçoit le repos que comme une figure de la danse de l'Éternel Retour :

Камень кумирный, вставай и играй !
Игор игрою и грома, –
Раньше слепец, сторож овец,
Смело смотри большим мотыльком,
Видящим Млечным Путем.
Ведь пели пули в глыб лоб, без злобы, чтобы
Сбросил оковы гроб мотыльковый, падал в гробы гроб.
Гоп ! Гоп ! В небо прыгай гроб !
Камень шагай, звезды кружи гопаком.
В небо смотри мотыльком.
Помни пока эти веселые звезды, пламя блистающих звезд,
На голубом сапоге гопака
Шляпкою блещущий гвоздь.
Более в радуг в цвета !
Бурного лёта лета !
Дева степей уж не та ![1]

Mais à ce terme de l'analyse, la révolution se transforme et s'identifie à l'harmonie d'une structure poétique nouvelle, le rythme[2].

IIe partie

KHLEBNIKOV ET LA POÉSIE

Ὁ δὲ τοῦ σχήματος τῆς λέξεως ἀριθμὸς ῥυθμός ἐστιν...

Aristote, *Rhétorique*.

Introduction

LA POÉSIE DE KHLEBNIKOV COMME SYSTÈME

CARACTÈRES GÉNÉRAUX

Il est légitime, dans l'étude de la poésie de V. Khlebnikov, de s'interroger sur le sens des corrélations qu'entretient le poète avec la langue d'une part, avec le temps de l'autre. Ces coordinations représentent en effet les articulations fondamentales de tout système poétique, et offrent, en outre, des principes classificatoires commodes dans un exposé des grands thèmes formateurs qui structurent ce système. Un semblable examen s'inscrit donc dans un projet résolument thématique, qui n'ignore pas son caractère contingent, relatif et ouvert. En effet, une multiplication indéfinie de cette démarche selon tel ou tel thème particulier, secondaire par rapport aux grands axes « langue/temporalité », n'épuiserait en aucun cas la *poésie* de V. Khlebnikov. Or, c'est de la poésie même qu'il s'agit à présent. Toutefois, le projet thématique reste, dans son ensemble, légitime, dans l'exacte mesure où il n'oublie pas ses propres limites : il ne constitue, tout bien considéré, qu'une introduction à la poésie proprement dite de V. Khlebnikov. Khlebnikov *et* la poésie : telle est la corrélation fondamentale, première, qui nous intéresse à présent, et que nous avions différée afin d'en mieux mesurer la nécessité, après en avoir déterminé indirectement le domaine. Mais l'introduction de la langue et du temps n'était point une excursion superfétatoire dans une région excédant les limites du poétique *stricto sensu.* La poésie de V. Khlebnikov, entendue comme l'ensemble de son œuvre, offre en effet plusieurs traits caractéristiques de ce que l'on pourrait nommer la « poésie moderne » afin d'éviter l'expression ambiguë de « poésie d'avant-garde »[1], trop chargée de valeur actuellement. Précisons cependant que le terme même de « moderne », malgré son apparente moindre charge axiologique, n'implique aucune prise de position dans une éventuelle querelle entre

« Anciens et Modernes ». La poésie est une, ancienne ou moderne. Voici quels sont les signes qui fondent objectivement la modernité de la poésie de V. Khlebnikov.

Le système

Tout d'abord cet œuvre poétique s'offre dans un système[1] comprenant en lui, et de la sorte les justifiant, les coordinations mentionnées ci-dessus. Ce système est l'organisation raisonnée d'un double travail, poétique et théorique ; l'analyse séparée de ces deux aspects du système relève davantage d'une méthode pédagogique et exégétique que du seul souci de pénétrer jusqu'à l'essence même du système. Une telle visée au demeurant (à savoir indiquer l'essence du système, faire voir son fonctionnement) est purement idéale, puisqu'il ne s'agirait alors de rien moins que de montrer la concomitance et l'interaction du faire poétique et de la spéculation dans le double mouvement de progression où les deux aspects du système s'influencent réciproquement, la réflexion transformant la poésie et la poésie, à son tour, modifiant la réflexion. Ce mouvement de mutuelle transformation de la pensée en poésie, de la poésie en pensée, constitue, de toute évidence, un appoint précieux pour une introduction à la poésie de V. Khlebnikov. Toutefois, cette double articulation ne signifie nullement que la théorie est une simple réflexion sur (ou de) la poésie (nous aurions en effet, dans ce cas, une théorie de l'art poétique, c'est-à-dire une « poétique » au sens classique du mot), ou, inversement, que la poésie n'est que l'illustration de la théorie : la poésie, alors, se ferait didactique, illustrant une thèse théorique quelconque, philosophique par exemple, comme c'est le cas dans le *De natura rerum* de Lucrèce[2]. Il faut considérer, comme le propre du système, le mouvement d'échange réciproque qui lie l'un et l'autre aspects. Il faut objectivement examiner la *fonction* de la réflexion poétique et linguistique chez V. Khlebnikov, à l'intérieur de son système poétique, comme en étant non le simple complément indispensable, mais la structure même, la *raison*. Quel est le statut de l'interrelation poésie/théorie, voilà ce qu'il nous faudra interroger en premier lieu dans notre travail de réflexion sur le sens même du « système Khlebnikov ». Poésie et théorie sont « deux niveaux sémantiques différents »[3] dans ce système idéal où le faire poétique, la « fabrication » (le procès de fabrication qui est le sens même de l'activité poïétique) s'abolirait dans le mouvement de l'intellection (le procès de contemplation ou spéculation, qui fonde l'activité théorique) : point imaginaire désiré et entrevu par V. Khlebnikov, poète et philosophe, poète-philosophe, mathématicien et chronomètre (comme on dit géomètre) dont l'ambition déclarée était de hâter la venue d'un espace-temps imaginaire où la poésie s'édifierait dans l'aperception muette des essences mathématiques, où la seule « vision » des idées numérales du monde engendrerait, fabriquerait le monde de la poésie :

> Трата и труд и трение,
> Теките из озера три !
> Дело и дар – из озера два !
> Трава мешает ходить ногам,
> Отрава гасит душу и стынет кровь.
> Тупому ножу трудно резать.
> Тупик это путь с отрицательным множителем
> Любо идти по дороге веселому
> Трудно и тяжко тропою тащиться.
> Туша, лишенная духа
> Труп неподвижный лишенный движения,
> Труна – домовина для мертвых,
> Где нельзя шевельнуться
> Все вы течете из тройки,
> А дело, добро из озера два.
> Дева и дух крылами шумите оттуда – же.
> Два – движет, трется три
> « Трави ужи » кричат на Волге
> Задерживая кошку.[1]

Il faut donc examiner cette démarche ambivalente qui « fait » le système de V. Khlebnikov ; dans son parcours, elle projette la suppression de la différence entre création artistique et intellection, poèmes et écrits théoriques « concertant » dans une symphonie de sens qui livre l'audace et le grandiose de la tâche que s'était assignée V. Khlebnikov.

Symptôme de la modernité, cette entreprise l'est en effet dans le sens où, au sein de l'œuvre qu'elle engendre, s'entrelacent, jusqu'à l'indistinction, deux discours : le discours proprement artistique (le discours poétique) et le discours sur ce discours (le métalangage). L'interaction des deux ordres de langage (il serait plus exact de dire : de ce qui, pour nous, paraît comme deux ordres distincts du langage), cette interaction provoque une sorte d'osmose : le métalangage théorique devient poétique, le discours poétique se transforme en discours scientifique. La théorie est nécessaire, car l'art surgit dans une expérience de *pensée* linguistique ; l'art a valeur apodictique, car la science se dévoile simultanément comme une expérience de la fiction. Disons, en simplifiant peut-être un peu les choses, que la théorie (le métalangage scientifique, critique) apparaît urgente à un moment où l'art se découvre comme un mode essentiel de la pensée. Ce trait distinctif de la Modernité est bien entendu, valable pour l'ensemble du champ artistique. N. Xardžiev le relève avec force dans le cas de la peinture :

424 Самой характерной чертой в формировании новых художественных течений, начиная с пост-импрессионизма, является необычайно повышенный интерес художников к теоретическим и профессионально-техническим проблемам, выразившийся в том, что почти все крупные представители этих группировок одновременно выступали и как теоретики, писавшие по вопросам искусства.[1]

La particularité du domaine poétique provient de ce que le discours artistique inclut en soi son propre commentaire méta-discursif[2], alors que cela, pour des raisons évidentes, ne saurait être le cas dans d'autres « spécialités » artistiques. Ainsi, l'aveu de V. Khlebnikov, dans cette glose sommaire sur son œuvre que représente *Svojasi*, est fort révélateur :

424 В *Госпоже Ленин* хотел найти « бесконечно-малые » художественного слова.

В *Детях Выдры* скрыта разнообразная работа над величинами – игра количеств за сумраком качеств.

Девий бог, как не имеющий ни одной поправки, возникший случайно и внезапно как волна, выстрел творчества, может служить для изучения безумной мысли.

Так же внезапно написан *Чортик*, походя на быстрый пожар пластов молчания. Желание « умно » – а не заумно, понять слово привело к гибели художественного отношения к слову. Привожу это как предостережение.[3]

La composition poétique comprend en elle-même son propre principe explicatif. Peu importe, en l'occurrence, que ce principe soit *détecté a posteriori* ; il était déjà à l'œuvre, *dans* l'œuvre.

Signe de la Modernité, tout l'œuvre de V. Khlebnikov l'est aussi, et surtout, dans son ambition constructive même : l'artiste (le « fabricateur » si nous voulons restaurer la saveur technique du mot grec *ποιητής*) se fait philosophe et théoricien de la *τέχνη*, de l'art, principalement de la fonction et de la signification de ce dernier dans la société, et, à un plus haut niveau de généralité, dans le monde. Khlebnikov, dans son article « *O stixax* »[4], remarque :

424 Творчество, понимаемое как наибольшее отклонение струны мысли от жизненной оси творящего и бегство от себя, заставляет думать, что и песни станка будут созданы не тем, кто стоит у станка, но тем, кто стоит вне стен завода. Напротив, убегая от станка, отклоняя струну своего духа на наибольшую длину, певец, связанный со станком по роду труда, или уйдет в мир научных образов, странных научных видений, в будущее земного шара, как Гастев, или в мир общечеловеческих ценностей, как Александровский, утонченной жизни сердца.

L'artiste moderne arrache désormais au philosophe, jusqu'alors seul compétent pour juger de ces matières, le droit de questionner son art dans ses fondements. Un bel exemple de congé, désinvolte et humoristique à la fois, donné par le poète au philosophe est celui d'E.A. Poe, un des précurseurs de la poésie moderne par ses nombreuses et pénétrantes réflexions sur sa propre poésie :

425 "What is Poetry?" notwithstanding Leigh Hunt's rigmarolic attempt at answering it, is a query that, with great care and deliberate agreement beforehand on the exact value of certain leading words, *may*, possibly, be settled to the partial satisfaction of a few analytical intellects, but which, in the existing condition of metaphysics, never *can* be settled to the satisfaction of the majority ; for the question is purely metaphysical, and the whole science of metaphysics is at present a chaos, through the impossibility of fixing the meanings of the words which its very nature compels it to employ. But as regards versification, this difficulty is only partial; for although one-third of the topic may be considered metaphysical, and thus may be mooted at the fancy of this individual or that still the remaining two-thirds belong, undeniably, to the mathematics.[1]

Le refus de la « métaphysique » et la limitation du discours sur la poésie à un discours sur la « technique » (sur l'art) n'équivaut pas à un pur rejet de la métaphysique, mais signifie le refus, de la part du poète, de laisser subordonner son art à un système métaphysique qui, bien souvent, lui est étranger. Apparemment, cette tradition du philosophe annexant à sa philosophie ses poètes (c'est-à-dire des poètes sélectionnés sur des critères invariablement extrapoétiques), tradition inaugurée par la *Poétique*[2] d'Aristote, a la vie dure, malgré la révolte des poètes modernes contre une telle pratique de dépossession théorique, puisque nous la voyons s'épanouir dans le « traitement » qu'inflige Heidegger à la poésie de Hölderlin, métamorphosé par cette manipulation intellectuelle en disciple « anticipé » de l'heideggérianisme[3]. Toutefois, si le poète répudie un système de pensée étranger, il développe souvent – et il est bien libre de le faire – une véritable « métaphysique » homorganique à son art poétique (nous le constatons sur l'exemple d'E.A. Poe[4], de Baudelaire, de Mallarmé, de Vjačeslav Ivanov, d'A. Belyj et de V. Khlebnikov lui-même !). La théorie de l'art n'est plus le fait d'« experts » de la pensée, extérieurs à l'art, mais des « fabricants » de l'œuvre eux-mêmes, l'œuvre et l'opération étant pensées directement, dans leur signification, par l'ouvrier. La poésie conquiert une dignité égale à celle de la théorie, elles s'articulent l'une et l'autre dans un système général de pensée qui les englobe toutes les deux et qui ne porte pas de nom spécifique sinon celui, assez imprécis, de « système poétique ». L'appellation, en effet, ne manque pas d'ambiguïté. Mais un terme tel que « système théorico-poétique », plus juste peut-être dans sa forme, rendrait mal compte de l'aspect profondément unitaire, synthétique, du système global, enveloppant à égalité une pratique (la « fabrication » poétique) et une théorie (spéculations linguistiques, philosophiques, etc.). Dans le cas particulier du « système Khlebnikov » (le nom propre particularisant ici une forme de pensée systématique que le poète Khlebnikov partage avec tous les artistes de son temps et la plupart de ceux du XIXe siècle), dans ce cas particulier, il serait sans doute assez juste de parler d'un « système panépistémique » ou « système du savoir universel » qui caractériserait assez bien l'aspect gnostique de la quête khlebnikovienne. Mais ce serait là un terme au champ d'application trop restreint, qui ne suffirait pas à caractériser l'ensemble du monde de l'art au début du XXe siècle. Aussi garderons-nous désormais dans le sens que nous venons de préciser, le terme de « système poétique ». La poésie, en effet, tout comme la mathématique, la philosophie, est un travail de construction du monde. Nous pourrions dire plus généralement que l'art, à l'instar de la philosophie et de la science, édifie le monde, l'aménage, l'« habite ». Que l'on compare l'activité de peintres comme D. Burljuk[1], K. Malevič[2], V. Kandinskij[3], de compositeurs comme Stravinskij ou Matjušin[4], pour ne retenir que quelques noms parmi tant d'autres, et l'on verra la généralité de cette attitude fondamentale de l'artiste moderne face au monde : en le fabriquant, il le pense. A l'intérieur même de la sphère artistique, les frontières entre les diverses compétences s'effacent : le poète est peintre, musicien, le peintre poète, architecte, etc. L'artiste est, dans le plein sens du terme, « polytechnicien ». L'art, comme ensemble de processus visant à la fabrication d'un « objet » (nous réservons à plus tard la légitimité de semblables termes), ne représente qu'une partie, considérable certes, mais une partie seulement, dans l'architecture systématique d'une activité globale de connaissance du monde. L'*homo faber* n'oublie pas qu'il est essentiellement *homo sapiens.*

Cette attitude de « sage », donc, que Khlebnikov partage avec les autres poètes de sa génération – qu'ils soient « symbolistes », « acméistes » ou « futuristes » – ainsi qu'avec tous les artistes engagés dans l'exploration de voies nouvelles pour l'art, est le signe d'une modernité qui déborde de beaucoup la frontière entre les dix-neuvième et vingtième siècles, puisqu'elle est héritée, par l'intermédiaire des poètes appelés symbolistes (eux aussi et à un plus haut degré, sans doute, que leurs successeurs, grands « théoriciens »)[5], des initiateurs de la poésie moderne : Baudelaire, Verlaine, Rimbaud et Mallarmé. Initiateurs de la poésie moderne, Baudelaire, Rimbaud, Verlaine et Mallarmé le sont à des titres divers, plutôt comme signes, « noms propres » d'une tendance qui s'affirme vers le milieu du dix-neuvième siècle et trouve son plein épanouissement en Russie, particulièrement avec le « symbolisme russe » et les mouvements artistiques post-symbolistes (les divers « futurismes » et l'« acméisme »). Baudelaire, dans sa critique littéraire et artistique (notamment dans les *Curiosités esthétiques* et *l'Art romantique*), développe ce qu'il a trouvé entre autres chez E.A. Poe : la part du rationnel et du savoir-faire dans la construction poétique. D'autre part, les *Paradis artificiels* tracent la configuration de cette « âme moderne » dont Rimbaud se fait le chantre et le « voyant » dans les deux fameuses lettres qui rassemblent son art poétique (lettre à G. Izambard et surtout la lettre à P. Demeny du 15 mai 1871)[1]. Bien que cette dernière ne fixe pas – et de loin – *toutes* les conceptions poétiques de Rimbaud, le ton, les croyances qu'elles révèlent sont étonnamment proches, par anticipation, du ton de certaines déclarations (épistolaires également) et de certaines croyances de Khlebnikov : victoire future de la Science, marche vers le Progrès (la grande illusion scientiste du dix-neuvième siècle positiviste), foi en l'avenir de l'humanité explorant l'univers et étendant son emprise sur lui grâce à la Science et à la Technique... « L'avenir sera matérialiste » est une formule khlebnikovienne avant la lettre. D'autre part, la théorie du poète-prophète trouve ses prolongements, à travers le symbolisme, chez les « futuristes » de toutes marques, en particulier chez les « Hyléens » ou « Cubo-futuristes » Majakovskij et Khlebnikov (du moins chez eux la fonction prophétique du poète est-elle renouvelée par des procédés poétiques nouveaux) :

425 Двигаясь в направлении, поперечном времени, мы легко видим горы будущего.

Это движение, столь знакомое уму пророка, есть постройка высоты по отношению к ширине времени, т.е. создание добавочного размера.

. . . .

425 Так ли художник должен стоять на запятках у науки, быта, события, а где ему место для предвидения, для пророчества, предволи ?[2]

Quant à Mallarmé, est-il besoin de répéter combien sa conscience aiguë de l'échec, inscrit dès le début du geste poétique, définit d'avance la « crise de vers » chez Khlebnikov et se trouve au cœur même de la contradiction essentielle de son système poétique ? « Les langues imparfaites en cela que plusieurs, manque la suprême : penser étant écrire sans accessoires, ni chuchotement mais tacite encore l'immortelle parole, la diversité, sur terre, des idiomes empêche personne de proférer les mots qui, sinon se trouveraient, par une frappe unique, elle-même matériellement la vérité »[3], écrit Mallarmé dans *Crise de vers*. On songe tout aussitôt au « piège de la multiplicité des langues »[4] chez Khlebnikov et à sa tentation de briser (ou de prendre) la barrière par une saisie directe, translinguistique, des essences numérales. Khlebnikov ne renie pas, du reste, cet héritage de pensée « symboliste » ; bien au contraire, il l'assume pleinement et l'approfondit pour en découvrir la vérité « scientifique » (arithmologique) qui y était depuis longtemps cachée, mais qui n'avait jamais encore été déchiffrée :

425 Еще Маллармэ и Бодлер говорили о звуковых соответствиях слов и глазах слуховых видений и звуков, у которых есть словарь.
425 В статье « Учитель и ученик » семь лет я и дал кое какое понимание этих соответствий.[1]

La généalogie, on le voit, est prestigieuse et fort révélatrice d'un fait que la critique tend à négliger : la communauté d'ancêtres[2], avouée ou non, partagée par des groupes ou mouvements littéraires hostiles entre eux et fort différents dans leurs visées déclarées, révèle une certaine communauté d'observations, de recherches, de structures de pensée, qui fonde justement la modernité en ce qu'elle a d'essentiel : la connexion profonde des divers types d'activité de l'homme pensant.

Poésie, mathématique, « chronométrie », linguistique, sont ainsi, pour Khlebnikov, comme de grands thèmes directeurs d'un système global, « pluridisciplinaire », qui les articule, organise et arrange dans une configuration particulière, propre aux temps modernes. Loin d'avoir des thèmes d'élection, c'est bien plutôt la poésie elle-même, en tant qu'« activité fabricante », qui apparaît formellement comme un thème ou une discipline de l'activité cognitive de l'homme.

Construction du système

Ce système n'est pas une donnée observable de l'extérieur, mais une construction patiemment élaborée dans le temps. Il n'est donc pas achevé comme un « objet » que la critique pourrait analyser, mais, au contraire, ne se laisse appréhender que dans son engendrement progressif. Le système khlebnikovien se situerait plutôt dans l'ensemble des principes qui commandent l'évolution de sa poésie, dans l'ensemble et l'unité systématique de ces lignes de force qui autorisent à parler d'homogénéité, de continuité, d'unité dans l'œuvre poétique. Comme corollaire de la temporalité obligée de ce système surgit le problème de sa formation, de son origine. Comment, en effet, situer un système qui veut poser la rupture totale comme son fondement ? Que l'on songe, à ce propos, au refus véhément opposé par le poète à la réduction de l'entreprise « futuriste » à une quelconque imitation ou à une vulgaire reprise de la poésie whitmanienne, et nous comprendrons le ton très violent de la polémique qui surgit entre Khlebnikov et l'auteur de cette réduction, K. Čukovskij. Citons-en un exemple, parmi bien d'autres, qui donne une idée assez vive de l'indignation ressentie par Khlebnikov devant l'assimilation établie par Čukovskij entre la poésie du « cubo-futurisme » russe et celle de W. Whitman, le « chantre de la Démocratie » :

425 ⟨Полемические заметки 1913 года⟩

I

Вы, волны грязи и порока и буря мерзости душевной ! Вы, Чуковск⟨ие⟩, Яблонов⟨ские⟩ ! Знайте, у нас есть звезды, есть и рука кормчего, и нашей ладье не страшны ваша осада и приступ.

Словесный пират Чуковский с топором Уитмана вскочил на испытавшую бурю ладью, чтоб завладеть местом кормчего и сокровищами бега.

Но разве не видите уже его трупа, плавающего в волнах ?

II

Пристав Чуковский вчера предложил нам отдохнуть, соснуть в участке Уитмана и какой-то кратии. Но гордые кони Пржевальского, презрительно фыркнув, отказались. Узда скифа, кою вы можете видеть на Чертомлыцкой вазе, осталась висеть в воздухе.[1]

En effet, si K. Čukovskij faisait de Whitman le premier poète futuriste, il transformait les « cubo-futuristes », et Khlebnikov tout particulièrement, en simples épigones du grand poète américain[2] : idée, bien sûr, intolérable à ces irréductibles nationalistes qu'étaient les « cubo-futuristes », d'autant plus intolérable que leur mouvement leur semblait inaugurer une ère de nouveauté absolue ! Force est néanmoins de tempérer la radicalité apparente de la démarche khlebnikovienne et d'insérer son projet fondamental dans la perspective plus vaste du modernisme européen, et la réflexion du poète-savant dans le cadre de ce que l'on appelle conventiellement le « futurisme russe »[3]. Ce n'est que sur la toile de fond du modernisme poétique russe dans les premières décennies du vingtième siècle que peut apparaître l'originalité relative du « système Khlebnikov ».

Contradictions du système

Immerger un système dans le lent déploiement temporel de son organisation oblige naturellement à en retenir les contradictions comme autant de marques distinctives de sa genèse, dans la lutte des tendances contraires et la résolution inachevée des antinomies inhérentes à tout organisme vivant.

Il y a d'abord la contradiction, tragique, entre poésie et théorie. Ces deux pôles du système ont déjà été mentionnés comme le moteur même de ce dernier, mais ils en tracent simultanément les limites et en préfigurent l'échec final. Il ne paraît pas, en effet, que ces deux modes d'investigation du monde aillent du même pas ; en l'occurrence, c'est la discipline poétique qui est sacrifiée au système ; du moins l'aurait-elle été complètement, si ce dernier était parvenu à une totale cohésion[1]. Quoi qu'il en soit du degré de démantèlement atteint par la discipline poétique, la contradiction entre les lois imprescriptibles de l'imaginaire et la soumission scientifique au réel se produit au détriment de la poésie. Celle-ci est alors, dans le meilleur des cas, rejetée dans la catégorie de l'inutile et du mensonger, selon la maxime éprouvée par le temps que le beau ne saurait être vrai. Dans la pratique poétique elle-même, de surcroît, il y a une contradiction supplémentaire entre, d'une part, l'audacieuse expérimentation poétique, ruineuse pour le destin de la poésie par certains de ses aspects, et, pour la même raison, toujours ponctuelle, circonstancielle, et, d'autre part, l'ensemble de la production poétique, d'apparence plus traditionnelle.

Enfin, nous nous heurtons, dans l'analyse de l'œuvre poétique khlebnikovienne, à une contradiction de tendances, de tempérament : d'un côté se déclarent la rationalité d'un projet global, l'affirmation des droits primordiaux de la raison contrôlant la pensée et le discours dans la clarté d'un classicisme architectural ; de l'autre surgissent l'irrationalité, le sentiment incontrôlé dans sa révolte, et l'obscurité d'un discours « romantique » ou « futuriste » au sens vulgaire du terme, l'alogisme d'une pensée pulvérisée par le sentiment. C'est cette contradiction entre l'intellect et l'« utopie » du sentiment qui crée dans le système cette dissonance si caractéristique de la tonalité moderne. En fait, cette contradiction n'est guère surprenante, puisque le poète est captif de son « outil », la langue, dont la nature est double, et l'effet poétique duplice, à la fois intelligible et sensible : « l'opposition entre les deux extrêmes sensible et intellectuel, – écrit E. Cassirer[2] – ne rend pas compte de la valeur spécifique du langage, car celui-ci, dans toutes ses manifestations et à chacune des étapes de son progrès, s'avère être une forme d'expression à la fois sensible et intellectuelle. » Or ce n'est pas dans un autre « système » que le chant (si du moins il est encore licite de parler de système à propos du chant) que pourrait se résoudre la contradiction entre les deux aspects du langage, l'intelligible et le sensible. Il est cette forme médiane, à la frontière du sensible et de l'intelligible, où s'opère la réconciliation du langage avec lui-même. Mais ceci repose, d'une manière détournée, le problème de l'origine de la langue et de la nature exacte de la relation entre la poésie primitive et le chant. Cette question, évidemment, excède l'examen du système poétique khlebnikovien et relève de la philosophie du langage[3].

La contradiction majeure du système khlebnikovien, cependant, est la dualité, à l'intérieur du système, entre poésie et ontologie, chacune de ces deux disciplines revendiquant la préséance dans l'économie interne du système. La poésie de Khlebnikov est inséparable de l'ontologie, car elle se fonde sur elle : non seulement, en effet, Khlebnikov interroge le temps, cherchant à en déceler les lois ultimes, mais il tente aussi de situer hiérarchiquement le langage artistique et les langues naturelles dans l'échelle des discours par lesquels l'homme peut construire le monde, plus précisément dans l'ensemble des propositions que l'homme peut construire et assembler comme *son* monde ; ainsi que nous l'avons déjà remarqué, c'est le discours mathématique qui occupe la première place dans cette hiérarchie des discours. Liée, dès son origine, à une visée ontologique, la poésie de Khlebnikov ne peut qu'être le signe d'un double échec : d'une part, échec d'une ontologie qui revêtirait la forme poétique, d'autre part, échec d'une poésie à prétention ontologique. L'antinomie semble irréductible : le geste artisanal qui « fabrique l'objet » poétique est incompatible avec l'attitude théorique, le geste spéculatif qui, précisément, met en question la possibilité même de « l'objet poétique ». La solution est alors le congé donné à la poésie, ou, ce qui revient au même, sa réduction à un rôle d'activité ludique, accessoire, « ancillaire ». Cette assertion doit être cependant immédiatement nuancée par l'ambiguïté des propos de Khlebnikov concernant le statut du « mot artistique » après les découvertes fondamentales des lois du temps, de l'histoire et des langues :

425 11) Разрушать языки осадой их тайны. Слово остается не для житейского обихода, а для слова.[1]

Le mot reste pour le mot, purifié du poids de « l'établissement » langagier :

425 Языки останутся для искусств и освободятся от оскорбительного груза. Слух устал.[2]

Le mot doit être rendu à sa fonction primordiale qui est d'unir les hommes dans une communion esthétique fondée en raison[3]. Mais, même ainsi, « l'œuvrer », l'activité de fabrication de mots « autotéliques » (nous reviendrons plus tard sur cette formule capitale du « futurisme » khlebnikovien), reste le témoignage irréfutable de l'impossibilité d'atteindre ces essences que recherche le « sage ».

Autre aporie du système khlebnikovien, située dans la même zone d'affrontement entre fabrication et spéculation : si toute la pensée de Khlebnikov est tournée vers la recherche de l'unité suprême, de la totalité illimitée et ineffable où se noue le monde, son action créatrice dans le langage construit ses « objets » par imposition de contours, de règles contraignantes : la poésie, qui serait fabrication d'« objets » par imposition de formes, par limitation[1], se situe donc d'emblée aux antipodes de la visée spéculative, scientifique, tout entière tournée vers l'unité primordiale. Kručënyx, dans son article théorique « *Novye puti slova* »[2] appelle ce phénomène, par un heureux néologisme très expressif, « *graneslovie* », « doctrine des limites », « horologie » (remarquons, au passage, que, dans cet article, Kručënyx identifie l'« horologie » à la pensée et à la raison raisonnante). Cependant, toute forme d'expression poétique, justement parce qu'elle est expression, en « dit » toujours plus ou moins que l'intention de son auteur et représente donc une limitation (par excès ou par défaut) de ce non-être potentiel que le poète essaie de faire accéder à l'être en l'actualisant par la dénomination. Nous retrouverons ce problème, *le* problème du poète, en examinant, dans la poétique du « futurisme », le phénomène non marginal, comme on le pense bien souvent, du langage transmental (*zaum'*)[3]. Ainsi, la poésie, incapable d'effectuer de la sorte ce qu'elle vise, reste comme un signe de l'irréparable division de l'être et du langage, division qui définit la condition du poète.

Forme et nature du système

Dès lors, le discours poétique ne peut se présenter qu'éclaté, dispersé, disséminé ; il fonctionne comme une mémoire, par sélection non ordonnée, de bribes, souvenirs d'une totalité brisée. Évacuant le temps, l'espace, l'histoire et la signification, la poésie de Khlebnikov se meut dans le vide – souvenir du futur, anticipation du passé, puisque le temps n'est plus « orienté », unidirectionnel, mais multiple comme un « lieu » où l'esprit peut se mouvoir en tous sens. Poésie donc anhistorique, achronique, où le temps verbal lui-même ne joue plus comme repère puisque l'activité poétique n'est plus assignable à *un* temps et à *un* lieu, et n'émane plus d'*un* sujet situé quelque part dans l'espace et le temps : nous trouvons donc une structure éclatée, fragmentaire dans la poésie de Khlebnikov, et ceci n'est pas le fait d'un hasard malencontreux (négligence supposée de l'auteur, de ses amis soi-disant peu soigneux dans l'édition de ses œuvres)[4] ou de quelque incapacité congénitale de Khlebnikov à « finir », achever quoi que ce soit. C'est plutôt l'inverse qui est vrai : sa poésie n'est, par *nécessité*, ni réellement commencée[5], ni achevée (ou achevable). Tzvetan Todorov a tout à fait raison lorsqu'il souligne que la « fragmentarité » d'une œuvre n'est que l'effet d'un préjugé concernant la sacralité de l'unité du sujet : « Un certain fétichisme du livre reste vivant de nos jours : l'œuvre se transforme à la fois en objet précieux et immobile, et en symbole de plénitude, la coupure devenant un équivalent de la castration. Combien plus libre était l'attitude d'un Khlebnikov qui composait des poèmes avec des morceaux de poèmes précédents ou qui incitait les rédacteurs et même les imprimeurs à corriger son texte ! Seule l'identification du livre au sujet explique l'horreur de la coupure. »[1]. Signe de liberté, l'attitude de Khlebnikov, certes ; mais signe aussi d'un rapport extrêmement moderne de l'auteur à son œuvre : celle-ci n'est pas conçue comme une « chose » mais comme « œuvre-procès ». Le texte n'est donc jamais essentiellement fini et cette infinitude l'arrache à l'état de « réité », d'objet, de chose irrémédiablement figée dans une substance immuable. Aussi le discours poétique qui se pense comme inachevable assume-t-il son « inachevabilité » non comme un échec, mais comme la *forme* même de la création : l'expérience de l'œuvre est toujours neuve, en mouvement, le créateur structure – ou programme – son cheminement en le pensant sans « objet », ce qui accroît la conscience de la temporalité de l'œuvre en même temps que le changement est désamorcé comme principe d'altérité (et altération) puisqu'il est prévu, incorporé dans le processus qui a nom : « l'œuvre ». Cette dernière est ainsi structurellement inachevée : d'où cette liberté de réécriture, de reprise, d'agencement de morceaux dans des structures différentes qui, à chaque changement, confèrent au morceau, utilisé comme matériau, une valeur différente. Le système fonctionne ainsi, tout en étant ouvert sur la temporalité, en circuit fermé, réutilisant les même matériaux selon des lois toujours différentes. Khlebnikov écrit sans cesse le même poème : celui de la langue-œuvrée, celui de la culture poétique russe (du *Slovo o polku Igoreve* à la tradition temporellement la plus proche), son travail n'est qu'un dialogue sans fin avec l'immense interlocutrice collective qu'est la tradition poétique. La fragmentarité, l'éparpillement même et le désordre de ses œuvres poétiques sont la forme obligée d'une poésie qui ne peut être pensée que dans la perspective d'une unité synthétique (idéale) explosée. Le poète se sent trop à l'étroit dans *une* tradition nationale, une forme poétique ; il veut « étendre les limites de la littérature russe »[2], être en tous lieux, tous temps (ou hors lieu, hors temps). Sa voracité d'espace et de temps, son désir d'ubiquité ont une telle intensité qu'ils font éclater les structures ordinaires de la poésie, dissolvent les sacro-saintes frontières biologiques des genres et des espèces dans le discours poétique. Cet éparpillement des formes a pour contrepartie une technique élaborée, très consciente de ses procédés, dans la composition par montage de morceaux hétérogènes. Les exemples les plus significatifs de ces montages très construits sont les deux compositions monumentales *Deti Vydry* et *Zangezi*[3]. En fait, cette structure particulière des « grandes œuvres » khlebnikoviennes manifeste une construction du monde, originale, panchronique (ou a-chronique), tout comme manifestent cette même construction le « non-commencement » ou l'inachèvement de la plupart de ses productions : nous avons affaire à des procédés structuraux signifiants. Ju. Lotman a bien analysé le problème de la limite marquée (ou non marquée) dans son article : « *O modelirujuščem značenii ponjatij konca i načala v xudožestvennyx tekstax* » :

425 ...Функция художественного произведения как конечной модели бесконечного по своей природе « речевого текста » реальных фактов делает момент *отграниченности*, конечности непременным условием всякого художественного текста в его первоначальных формах – таковы понятия начала и конца текста (повествовательного, музыкального и т.п.), рамы в живописи, рампы в театре.

5.0.1. Показательно, что человек на пьедестале, живое лицо в портретной раме, зритель на сцене воспринимаются как инородные в условном моделирующем пространстве, создаваемом *границами* художественного текста.

5.2. В силу этого, кажущаяся неоконченность или неначатость являются в художественном произведении особенно маркированным конструктивным приемом.[1]

Pour R. Jakobson, il s'agit là d'un procédé littéraire assez commun, mais « dénudé » (« *obnažennyj priëm* »), c'est-à-dire hors de toute justification fondée sur le sens, la nécessité ou la cohérence interne. « Chez Khlebnikov, le déplacement temporel – écrit-il dans 'la Nouvelle poésie russe' – est dénudé, c'est-à-dire immotivé... Certaines œuvres de Khlebnikov sont écrites suivant la méthode d'enfilage libre de motifs variés. Tel est *le Diablotin*, tels sont *les Enfants de la loutre*. (Les motifs librement enfilés ne découlent pas l'un de l'autre par nécessité logique mais se combinent selon le principe de la ressemblance ou du contraste formels ; cf. *le Décaméron*, où les nouvelles d'un jour sont réunies par la même exigence à l'égard du sujet.) Ce procédé est consacré par son ancienneté séculaire, mais chez Khlebnikov il est dénudé : le fil justificatif manque. »[2]. En abordant la question du « déplacement temporel », Jakobson engage la recherche vers l'examen de la temporalité (et, corrélativement, de la spatialité) comme forme essentielle du langage poétique, ce qui est, il faut bien le dire, la question même que pose à la critique littéraire l'œuvre entier de Khlebnikov. C'est au niveau ontologique, le niveau sémantique le plus élevé du système poétique de Khlebnikov, que la fragmentarité, caractéristique du style khlebnikovien, est la plus lourde de signification. En effet, l'œuvre brisée (soit au début, soit à la fin, soit même en son milieu, comme c'est le cas dans *Deti Vydry* par exemple, où les morceaux « collés » les uns aux autres ne se correspondent pas selon les lignes de clivage – ou les plans de cassure) offre l'image sensible du réel brisé de l'intérieur par l'infiltration de la temporalité. Le choc de morceaux hétérogènes (hétérochroniques) produit sur la scène du langage une structure réellement homogène dans son refus de la temporalité et de la sécution logique, structure que nous appellerons achronique/panchronique. Elle est donc un procédé de l'artiste qui essaie, à l'intérieur du langage et de sa temporalité propre, de ruser avec le temps, de lui échapper idéalement, mythiquement par l'*artifice* de la construction.

C'est le sentiment d'être le participant d'une Mémoire collective, par essence négatrice du temps, et non seulement d'une Mémoire, mais d'une Providence qui pré-voit l'évolution dynamique du temps présent, c'est ce sentiment qui confère une tonalité indéniablement épique aux moindres pièces de Khlebnikov. Le monde épique est moins une question de dimension de l'œuvre (au sens de sa longueur) que de cette vision, manifestée dans le moindre vers, d'une présence constante de la Mémoire linguistique *et* culturelle, œuvrant ensemble dans l'esprit du poète. « V. Khlebnikov nous a donné une poésie épique nouvelle, les premières œuvres véritablement épiques après des dizaines d'années de marasme. Même ses courts poèmes donnent l'impression d'être des fragments d'épopée, et Khlebnikov les insérait sans peine dans ses poèmes narratifs. Il était épique malgré le caractère anti-épique de notre temps, et c'est là une des raisons de son peu de succès auprès des consommateurs moyens.[1] ». Oui, Khlebnikov, comme le remarque avec tant de justesse R. Jakobson, était épique « malgré le caractère anti-épique de son temps », parce que sa poésie, explosée en fragments, se recomposait invinciblement dans une tentative de ressaisir le Tout *dans* son démembrement, c'est-à-dire dans la Mémoire qui représente, pour le poète, la Totalité donnée comme récollection de souvenirs culturels partiels, épars, disjoints : telle est la nature de ce système qui fait ressembler l'œuvre de Khlebnikov à la rhapsodie de quelque immense épopée perdue.

Problèmes d'analyse

Cette poésie, de par sa façon, pose des problèmes nouveaux à l'analyse et suscite des catégories critiques nouvelles, si du moins la critique refuse de se borner à n'être qu'appréciative ou dépréciative et négative, c'est-à-dire si elle se refuse à projeter sur ses propos une grille axiologique implicite, en jugeant, au sens juridique du terme, une œuvre, en fonction de la présence ou de l'absence, en elle, d'éléments considérés comme « canoniques ». Cette nouveauté de forme et de structure, exigeant des moyens d'investigation adéquats, a, historiquement, précipité le processus de formation d'une nouvelle école de critique littéraire que la tradition scolaire a, de façon peu heureuse sans doute, fixée sous le nom équivoque d'« école formaliste ». V. Šklovskij, dans son livre autobiographique

Žili-bili, raconte les débuts du futur « atelier » formaliste et la proximité des « futuristes » et de ces universitaires d'avant-garde qu'étaient les membres de l'OPOJAZ[1]. È. Gollerbax est beaucoup moins modeste (et il n'avait aucune raison de l'être, n'ayant jamais appartenu au cercle de l'OPOJAZ) lorsqu'il affirme dans son livre *Poèzija Davida Burljuka* que les « formalistes » ont emprunté toutes leurs idées essentielles aux « futuristes » :

426 ...О звуковой инструментовке стиха Бурлюк говорил еще в 1908 г. и напрасно Брик и Тынянов, заговорив об этом значительно позднее, не вспомнили имени Бурлюка. Представители формального метода только привели в систему, « пригладили » и « причесали », то, что в сыром виде было высказано Бурлюком и Хлебниковым. Формалисты гарнировали чужие мысли сухой и чинной научной номенклатурой.[2]

Nous trouvons là un jugement plus balancé, quoique sévère lui aussi, sur l'indiscutable complémentarité du « futurisme » et du formalisme sous la plume de Victor Erlich quand il déclare :

426 The Futurist movement has undoubtedly dramatized the need for an adequate system of scientific poetics. Indeed (...), the movement was to become one of the main factors behind the emergence of Russian Formalism, which attempted to evolve such a system. But, by the same token, Futurism may be held responsible for some of the egregious fallacies and short-comings of the new school of criticism. Much of the methodological onesidedness, philosophical immaturity, and psychological aridity of the early Formalist studies may be traced to the shrill exaggerations of the Futurist manifestoes and their obsessive concern with poetic technology. The slogan of the 'self-sufficient word' ran the danger of methodological isolationism, divorcing poetry from life, denying the relevance of psychological and social considerations. Kručënyx's assertion that 'form determines content' implied the notion of a literary evolution as a self-propelled and self-contained process.

The impact of the Futurist movement on the new criticism of the Formalist movement made itself felt in the critic's manner as well as method. Close association with the Futurist Bohemia was to impart to the writings of its critical fellows travelers the rare and refreshing quality of youthful vigor, of gay exuberance. But what was gained in boldness and vitality was lost in restraint and in a sense of responsibility. The cocksure impudence of the Futurist manifestoes found a scholarly counterpart in the excesses of early Formalist publications which deliberately overstated their theses in order to shock academic pundits.

The direct contribution of Russian Futurism to the theory of literature was of less consequence than the broader methodological implications of this movement. The Futurist artistic credo never developed into a full-blown esthetics. This was due both to the meagerness and to the light-weight quality of its theoretical output. Slogans shouted at the top of one's lungs could not serve as a substitute for a coherent system of intellectual concepts. Flamboyant declarations, often intended to baffle the audience rather than clarify the issues at stake, were productive of more heat than light.

Some of the points made in the collective statements were subsequently elaborated in a more thoughful vein in the critical articles of Majakovskij and Xlebnikov. Of the former's theoretical contributions, the most pertinent is probably the article, 'How to Make Verses', which contains invaluable observations on the role of rhythm in the process of poetic creation. Xlebnikov's pronouncements on the nature of poetic language and on the tendencies of modern poetry deserve undoubtedly more attention than they have thus far received. His unusually keen feeling for the Russian language, coupled with passionate interest in problems of etymology and semantics, yielded several insights of rare acuteness. Xlebnikov's philological intuition, however, could not quite compensate for his lack of systematic linguistic training. Some of his generalizations have a distinctly amateurish quality. Thus, in his otherwise perceptive article, 'Our Foundations', Xlebnikov advanced the theory that words starting with the same consonant are necessarily semantically interrelated.

The Futurist movement failed to produce poet-scholars of Ivanov's or Belyj's stature. Coming as they did from the plebeian intelligentsia rather than from the leisure classes, the Xlebnikovs and Kručënyxs had no opportunity ot accumulate the literary and philosophical erudition which was such a strong asset of the Symbolist theoreticians. These buoyant outcasts of bourgeois society lacked both the intellectual equipment and the frame of mind necessary for the exacting tasks of scientific analysis. All they could do in the field of literary theory was to postulate èmphatically a new poetics.

To evolve a new poetics – to vindicate theoretically the Futurist revolution in Russian verse – was the task which called for the efforts of professional students of literature, conversant with, and sympathetic to, the new poetry... Such a critical movement had indeed come into being. Two parallel trends converged : if the poet needed the assistance of the literary scholar, the latter sought in his alliance with the literary avant-garde a way out the impasse reached by the academic study of literature.[1]

Quoi qu'il en soit de cette répartition des tâches dans l'ensemble formé par « futurisme » et formalisme, un des pionniers de l'analyse méthodique de la poésie khlebnikovienne reste R. Jakobson avec son essai *Novejšaja russkaja poèzija*. L'essai, publié sous ce titre à Prague en 1921, reprend, en la complétant, la communication faite au Cercle linguistique de Moscou par Jakobson dans l'année 1918-1919, sur la langue poétique de Khlebnikov[2]. Si R. Jakobson fut le premier à établir une étude systématique des procédés poétiques de Khlebnikov, il ne fut pas le premier à s'intéresser à la poésie des « futuristes ». Outre les opinions de poètes comme Brjusov, Gumilëv, Blok, Belyj, nous trouvons, au tout début de l'activité des « hyléens cubo-futuristes »[3], les articles, études et conférences de K. Čukovskij, développés et ordonnés, par la suite, dans son ouvrage *Futuristy* de 1922. Malgré de pénétrantes remarques sur les « futuristes » et en particulier sur V. Khlebnikov, Čukovskij tombait dans les travers de la critique appréciative[4]. A l'opposé de cette critique axiologique, R. Jakobson déclarait résolument dans son ouvrage : « ...Une poétique scientifique n'est possible qu'à condition qu'elle renonce à toute appréciation : ne serait-il pas absurde qu'un linguiste jugeât, dans l'exercice de sa profession, des mérites comparés des adverbes ? La théorie du langage poétique ne pourra se développer que si on traite la poésie comme un fait social, que si l'on crée une sorte de dialectologie poétique.[5] ». Il s'attachait à montrer que la nouveauté de cet échantillon le plus pur de la poésie

« futuriste » (c'était là la prétention des « futuristes » compagnons de Khlebnikov plutôt que celle du poète lui-même[1]) exigeait au préalable une révision des catégories de la critique traditionnelle d'une part, et que, d'autre part, cette poésie-là dessinait sans bruit la voie de la poésie moderne russe, et, d'une manière plus générale encore, engageait la poésie russe tout entière dans une direction inédite. Car l'événement *linguistique* qu'a été d'abord la poésie de Khlebnikov a profondément modifié le paysage de la culture *poétique* russe.

427 Хлебников возится со словами, как крот, между тем он прорыл в земле ходы для будущего на целое столетие,

note Mandel'štam[2]. Et, dans *Zametki o poèzii*, le même poète donne cette lecture si profonde, parce que poétique, de l'œuvre de notre poète :

427 ...Чтение же Хлебникова может сравниться с еще более величественным и поучительным зрелищем, как мог бы и должен был бы развиваться язык праведник, необремененный и неоскверненный историческими невзгодами и насильями. Речь Хлебникова до того мирская, до того вульгатна, как если бы никогда не существавало ни монахов, ни Византии, ни интеллигентной письменности. Это абсолютно светская и мирская русская речь, впервые прозвучавшая за все время существования русской книжной грамоты. Если принять такой взгляд, отпадает необходимость считать Хлебникова каким-то колдуном и шаманом. Он наметил пути развития языка, переходные, промежуточные, и этот исторически небывший путь российской речевой судьбы, осуществленный только в Хлебникове, закрепился в его зауми, которая есть не что иное, как переходные формы, не успевшие затянуться смысловой корой правильно и праведно развивающегося языка.[3]

Il est évident, d'autre part, que l'exemple de Khlebnikov a été présent, pour un certain type de poésie, chez Majakovskij, chez Pasternak, et, dans une plus grande mesure encore, chez Petnikov, Aseev et Zabolockij. Même s'il ne s'agit pas dans les cas précités d'influence à proprement parler, on ne saurait nier le fait que Khlebnikov n'est pas resté sans « descendance poétique » : Khlebnikov, selon la juste remarque de Mandel'štam, a bien amassé pour un siècle entier, au moins, de « provisions » en trouvailles poétiques. L'attention de la critique devait donc se concentrer plus sur l'art de l'énonciation que sur l'énoncé. La prééminence ainsi établie de la forme sur le contenu, la poésie de Khlebnikov apparaissait dans toute son envergure d'événement linguistique *et* poétique, fondant ainsi simultanément la possibilité d'une science littéraire objective, c'est-à-dire d'une science qui posât comme objet d'investigation la littérarité de l'œuvre : « La poésie, c'est le langage dans sa fonction esthétique. Ainsi, l'objet de la science de la littérature n'est pas la littérature mais la littérarité, c'est-à-dire ce qui fait d'une œuvre donnée une œuvre littéraire. Pourtant, jusqu'à maintenant, les historiens de la littérature ressemblaient plutôt à cette police qui, se proposant d'arrêter quelqu'un, saisirait à tout hasard tout ce qu'elle trouverait dans la maison, de même que les gens qui passent dans la rue. Ainsi les historiens de la littérature se servaient de tout : vie personnelle, psychologie, politique, philosophie. Au lieu d'une science de la littérature, on créait un conglomérat de recherches artisanales, comme si l'on oubliait que ces objets reviennent aux sciences correspondantes : l'histoire de la philosophie, l'histoire de la culture, la psychologie, etc., et que ces dernières peuvent parfaitement utiliser les monuments littéraires comme des documents défectueux, de deuxième ordre. Si les études littéraires veulent devenir science, elles doivent reconnaître le *procédé* comme leur 'personnage' unique. Ensuite la question fondamentale est celle de l'application, de la justification du procédé. »[1]. La poésie de Khlebnikov se montrait dans sa vérité : un ébranlement des catégories les plus évidentes et implicites du langage. La frontière entre sens premier et sens transposé, à savoir la frontière entre la figure et la chose figurée, s'effaçait pour donner naissance à un système de signes, arbitraire, qui tendait vers l'artificialité pure. La déformation de la syntaxe du langage et de la syntaxe proprement poétique (l'ensemble des tropes ou figures de la rhétorique traditionnelle) n'était que la conséquence pratique de cette intention d'idéalité (ou visée d'idéalité) que Jakobson appelait « la tension vers le mot phonétique » : « On a vu sur une série d'exemples, que le mot chez Khlebnikov perd sa visée de l'objet, ensuite sa forme interne, ensuite même la forme externe. On peut fréquemment observer, dans l'histoire de la poésie de tous les temps et de tous les pays, que pour les poètes, selon l'expression de Trédiakovski, 'seul importe le son'. Le langage poétique tend, à la limite, vers le mot phonétique, plus exactement (puisque la visée en question est présente), euphonique, vers le discours transmental. »[2]. La nouveauté de la technique poétique khlebnikovienne, étroitement articulée sur une conception nouvelle de l'activité poétique, dictait – cela semble, de nos jours, évident – une nouvelle technique d'analyse. Ce n'était pas un des moindres mérites de l'opuscule de R. Jakobson que d'avoir inauguré, dans la critique littéraire de son époque, une nouvelle méthode d'approche des produits de l'activité poétique, à propos de la « matière » fournie par quelques échantillons de l'œuvre de notre poète. Cependant, cette voie qui examine les seuls faits verbaux dans l'œuvre littéraire (« Il faut remarquer ici que dans l'œuvre littéraire nous manions essentiellement, non la pensée, mais les faits verbaux »[3]) doit, à notre sens, être corrigée dans son excès de parti pris contre toute immixtion du noétique dans le poétique (du « mental » dans le « manuel » pourrions-nous dire plus simplement, mais tout aussi métaphoriquement) : le discours sur la *τέχνη* (l'art), en effet, ne doit jamais perdre de vue le sens de cette τέχνη, sens qui ne survient que si l'on prend le soin le plus grand de relier l'art au système qui l'enveloppe et le fonde. C'est bien d'ailleurs ce contre quoi mettait déjà en garde K. Čukovskij, malgré – ou peut-être à cause de ? – son impressionnisme critique, lorsqu'il vitupérait la critique formaliste, « critique sans âme », et, dans le même élan désapprobateur, les œuvres qui l'avaient suscitée, c'est-à-dire, essentiellement, les œuvres des « cubo-futuristes » : « Ce refus de l'âme me paraît être un immense événement dans l'histoire de la culture russe. Avec lui une nouvelle ère commence. Ces pauvres gens ne comprenaient pas eux-mêmes quelle énorme vérité ils avaient dite. Ils l'ont dite non seulement au nom des futuristes, mais au nom d'une génération tout entière. Toute leur génération disait alors en substance : *Au diable, l'âme humaine ! – Chassons la Psyché ! – Mettons la Psyché à la porte !* La Psyché a vraiment été chassée de tous les livres, de tous les tableaux de cette époque, et elle n'y est plus revenue. Depuis ce temps-là, l'Art est privé d'âme. L'ancien intérêt inépuisable pour l'âme humaine individuelle, pour ses moindres mouvements, cet intérêt s'est éteint. Les belles-lettres raffinent de style ou débattent des problèmes sociaux. Le roman psychologique est mort. Il n'y a plus de psychologie, ni en prose, ni en vers. Les poètes maîtrisent superbement les vers, viennent à bout des problèmes formels les plus difficiles, mais ils n'ont plus aucune vie spirituelle et la critique moderne, la théorie moderne de l'art avec son enseignement des méthodes formelles, sanctionnent son mépris pour l'âme. »[1]. A partir de présupposés philosophiques totalement différents, le « constructiviste » K. Zelinskij critique lui aussi le formalisme, non pour son « manque d'âme », certes, mais à cause de son apriorisme techniciste qui ôte dès le début de la démarche, comme superfétatoire, l'esprit sémantique de l'œuvre :

427 ...Учение о специфической форме словесного искусства, т.е. феноменология специфического, составляет философскую основу формализма. Как всякая технология, формализм соблазняет своим собственным предметом, якобы, от древа познания добра и зла. Это – соблазн знания без него самого. Порочная иллюзия связи с действительной жизнью (исторической, биологической).[2]

C'est bien là le reproche le plus grave que l'on puisse adresser à la démarche « formaliste » : l'évacuation sémantique de l'œuvre. La poéticité n'est pas la poésie, la poésie ne se réduit pas à la poéticité. Le jargon néo-scolastique qui ressuscite l'interrogation sur la quiddité de l'œuvre masque mal ce fait, que l'œuvre n'est pas un « *quid* », ni une « x-ité ». La Poésie n'est pas le poème ; elle n'est pas non plus *dans* le poème, comme un homme est *dans* la maison qu'il habite, ou comme l'âme, croyait-on autrefois, était *dans* le corps. La poésie est la forme du poème, c'est-à-dire ce par quoi le poème (empirique, concret, « réel ») est possible : une forme pure *a priori* de l'imagination, qui fonde la τέχνη, l'art. Nous traiterons dans un chapitre spécial sur la « Poétique du futurianisme » le problème inévitable de la forme et du thème. Qu'il soit dit ici, en préambule de notre démarche, que nous n'acceptons pas le présupposé philosophique du formalisme – car il s'agit bien de cela dans le fond – selon lequel, pour le formuler abruptement mais sans équivoque, l'œuvre *peut* être définie comme un ensemble de procédés. Croyant évacuer la dichotomie esprit/corps, forme/matière, fondée sur une vision dualiste (et spiritualiste) du monde, les formalistes ont, non sans inconséquence, subrepticement réintroduit la dichotomie, à un autre niveau, certes, dans leur vision moniste (et qui se voulait « matérialiste » au sens non vulgaire du terme, c'est-à-dire objective, scientifique, éliminant toute subjectivité appréciative) en théorisant la dualité inévitable à l'intérieur même de l'œuvre, en parlant du matériau et des principes constructifs selon lesquels celui-ci est organisé, c'est-à-dire en repoussant plus profondément à l'intérieur du matériau lui-même la question du sémantique, et ce, afin de n'avoir pas à la « déterrer » de nouveau... Mais le sémantique (ce que nous appellerons par la suite « le thème sémantique ») de l'art est inépuisable, et comme l'hydre, toujours renaissant malgré les « exécutions » infligées par la critique « scientifique » : interroger une œuvre d'art c'est, nécessairement, interroger le sens de l'œuvre d'art. Répudiant le sens, le formalisme est inévitablement engagé à « chosifier » l'œuvre d'art, puis à considérer la qualité, la facture, la façon dont l'artisan a fabriqué l'objet : « *sdelannost' vešči* ». Aristote dit, dans sa *Poétique*, que « si on n'a pas vu auparavant l'objet représenté, ce n'est plus comme imitation que l'œuvre pourra plaire, mais à raison de l'exécution (ἀλλὰ διὰ τὴν ἀπεργασίαν) de la couleur ou d'une autre cause de ce genre »[1]. En paraphrasant le jugement d'Aristote (juste dans sa conséquence, mais inacceptable pour nous dans sa prémisse) nous pouvons dire que le formalisme, refusant de voir auparavant le sens de l'œuvre, est contraint à n'en examiner que l'exécution. Il est ainsi condamné à une « apergastique » souvent ingénieuse, mais peu féconde, puisqu'elle ignore la « philosophie de la composition », autrement dit l'intentionnalité de l'œuvre d'art. Par une curieuse, mais compréhensible ironie du destin, le formalisme se présente comme un avatar *sui generis* du néo-aristotélisme dans la critique littéraire des temps modernes et la philosophie qui la sous-tend : la poétique serait la science de la production (c'est bien là, en effet, la valeur du mot grec, restauré dans toute la force et la plénitude de sa signification), production qui produirait des ποιήματα, c'est-à-dire des produits (jusque-là nous demeurons dans une tautologie peu intéressante), mais des produits *extérieurs* au producteur, le τεχνίτης, l'artisan-ouvrier. La τέχνη , l'art, posture productrice accompagnée de λόγος ἀλήθης[1] fabriquerait donc des choses exposées à la contemplation esthétique (ou, si nous continuons à restaurer le sens authentique des vocables grecs, à l'activité perceptive) de spectateurs ou auditeurs *extérieurs* à ces choses. L'œuvre d'art est ainsi une denrée que rien ne distingue du produit, exposé, offert à la consommation des chalands. Dans le domaine de la pure facticité où nous nous trouvons, *l'hypothèse* (et pour les formalistes l'hypothèque) *sémantique levée*, aucune « poéticité » ou « littérarité » intrinsèque ou extrinsèque ne pourra, tel le *deus ex machina*, réparer une situation de perte, où rien ne distingue plus l'œuvre de l'ustensile. La voie du pur productivisme est ainsi ouverte...

Nous n'ignorons pas l'immense renouvellement qu'a apporté dans la critique littéraire ce que l'on appelle, de façon globale et sommaire, le formalisme russe, puisque cette école, en la personne de ses membres les plus éminents, a évolué, s'est transformée, diversifiée et ne représente donc plus actuellement qu'un « moment », une époque de la critique littéraire universelle. Nous n'ignorons pas non plus que c'est grâce en partie à cette recherche novatrice[2] que d'autres écoles plus modernes, comme le structuralisme poétique, ont pu voir le jour. Mais c'est précisément parce que nous serons amené maintes fois, dans le cours de ce travail, à mentionner les travaux de l'école formaliste, liée, comme nous l'avons dit, quasi génétiquement au « cubo-futurisme » russe et tout particulièrement aux œuvres de Majakovskij et de Khlebnikov, ainsi qu'à utiliser et à reprendre souvent à notre propre compte des concepts et des termes forgés ou puissamment marqués par certains théoriciens de cette école, c'est pour toutes ces raisons que nous tenons à préciser, dès cette introduction, tout ce qui nous sépare philosophiquement et méthodologiquement du formalisme, malgré de fréquentes coïncidences terminologiques qui pourraient créer l'illusion d'une convergence de méthode, et, au-delà, d'« idéologie » (en entendant par ce vocable, d'une insondable indigence sémantique de nos jours, un système de représentations qui structurent axiologiquement le monde, en établissant une échelle des valeurs à quoi se rapportent les différents phénomènes qui « font » le monde) : justement parce que nous *constituons* l'œuvre de Khlebnikov en système, nous plaçons au centre de notre travail la question, à nos yeux essentielle, du « thème sémantique » de cet œuvre.

Particularités du système khlebnikovien

Il n'est pas indifférent que Khlebnikov se soit rapporté avec tant d'insistance au monument initial de la littérature épique russe, le *Slovo o polku Igoreve.* Ainsi le poète s'écrie dans *Vojna v myšelovke* :

И когда земной шар, выгорев,
Станет строже и спросит : кто же я ?
Мы создадим слово Полку Игореви
Или же что-нибудь на него похожее.[1]

Son ambition n'est-elle pas, en effet, d'ouvrir, à lui seul, une nouvelle origine à la langue russe, à la poésie russe, à la culture russe ? Mandel'štam, avec sa justesse habituelle dans l'expression et le choix des comparaisons, souligne le caractère à la fois novateur et traditionnaliste de cette poésie qui se meut dans l'espace d'*un* seul langage (mais vaste comme la Mémoire de la nation russe), l'espace du « russe originel » et qui fait de Khlebnikov un poète profondément national, à cause de cette spontanéité créatrice qui n'appartient qu'aux moments privilégiés des « grands commencements » :

428 Когда прозвучала живая и образная речь *Слова о полку Игореве*, насквозь светская, мирская и русская в каждом повороте, – началась русская литература. А пока Велемир Хлебников, современный русский писатель, погружает нас в самую гущу русского корнесловия, в этимологическую ночь, любезную уму и сердцу умного читателя, жива та же самая русская литература, литература *Слова о полку Игореве.*[2]

Nous entendons par « espace du russe originel », une écriture synthétique, quintessence du slave, cette sorte de *κοινή*, ou, pour reprendre l'heureuse expression de Mandel'štam, de « Vulgate », que Khlebnikov, dans *Svojasi*, nomme sa première attitude envers le mot :

428 Найти, не разрывая круга корней, волшебный камень превращенья всех славянских слов, одно в другое – свободно плавить славянские слова, вот мое первое отношение к слову. Это самовитое слово вне быта и жизненных польз.[3]

Jakobson, de son côté, relève le lien étroit de ce qu'il considère comme le premier pas vers une création totalement arbitraire des mots, avec la langue russe :

On peut observer le même phénomène sur une série de procédés propres à la poésie de Khlebnikov : c'est la mise en sourdine de la signification et la valeur autonome de la construction euphonique. Un seul pas nous sépare ici du langage arbitraire. [...] Cette création arbitraire de mots peut être formellement reliée à la langue russe.[4]

Lorsque nous disons que cette particularité du style khlebnikovien enracine son auteur dans la tradition du terroir slave, en faisant de lui un poète éminemment « national », nous sommes conscient de la pauvreté et de l'ambiguïté inhérentes à cette traduction du terme russe *narodnyj*. L'ambiguïté, à dire vrai, est maintenue par la critique soviétique également, qui joue sur les multiples « traductions intérieures » du mot. En première approximation, nous pourrions hasarder cette définition négative de la *narodnost'* : Khlebnikov est *narodnyj* (« national ») au sens où il n'est pas un *narodnik* (ou, à tout le moins, pas seulement un *narodnik*). Dans sa manière (son style), sa langue, il ne « fait » pas peuple, il *est* peuple. C'est ce qui fonde sa différence avec les *narodniki* (les « populistes ») en poésie, comme, par exemple, S. Esenin[1] et les « poètes-paysans » (pour ne pas parler des « poètes-prolétariens »[2]) qui, dans leur langue et leur style propres, ne « sont » pas peuple quoiqu'ils soient de par leur origine sociale « du » peuple. Au vrai, s'agit-il encore chez ces écrivains, d'un style ? Ne serait-il pas plus pertinent de parler, en leur cas, d'une stylisation pseudo-populaire ? En tout état de cause, cette commotion de la langue russe que représente le passage de Khlebnikov dans la poésie fait vaciller les certitudes et les institutions langagières, politiques, apparemment les mieux établies et les plus sûres d'elles-mêmes. En ce sens, le système khlebnikovien s'annonce comme un acte de subversion contre l'ordre « naturel » du langage et de la cité qui se fait la soupçonneuse gardienne de l'immutabilité de ce langage[3], car il y a une continuité, intéressante à observer, entre les philosophes prétendant au gouvernement et les gouvernants prétendant à la philosophie, dans leur attitude vis-à-vis de la poésie. Platon bannit de sa République idéale les poètes et « faiseurs de fables » comme imposteurs et illusionnistes : ils n'apprennent, ni à penser droit, ni à sentir bien, à la partie de la jeunesse promise à la direction de l'État. Il est vrai qu'au siècle de Platon les poètes étaient considérés (du moins « les grands » : Homère, Hésiode) comme les pédagogues de l'hellénisme. Et c'est parce qu'il croit, dans une certaine mesure, à la valeur pédagogique de la poésie que Platon renvoie de son État les gloires consacrées, pour forger le type idéal du « bon » poète de la cité idéale : grave, austère, enseignant l'*utile* et la *vertu*[4]. Au début du vingtième siècle, il n'y a guère que les poètes pour prendre la poésie encore au sérieux ; ce faisant ils sont considérés par les chefs de la cité tout uniment comme non poètes ou charlatans[5], voire comme des voyous que l'on morigène pour leurs incompréhensibles excès « futuristes ». Au poète qui met dangereusement en question la sacro-sainte stabilité et figuralité du langage, les gardiens de l'ordre poético-politique préfèrent la versification appliquée aux mots d'ordre du pouvoir, comme c'est le cas, par exemple, chez un Dem'jan Bednyj[1]. Le discours khlebnikovien, lui, est, à l'instar des nouvelles hypothèses scientifiques de son époque (et de la nôtre encore), un discours essentiellement relativisant, replaçant dans leur vérité spatio-temporelle les événements et les lieux de ce que l'homme n'a que trop tendance à appeler *son* histoire. Mandel'štam, si attentif à percevoir les qualités rythmiques de son temps et du temps en général, n'hésite pas à établir une liaison directe entre le principe mathématique de la relativité et le rapide changement des « vérités » qui s'affirment successivement dans les différentes écoles poétiques au début du vingtième siècle :

428 Благодаря изменению количества содержания событий, приходящихся на известный промежуток времени, заколебалось понятие единицы времени, и не случайно современная математическая наука выдвинула принцип относительности.[2]

Le discours de Khlebnikov relativise dans le sens où il ignore superbement l'hétérogénéité stylistique des époques, d'une part, et où, de l'autre, il établit « scientifiquement » la relativité de la notion même de vérité :

428 Логика Аристотеля помогает беречь в разговорах то, что кажется истиной. Но она удобна для малых времен беседы и писаний. Умика Будийц недавно вторгнувшихся на землю позволяет находить истину на протяжении 28 лет и след. столетий.

Если Аристотель знал большую и малую предпосылки, так удобно заменяемые кружками, то новое учение о истине знает правило : волнообразного изменения ее.

Истина рожденного в N-ном году обратна истине рожденного в n-28-м году.

Впрочем иногда тянутся две нити.

Дитя Аристотеля всегда приводилась как пример вечного непревзойденного знания.

Здесь оно превзойдено, т.к. исходной точкой взято время, а не пространство с его кружками. Впрочем этим ослабляется власть истины над поколениями.[3]

(*Битвы 1915-1917 г.г.*)

La poésie de Khlebnikov est excentrée, comme le système physique nouveau où est définitivement ruiné l'ancien anthropo- (et géo-) centrisme ; idéalement, cette poésie n'a même pas de centre, naviguant sans sujet-pilote ni destinataire précis dans un milieu raréfié où l'histoire et l'humanité perdent toute densité, où les concepts se vident de tout support, où l'opposition réel-irréel perd toute pertinence : poésie « stellaire », pour reprendre le mot même de Khlebnikov qui, libérant le discours de toute dépravation anthropocentrique, rend à la poésie sa vérité, sa liberté qui est mouvement pur et libre de l'imaginaire :

428 ...В учении о слове я имею частые беседы с $\sqrt{--}$ Лейбница.[4]

Полюбив выражения вида $\sqrt{-1}$, которые отвергали прошлое, мы обретаем свободу от вещей.[5]

Chapitre I

LE SYSTÈME POÉTIQUE DANS SON FONCTIONNEMENT

Le double mouvement dans le système

a) de la théorie à la poésie

Le propos de ce chapitre n'est point d'analyser les différentes composantes du système : cette étude a fait l'objet de chapitres consacrés à la langue, au temps, comme axes principaux de ce système. Il s'agit plutôt à présent d'examiner la rencontre de la théorie et de la pratique poétiques, en un mot, d'examiner le système tel qu'il fonctionne, puisqu'il est lui-même cette articulation de la théorie et de la pratique. Tynjanov avait certes raison de critiquer les connexions arbitraires conjuguant Khlebnikov à des phénomènes mal définis ou à des personnalités poétiques hétérogènes : « Khlebnikov et le futurisme », « Khlebnikov et le langage transmental », « Khlebnikov et Majakovskij », etc.[1]. La coordination finissait par masquer celui qui en était le membre principal, dissolvant la figure du poète lui-même, V. Khlebnikov. Mais Tynjanov avait peut-être tort, au nom du retour à l'authenticité de la signification poétique, de sacrifier *toute* coordination : car le phénomène poétique khlebnikovien n'est pas ailleurs que dans la conjonction « et » située à l'intérieur même du poète. Celle-ci se place entre Khlebnikov *et* Khlebnikov : le « et » grammatical est la marque d'une liaison instaurée avec effort au-dessus d'une séparation intérieure. Là se trouve le nœud de sa poésie, là s'opère la difficile réconciliation du poète avec lui-même. Tynjanov a réduit la tragédie dont était signe ce « et » que tentait d'écrire Khlebnikov entre sa poésie et sa théorie pour surmonter la division de sa personnalité.

La conséquence de cette dualité interne se traduit par le double mouvement de son système poétique. Nous voyons, d'une part, la pensée théorique amorçant la poésie, l'engendrant en quelque sorte dans son effort même :

— Ainsi, par exemple, cette « divagation » poétique sur la liaison des chiffres et des mots :

428 В именах числительных сквозят занятия родового быта, свойственные и доступные этому числу членов.

Числом семь называется общество из пяти зверенышей и двух старцев, идущих на охоту ; 8 – образованное первым словом и предлогом « во », указывает на нового неделимого, присоединившегося к их обществу.

Если первобытный человек не нуждался в чужой помощи во время еды, то число « единица » справедливо названо занятием именно этим делом. В нем зубами рассказывались берцовые кости добычи и кости трещали. Это говорит, что первобытный человек голодал. Сто означало общину, управляемую старым, синеглазым вождем племени (рыба, рыбарь, сто, старик).

Число пять можно выводить из слова пинки (распять, распинать) и означало наиболее презираемую часть семьи, на долю которой в суровом быте того времени доставались одни окрики и пинки ; во время странствий она держалась за одежды старших. Особой родовой единицей вызвано одинокое имя 40.

Существуют подобные пары слов : темь, тороки, зоркий – земля.

Имя сорок означало союз семей. Каждая семья вступала в отношения свойства с пятью новыми семьями по 1 членов ; 35 людей и 5 первой семьи (кроме двух старшин) есть сорок. Именем числа стали названия занятий пращура в этом числе.

(*Разговор двух особ*) [1]

— Ou bien cette « théorie scientifique » du son-chef qui signifie « l'archi-concept » pour toute une série de mots se subsumant sous la même rubrique sonore, théorie qui engendre tout naturellement une poésie tautogrammatique (ou pantogrammatique)[2] .

— Ou bien, cas légèrement plus complexe, l'explication linguistique du combat entre l'aspect phonique du mot et le concept dont il est le signe, suscitant la double métaphore végétale et solaire :

428 Слово живет двойной жизнью.

То оно просто растет как растение, плодит друзу звучных камней, соседних ему, и тогда начало звука живет самовитой жизнью, а доля разума, названная словом, стоит в тени, или же слово идет на службу разуму, звук перестает быть « всевеликим » и самодержавным ; звук становится « именем » и покорно исполняет приказы разума ; тогда этой второй вечной игрой цветет друзой подобных себе камней.

То разум говорит « слушаюсь » звуку, то чистый звук – чистому разуму.

Эта борьба миров, борьба двух властей, всегда происходящая в слове, дает двойную жизнь языка : два круга летающих звезд.

В одном творчестве разум вращается кругом звука, описывая круговые пути, в другом звук кругом разума.

Иногда солнце – звук, а земля – понятие ; иногда солнце – понятие, а земля – звук.

Или страна лучистого разума, или страна лучистого звука. И вот дерево слов одевается то одним, то другим гулом, то празднично, как вишня, одевается нарядом словесного цветения, то приносит плоды тучных овощей разума. Не трудно заметить, что время словесного звучания есть брачное время языка, месяц женихающихся слов, а время налитых разумом слов, когда снуют пчелы читателя, время осеннего изобилия, время семьи и детей.[1]

– Parfois, c'est l'illustration concrète de la théorie scientifique qui révèle, à l'insu de l'auteur, son laboratoire poétique dont le principe fondamental est celui de l'association de mots homéocatarctiques, variante du principe du « son-chef » (à l'inverse des homéotéleutes dont le rôle est fondamental à la rime et contribue à l'enchaînement sémantique par associations phoniques en fin de mot, le principe de la similitude du début des mots établit une sorte de rime inversée)[2] . Dans le même article « *Naša osnova* », Khlebnikov expose un autre principe constitutif de sa poésie : la fabrication de mots par analogie.

429 Также возможны слова нравитель, нравительство – здесь мы пэ заменили буквой н. Слову боец мы можем построить поец, ноец, моец Именам рек Днепр и Днестр – поток с порогами и быстрый поток – можем построить Мнепр и Мнестр (Петников), быстро струящийся дух личного сознания и струящийся через преграды « пр », красивое слово Гнестр – быстрая гибель ; или волестр : народный волестр, или огнепр и огнестр, Снепр и Снестр – от сна, сниться. Мне снился снестр. Есть слово я и есть слово во мне, меня. Здесь мы можем возродить Мои – разум, от которого исходит слово. Слову вервие мыслимо мервие и мервый, умирающий ; немервый – бессмертный. Слово князь дает право на жизнь мнязь – мыслитель и лнязь и днязь. Звук, похожий на звук. Звач тот, кто зовет. Правительство, которое хотело бы опереться только на то, что оно нравится, могло бы себя назвать нравительством. Нравда и правда. Слову ветер отвечает петер от глагола петь : « это ветра ласковый петер... ». Слову земец соответствует темец. И обратно : земена – земьянин, земеса ; слово бритва дает право построить мритва, орудие смерти. Мы говорим : он хитер. Но мы можем говорить : он битер. Опираясь на слово бивень, можем сказать хивень. Хивень полей – колос... Возьмем слово лебедь. Это звукопись.[3]

– Enfin la poésie[4] peut surgir de la conception arithmosophique de l'histoire (en l'occurrence, c'est le même principe d'association phonique d'homéocatarctiques qui joue) :

Свобода приходит под знаком – 2 ? Даешь ? – дай дорогу два.
Власть под знаком 3 – труд, труп, Тот.
Самосожжение ? где тоже выросло звериное число.
Даешь ? Дай дорогу два,
Дай длинный дол добра,
День, дело, дети,
Три – третья точка в разговоре – те.
Три, тень и туча,
Тропа, где трудно,
Три немцев Тот,

Три тятя, и тетя и теща,
Что властвует, приказывает, где крови нет прямой.
Два дева с глазами будущего.
Два – это думы.
А то таит, то тын.
Нет большей свободы, чем в прямом двуугольнике.
Нет большей темницы, чем треугольник – замкнутый простор
Толичие и доличие,
Точка и дочка,
Где дует два по долу,
И трудно тренью трех.
Туда дуда для двух,
И дышит добрый дух
В свирель из двух.[1]

b) de la poésie à la théorie

D'autre part, nous voyons la poésie constituée, « faite » (en un mot : le « poème ») imposant sa présence à la théorie, cette dernière se réduisant à l'aperception des vecteurs inconscients de la pensée poétique :

– Ainsi, par exemple, Khlebnikov, à la lecture de son poème *Krylyškuja zolotopis'mom*, découvre la structure quintuple du discours autotélique, et, plus généralement, du monde :

429 ...Я изучал образчики самовитой речи и нашел, что число пять весьма замечательно для нее ; столько же, сколько и для числа пальцев руки. Вот частушка из *Пощечины общественному вкусу* : « Крылышкуя золотописьмом тончайших жил, кузнечик... » и т.д. В ней, в 4 строчках, помимо желания написавшего этот вздор, звуки « у, к, л, р » повторяются пять раз каждый, « з » по ошибке шесть раз.[2]

429 Мы говорим : остров мысли внутри самовитой речи, подобно руке, имеющей пять пальцев, должен быть построен на пяти лучах звука, гласного или согласного, сквозящего сквозь слова, как чья-то рука. То есть правило пяти лучей как изысканное строение звонкой речи с 5 осями. Так « Крылышкуя золотописьмом тончайших жил » (*Пощечина общественному вкусу*) образует четные строчки ; первые построенные на к, л, р, у – по пяти (сроение пчелиных сот). « Мы, не умирающие, смотрим на вас, умирающих » построены пять м. Довольно примеров и пятиосного строения морских звезд нашей речи.[3]

429 ОЛЕГ.- Кроме случаев уродства, рука имеет пять пальцев. Не следует ли отсюда, что и самовитое слово должно иметь пять лучей своего звукового строения гривы коня Пржевальского ?

КАЗИМИР.- Возьми и посмотри.

ОЛЕГ.- Вот *Пощечина общественному вкусу* (стр. 8).

« Крылышкуя золотописьмом тончайших жил,
Кузнечик в кузов пуза уложил
Прибрежных много трав и вер.
Пинь-пинь тарарахнул зинзивер –
О лебедиво –
О озари ! »

Устанавливаю, что в них от точки до точки 5 к, 5 р, 5 л, 5 у. Это закон свободно текущей самовитой речи. « Шепот, ропот, неги стон » (стр. 52) построено на 5 о ; « Мы, не умирающие, смотрим на вас, умирающих» построено на 5 м (стр. 31). Есть много других примеров. Итак, самовитое слово имеет пятилучевое строение и звук располагается между точками, на остове мысли, пятью осями, точно рука и морские звезды (некоторым).[1]

(*Разговор Олега и Казимира*)

— Dans le même poème, Khlebnikov décèle les vecteurs inconscients de son désir d'écriture :

430 ⟨« Крылышкуя и т.д.» потому прекрасно, что в нем, как в коне Трои, сидит слово ушкуй (разбойник). « Крылышкуя » скрыл ушкуя деревянный конь⟩.[2]

Cette découverte est à mettre en rapport avec la lettre de Khlebnikov à Kamenskij :

430 Сколько городов вы разрушили – красный ворон ? В вас кипит кровь новгородских ушкуйников, ваших предков...[3].

La lecture que le poète fait de ses propres œuvres fonctionne comme un discours métalinguistique à l'intérieur du système poétique global ; par cette seconde lecture, le poète aperçoit une des figures fondamentales de sa poésie, l'assonance qui se développe presque toujours en paronomase ainsi que, et c'est le plus important, la signification profonde de ce phénomène apparemment gratuit : l'allitération paronomastique découvre les « structures subliminales »[4], l'érotique inconsciente de sa poésie.

La poésie du système

Comme résultat de ce double mouvement qui semblait devoir amener inéluctablement une divergence entre les deux éléments composants du système, s'élabore, au contraire, une poésie *du* système : la poésie module la pensée scientifique[5] selon ses normes propres, sans pour autant s'écarter des exigences rigoureuses de la « théorie scientifique » khlebnikovienne ; nous assistons alors à l'émergence d'une poésie scientifique (ou systématique), d'une poésie chiffrée[6] qui commande, de par sa nature, une double lecture, l'exemple le plus réussi d'un tel « poème-système » étant l'encyclopédie de la poésie et de la « science » khlebnikoviennes : *Zangezi*.

La pensée de Khlebnikov s'engage tout entière dans la lutte contre la division, dont le signe le plus scandaleux est l'espèce (*vid*). Le monde sensible auquel tout homme participe nécessairement, n'est le monde de la division, du multiple, que parce que l'homme lui-même y apporte division et multiplicité par l'idéation qui limite la réalité à un seul de ses aspects[7]. Le monde appelé réel est un, continu, et toute l'entreprise de Khlebnikov vise à restaurer cette unité perdue en luttant contre la limitation dans l'espace, le temps et le langage. En ce dernier domaine, le

« *graneslovie* »[1] s'identifie aux règles de la grammaire, aux propositions de la pensée, aux phrases, aux mots établis, séparés les uns des autres par des frontières[2] aussi conventionnelles que celles qui séparent les États de l'espace. La conséquence de la restauration du *continuum* linguistique comme la seule réalité à laquelle doit avoir affaire le poète est d'une importance considérable pour lui : en effet, l'abolition des formes rigides (tel est en effet le but de « la décomposition du mot »[3]) et des frontières dans la langue, la sensation immédiate de l'unité du matériau linguistique (donc, également, de l'artifice des conventions et normes codifiées par les grammaires), aboutissent à la création d'une poétique fort singulière dans ses principes et sa visée. Issue de la langue comme système en perpétuelle transformation, elle instaure le mouvement même de cette métamorphose continue comme unique finalité du discours poétique. B. Livšic, dans *l'Archer à un œil et demi*, raconte l'impression que produisit sur lui, lorsqu'il la découvrit pour la première fois, la poésie de Khlebnikov, véritable « glissement » des strates les plus profondes du langage poétique traditionnel :

430 Ведь и то, что нам удалось извлечь из хлебниковского половодья, кружило голову, опрокидывало все обычные представления о природе слова.

Ученик « проклятых » поэтов, в ту пору ориентировавшийся на французскую живопись, я преследовал чисто конструктивные задачи и только в этом направлении считал возможной эволюцию русского стиха.

Это был вполне западный, точнее – романский подход к материалу, принимаемому как некая данность. Все эксперименты над стихом и над художественной прозой, конечно, мыслились в строго очерченных пределах уже конституированного языка. Колебания как в сторону архаизмов, так и в сторону неологизмов, обусловливаемые личными пристрастиями автора, не меняли общей картины. Словесная масса, рассматриваемая изнутри, из центра системы, представлялась лейбницевской монадой, замкнутым в своей завершенности планетным миром. Массу эту можно было организовывать как угодно, структурно видоизменять без конца, но вырваться из ее сферы, преодолеть закон тяготения, казалось абсолютно немыслимым.

И вот – хлебниковские рукописи опровергали все построения. Я вскоре почувствовал, что отделяюсь от моей планеты и уже наблюдаю ее со стороны.

То, что я испытал в первую минуту, совсем не походило на состояние человека, подымающегося на самолете, в момент отрыва от земли.

Никакого окрыления.

Никакой свободы.

Напротив, все мое существо было сковано апокалиптическим ужасом.

Если бы доломиты, порфиры и сланцы Кавказского хребта вдруг ожили на моих глазах и, ощерившись флорой и фауной мезозойской эры, подступили ко мне со всех сторон, это произвело бы на меня небольшее впечатление.

Ибо я увидел воочию оживший язык.

Дыхание довременного слова пахнуло мне в лицо.

И я понял, что от рождения нем.

Весь Даль с его бесчисленными речениями крошечным островком всплыл среди бушующей стихии.

Она захлестывала его, переворачивала корнями вверх застывшие языковые слои, на которые мы привыкли ступать как на твердую почву.

Необъятный, дремучий Даль сразу стал уютным, родным, с ним можно было сговориться : ведь он лежал в одном со мною историческом пласте и был вполне соизмерим с моим языковым сознанием. А эта бисерная вязь на контокоррентной бумаге обращала в ничто все мои речевые навыки, отбрасывала меня в безглагольное пространство, обрекала на немоту. Я испытал ярость изгоя и из чувства самосохранения был готов отвергнуть Хлебникова.
Конечно, это был только первый импульс.
Я стоял лицом к лицу с невероятным явлением.
Гумбольдтовское понимание языка, как искусства, находило себе красноречивейшее подтверждение в произведениях Хлебникова, с той только потрясающей оговоркой, что процесс, мыслившийся до сих пор как функция коллективного сознания целого народа, был воплощен в творчестве одного человека.
Процесс этот, правда, не был корнетворчеством, ибо в таком случае он протекал бы за пределами русского, да и всякого иного языка. Но он не был отнюдь только суффиксологическим экспериментом. Нет, обнажение корней, по отношению к которому поражавшие нас словоновшества играли лишь служебную роль, было и не могло быть ничем иным, как пробуждением уснувших в слове смыслов и рождением новых. Именно поэтому обречены на неудачу всякие попытки провести грань между поэтическими творениями Хлебникова и его филологическими изысканиями.

Каюсь, в одиннадцатом году я не до конца понимал это и столбцы неслыханных слов считал лишь подготовительными опытами, собиранием материала, кирпичами недостроенного Хлебниковым здания.

Правда, материал сам по себе был необычен. Во что превратилась бы вся наша живопись, если бы в один прекрасный день мы вдруг проснулись со способностью различать верх семи основных цветов солнечного спектра еще столько же ? Самые совершенные холсты утратили бы свою глубину и предстали бы нам графикой. Все живописные каноны пришлось бы создавать заново.

Слово, каким его впервые показал Хлебников, не желало подчиняться законам статики и элементарной динамики, не укладывалось в существующие архитектонические схемы и требовало для себя формул высшего порядка. Механика усложнялась биологией. Опыт Запада умножался на Мудрость Востока. И ключ к этому лежал у меня в ящике письменного стола, в папке хлебниковских черновиков.[1]

Ainsi, l'art de Khlebnikov, entendu comme un ensemble de principes rationnellement articulés, apparaît-il moins comme une distorsion imposée à la langue que comme la libération des latences langagières emprisonnées jusqu'alors dans les règles et les automatismes du discours ordinaire (ce que les manifestes « futuristes » appellent le *bytovoj jazyk* ou « langage naturel »[2]) : la révélation de la langue-énergie par la rupture de l'inertie linguistique. C'est ainsi que s'explique la célèbre théorie de l'engendrement de mots-notions par permutation du son initial[3] ou la non moins célèbre théorie de la déclinaison interne des mots[4]. Cette chimie poétique qui « fond »[5] les mots les uns dans les autres en dissolvant la netteté des frontières phoniques s'édifie dans la certitude que les phonèmes sont interchangeables, dans une progressive variation des traits distinctifs. En somme, Khlebnikov varie expérimentalement les phonèmes jusqu'au point où l'écart maximal les fait basculer dans une autre classe, entraînant dans ce passage le mot tout entier. La poésie se cache précisément dans le *glissement*, la transition subtile qui crée la distance entre les différentes formes phoniques des concepts, transition que, par l'habitude, occulte le bon sens trop occupé à ne pas voir les béances sur lesquelles s'édifie la langue.

Нежный Нижний !
Волгам нужный, Каме и Оке.
Нежный Нижний
Виден вдалеке
Волгам и волку. –
Ты не выдуман,
И не книжный
Своим видом он.
Свидетели в этом :
И Волга иволги
Всегда золотая, золотисто-зеленая !
И Волга волка,
В серые краски влюбленная,
Старою сказкою, око
Скитальца слепца успокоив.[1]

L'effet poétique de la théorie « atomiste » de Khlebnikov est immédiat : les atomes de sens et de son, ces particules minimales d'espace phonique et de temps conceptuel, ces fulgurations phoniques et sémantiques, simultanément, acquièrent pour le poète la valeur de véritables fonctions, diagrammes sonores d'un mouvement permanent qui est la vie même de la langue et de la pensée :

430 Мое мнение о стихах сводится к напоминанию о родстве стиха и стихии.[2]

Ces points imaginaires se meuvent à la limite encore concevable de la substance noétique (la pensée) et de la substance phonique (la parole) : de la sorte se produit, au sein de cette théorie libératrice, une poésie des fonctions du discours captant le mouvement là où l'attendait le moins le sens commun : dans les catégories grammaticales du discours (substantifs, adjectifs, verbes, adverbes, cas, nombres, genres, temps et aspects, pronominaux, abstraits et concrets, etc.). Toutes les constructions syntaxiques de plus, *font signe*[3]. La poésie devient « poésie de la grammaire »[4].

Le rôle privilégié joué dans la texture grammaticale de la poésie par toutes sortes de pronoms est dû au fait que les pronoms, à la différence de tous les autres mots autonomes, sont des entités purement grammaticales et relationnelles ; outre les substantifs pronominaux et les adjectifs pronominaux, il faut inclure dans cette classe des adverbes pronominaux et les verbes qu'on appelle verbes-substantifs (mais qu'il faudrait appeler verbes pronominaux) tels que *être* et *avoir*. Le rapport des pronoms aux mots qui ne sont pas pronoms a été maintes fois comparé au rapport des êtres géométriques aux êtres physiques,

écrit R. Jakobson dans son étude « Poésie de la grammaire et grammaire de la poésie »[1]. La substantification des pronoms – *ètota*, *totan*, *sobesa*, etc. – en déconnectant ces « indicateurs d'ostension »[2] de l'instance de ce discours à laquelle ils font d'ordinaire référence, transforme le poème en champ de lutte entre l'ancienne langue et la nouvelle ; les procédés de cette poésie grammaticale, où les protagonistes se distribuent entre le « maintenant-ici » et l'« ailleurs », situent d'emblée l'œuvre sur un plan métaphysique. Le mouvement ininterrompu des associations et mutations phoniques et sémantiques constitue une sorte de doublage métonymique[3] continu dans le discours poétique : la contiguïté qui produit les tropes est celle des phonèmes, l'image est suscitée par la proximité phonique et non par l'arbitraire de la fantaisie du poète. L'auteur du poème, c'est le poème lui-même, c'est-à-dire la langue qui se constitue comme système de fonctions et s'impose comme telle au poète, qui n'en est que le transcripteur. Le thème poétique est la langue qui se fait ; c'est elle qui, déjà, se dictait à l'homme primitif :

430 Певучему дикарю созвучие помогало не растеряться в хаосе слов, делало выбор, боролось с большими числами языка.[4]

C'est donc la langue qui dicte le thème au poète par le procès continu d'associations phono-sémantiques indéfinies. Les figures du langage poétique khlebnikovien sont celles de la cinétique, des figures tracées dans l'espace imaginaire de la pensée par les lignes de forces : triangles, rectangles, sphères, cônes, etc.[5]. Le « cubisme » qui se devine derrière cette phonologie cinétique vient de la nécessité où se trouve Khlebnikov de « vocaliser » des tensions abstraites[6] (le dynamisme abstrait[7] qui est le fonctionnement du langage) plutôt que d'une imitation mécanique des procédés propres à l'art pictural contemporain[8]. Si la poésie naît inéluctablement de ce jeu de forces abstraites qui régissent l'univers entier, c'est qu'elles se profèrent dans le langage, plus exactement, dans le fonctionnement de la langue[9]. L'humanité, dans la langue, est assujettie à ces forces qui reflètent (reproduisent) les structures de la Version universelle : si la Terre tourne depuis Copernic autour du soleil, la langue, elle aussi, gravite autour d'un centre[10] que le poète-penseur scrute désespérément :

430 На силах должны были отразиться сроки вращения, а мы – дети сил.[11]

430 Иногда солнце – звук, а земля – понятие ; иногда солнце – понятие, а земля – звук.[12]

430 Отделяясь от бытового языка, самовитое слово так же отличается от живого, как вращение земли кругом солнца отличается от бытового вращения солнца кругом земли. Самовитое слово отрешается от призраков данной бытовой обстановки и на смену самоочевидной лжи строит звездные сумерки.[1]

Dans l'attente de la découverte, le langage se meut et le poète essaie de suivre cet univers dans sa marche inexorable vers un point toujours fuyant.

Ce point indéterminé vers lequel tend inconsciemment la langue (inconsciemment pour les locuteurs du moins, car la langue, elle « sait »[2] :

430 Повидимому, язык так же мудр, как и природа, и мы только с ростом науки учимся читать его.[3]

et son savoir tacite, secret, devance ainsi de plusieurs siècles, voire millénaires, les « grandes découvertes » de la science :

430 Удивительно, что язык знал об открытии Тимирязева до Тимирязева.[4])

est son futur, sa forme future idéale, que Khlebnikov appelle « *zaumnyj jazyk* », prêtant ainsi, par cette locution ambiguë, à de fâcheuses confusions, ainsi que nous l'avons noté. I. Berezark rapporte dans ses *Vstreči s Xlebnikovym* (Rencontres avec Khlebnikov) l'observation suivante :

430 Хлебников хорошо знал и филологию, и историю языка. Но он с большой досадой и с горестью вспоминал о том, что прославленный итальянский футурист Маринетти назвал его когда-то « архаистом ». « Я его, может, прощаю, оттого что он иностранец и в русском языке ничего не смыслит, а для меня важно не прошлое, а будущее слова », – говорил Хлебников. Он рассматривал каждое слово в его историческом развитии ; меня поражало, что Хлебников относится к слову, особенно новому, неожиданному, с особым почтением, с уважением, как относится к живому человеку, очень достойному и мудрому.[5]

Le champ énergétique de la langue se place immédiatement et nécessairement dans une temporalité active qui est le milieu où se déploient les forces de la langue : la potentialité. Comme le montre avec évidence la remarque de Berezark, Khlebnikov appréhende la potentialité de la langue dans l'œuvre, c'est-à-dire sa tendancialité dans la *direction* de son travail actuel, présent : aussi bien le futur ne peut-il être saisi que dans le présent, comme possible.

430 Учитесь : на язык бросает тень будущее,

enseigne le poète[6]. Khlebnikov a là une intuition philosophique capitale, que Burljuk, bien des années après, vulgarisera par le titre de son article « *Èntelexizm* »[7] (le contenu, en effet, dément les promesses du titre ; il se présente comme un pot-pourri d'observations et de souvenirs décousus sur le « futurianisme » des premières années) : l'art poétique, précisément parce qu'il est un art de la production (de la fabrication) d'*œuvres*, est une *puissance* qui produit des *formes*, des structures nouvelles capables d'engendrer à leur tour d'autres formes, d'autres structures, c'est-à-dire d'autres *œuvres*. Et cela est rendu possible par le fait même que la langue « naturelle » est déjà un immense réservoir de formes, une « énergie » selon Humboldt, ou, pour reprendre le terme aristotélicien popularisé par Burljuk, une « entéléchie »[1].

430 Согласно этому учению – материя есть не застывшее бытие, а процесс и притом процесс совершающийся по типу органического строения, так как все стороны его существуют не сами по себе, а в отношении к целому.[2]

...Энтелехия творческого процесса, единственного желанного именно и есть фактор, упорядочивающий процессы в организме без затрат энергии и потому способный ограничить сферу действия закона энтропии.

...Термином Аристотеля « энтелехия », вкладывая в него, конечно, новое содержание, можно... обусловливать гармонию сложных процессов реституции.

Энтелехия тот факт, который лежит в начале всякого индивидуального формообразования.[3]

...Энтелехизм-искусство как органич. процесс. Это не вещизм, который В.В. Маяковский во время своего рассвета ставил платформой. – Энтелехизм – глубже и шире, он подводит фундамент философского революционного осознания под современное единственное передовое искусство.[4]

Le rôle du poète « entéléchiste » est celui du matériologue, qui, pressentant dans la confusion, le bouillonnement indéterminé de la langue, la gestation de nouvelles formes destinées à devenir des faits nouveaux, réduit la résistance du langage encore non-dit par l'opération de nomination. Par le poète, la langue accède à la dignité de la forme manifestée. Dans cette vue décisive pour l'avenir de sa poésie et de la poésie moderne en général, il immerge la création dans sa temporalité propre, dans un temps qui, paradoxalement, n'est pas le sien, puisqu'il n'est déjà plus le sien. (Ce paradoxe, qui ne tient d'ailleurs qu'aux apparences créées par le langage, est celui de la forme thématique – ou thème sémantique – qui, tout en organisant le champ linguistique dont elle fait partie, est comme perpendiculaire à ce champ, et donc n'en fait pas entièrement partie.) En paraphrasant une formule que Khlebnikov applique à Gastev, on peut dire que le « moi » du poète créateur dans l'acte même de création adresse sa prière au « dieu » du futur, le « moi » futur[5]. La création poétique est l'expulsion de soi-même hors de l'« ici-maintenant » empirique des données immédiates, la projection, par l'imaginaire, dans l'Ailleurs :

431 Не есть ли природа песни в ⟨уходе⟩ от себя, от своей бытовой оси ? Песня не есть ли бегство ⟨от⟩ я ? Песня родственна бегу, в наименьшее время ⟨надо слову⟩ покрыть наибольшее число верст образов и мысли ![1]

Les dieux, hypostases du futur, sont délogés de leurs cieux par l'étude créatrice des mystères de la langue : tel est le sens, dans *Zangezi*, de l'envol des dieux, effrayés par la clameur que pousse l'humanité victorieuse, enfin désaliénée par la réappropriation du langage. On le voit assez par ces références mythico-religieuses, l'épectase khlebnikovienne qui catapulte le poète du présent vers le futur et lui permet ainsi d'embrasser d'un regard rétrospectif ce présent devenu passé (« Взирающие на ваше время с утеса будущего »[2]) relève d'une attitude profondément eschatologique, que l'on retrouve d'ailleurs chez un autre éminent « futurien », Majakovskij[3]. Le temps subit ainsi, par ce traitement poétique – créateur – une mutation radicale : de milieu neutre qu'il était, il devient, par l'œuvre et en elle, engagé dans la croissance sémantique de celle-ci et acquiert une tonalité pathétique, faite de rupture avec le présent considéré comme aboli, d'avancée vers un futur qui n'est pas obligatoirement promesse de vie... Car les « eaux du futur »[4] peuvent tarir. Acte pathétique, donc, pour le créateur, celui par lequel il consent au sacrifice de son œuvre, livrée au devenir duplice, rédempteur et oublieux à la fois :

431 Мелкие вещи тогда значительны, когда они так же начинают будущее, как падающая звезда оставляет за собой огненную полосу ; они должны иметь такую скорость, чтобы пробивать настоящее. Пока мы не умеем определить что создаст эту скорость. Но знаем, что вещь хороша, когда она, как камень будущего, зажигает настоящее.

В *Кузнечике*, в *Бобеоби*, в *О, рассмейтесь* были узлы будущего – малый выход бога огня и его веселый плеск. Когда я замечал, как старые строки вдруг тускнели, когда скрытое в них содержание становилось сегодняшним днем, я понял, что родина творчества – будущее. Оттуда дует ветер бога слова.

431 Я в чистом неразумии писал *Перевертень* и, только пережив на себе его строки : « чин зван... мечом навзничь » (война) и ощутив, как они стали позднее пустотой, « пал а норов худ и дух ворона лап », – понял их как отражение лучи будущего, брошенные подсознательным « я » на разумное небо. Ремни, вырезанные из тени рока, и опутанный ими дух остаются до становления будущего настоящим, когда воды будущего, где купался разум, высохли и осталось дно.[5]

(*Свояси*)

Le futur, en effet, peut, pour les œuvres placées délibérément sous son signe, comme le sont *a priori* celles des « Futuriens », se montrer une patrie cruelle. Le « trop moderne » par anticipation excessive du futur peut faner plus vite que ce qui, ignorant la problématique tragique du temps, ne se préoccupe guère que de vivre dans l'instant présent :

431 Во время написания заумные слова умирающего Эхнатена « манч, манч ! » из « Ка » вызвали почти боль ; я не мог их читать, видя молнию между собой и ими ; теперь они для меня ничто. Отчего – я сам не знаю.[1]

Я чувствую гробовую доску над своим прошлым.
Свой стих кажется чужим.

. . . .

431 Вещь, написанная только новым словом, не задевает сознания.[2]

Ce pathétique qui prévoit et, en quelque sorte, programme cet « étrangement », lequel fait partie de la dialectique de l'œuvre d'art, est partagé par tous ceux qui livrent courageusement leur création au devenir. Ainsi, par exemple, Brjusov déclare-t-il :

431 Много общих настроений, много взглядов на мир и на жизнь сменилось в душе моей ; быстро становились для меня прошлым, и осужденным прошлым, сборники моих стихов.[3]

Mais Khlebnikov est, à cet égard, avec Majakovskij, celui des *budetljane* (des « futuriens ») qui a ressenti le plus cruellement et avec le plus d'acuité la puissance dictatoriale du temps, la consomption lente et inexorable de toute œuvre soumise à sa loi : la mort est l'autre nom du temps. Le système poétique mis en place par Khlebnikov inscrit donc d'avance sa propre abolition comme son destin.

Si les principes théoriques de Khlebnikov permettent en partie (en partie seulement, puisque le discours autonome est inconscient de sa structure et ne la révèle qu'*a posteriori* au regard scrutateur du théoricien) l'éclosion d'une poésie consciente de ses propres principes, inversement la poésie non consciente de ses propres principes dégage en retour, avec d'autant plus de force persuasive qu'elle ne se veut pas illustrative, les lois cachées qui régissent, indépendamment de la volonté de l'auteur, les principes de sa production. En d'autres termes, toute œuvre poétique (un poème de Puškin tout aussi bien qu'un poème de Khlebnikov) est susceptible d'une lecture « scientifique », qui montre à l'œuvre, en elle, les lois immuables du langage. C'est ce que Khlebnikov appelle le deuxième langage du poème : « *Vtoroj jazyk* »[4]. Le poème est plein de sens, de quelque point de vue auquel l'on puisse se placer. Extraordinaire conception de la composition poétique, qui fait du texte une totalité rebelle à la contingence. L'œuvre d'art est partout (en tous ses lieux, en toutes ses parties) nécessaire, obligatoire, motivée. L'ensemble de la composition, ses parties, les phrases, les groupes de mots et leurs répartitions (la distribution des syntagmes), les « mots » et leurs éléments (la séquence ordonnée des phonèmes qui les constituent), les phonèmes eux-mêmes (les « lettres » du texte), tout appartient au domaine de la conscience constructrice, tout est prévu, pensé. Le texte poétique est complètement infiltré par le sens, il est même saturé de sens par ce réseau labyrinthique d'infinies correspondances internes. L'exégète ne saurait épuiser le texte qu'il interroge. Celui-ci sollicite toujours son interlocuteur, d'un lieu de question perpétuellement reculé, fuyant la prise. Le texte, si l'on se permet l'un de ces rares jeux sur les racines, jeux tolérés par la conscience linguistique française, sécrète sans fin son secret, qu'aucune exégèse ne saurait cerner, de quelque type qu'elle soit – structuraliste, psychanalytique, mathématique, expérimentaliste ou cabalistique[1], comme celle à laquelle se livre Khlebnikov sur *Pir vo vremja čumy* ; le « secret » est un trou d'absence qui fait que le texte artistique n'est jamais entièrement présent, c'est-à-dire réductible par différents procédés de critique causaliste à une structure de différences qui « l'expliquerait »[2]. On n'atteint jamais un savoir définitif en « étudiant » une œuvre d'art. Le principe de l'œuvre réside toujours « ailleurs » parce que l'œuvre n'est jamais totalement un fait, un objet, une donnée : elle est *et* elle n'est pas, ou, ce qui revient à dire la même chose, elle est toujours potentielle ; elle est toujours « présente-future », « entéléchique »[3]. Mais parce que l'œuvre est une matrice de formes, de structures qui procèdent indéfiniment les unes des autres, qui « s'expliquent » continuellement dans la succession temporelle, la lecture particulière que Khlebnikov fait des œuvres littéraires est pertinente. Il applique aux œuvres du passé ce qu'il a découvert sur certaines de ses propres œuvres : que l'œuvre, même si elle n'est pas toujours une expérimentation (au sens où *Bobèobi*..., etc. sont des pièces expérimentales), est une expérience de la langue. Le poème, en tant que produit d'une longue élaboration de la langue, obéit obligatoirement (souvent à l'insu de son auteur) aux lois immanentes de celle-ci ; l'œuvre, même privée de la conscience claire et distincte de l'auteur, est pourvue immanquablement d'une « raison », d'une conscience supérieure à celle de l'individu : la Raison, la conscience de la langue, cette raison transcendante (*Za-um'*) qui se trouve au cœur de la langue, et non dans quelque au-delà « métaphysique » ; aussi n'est-il pas absurde de parler de « *bezumnaja mysl'* ». Il y a toujours une raison cachée dans la pensée qui déraisonne. Khlebnikov écrit dans *Svojasi*[4] :

431 *Девий бог*, как не имеющий ни одной поправки, возникший случайно и внезапно как волна, выстрел творчества, может служить для изучения безумной мысли.

Так же внезапно написан *Чортик*, походя на быстрый пожар пластов молчания. Желание « умно » – а не заумно, понять слово привело к гибели художественного отношения к слову. Привожу это как предостережение.

C'est cette confiance proclamée dans la rationalité, en ultime instance, du langage de l'œuvre, qui fonde la possibilité d'explorer celle-ci comme un objet mathématique : l'explication de texte khlebnikovienne est une invention de l'œuvre comme objet à construire. Sur ce point, il devance la révolution formaliste :

431 Весь язык, каждая фраза, сказанная человеком является искусством : но среди их ровного поля высятся великие создания гениев воображения. В каждом материале, под рукой мастера, невообразимое количество возможностей, но наиболее безмерны средства языка,

écrit Burljuk dans « *Èntelexizm* »[1]. Et, de fait, c'est sur la scène de la langue la moins œuvrée possible que se joue avec le plus d'éclat et d'évidence, pour qui sait regarder, le grand jeu des forces cosmiques. La langue devient le lieu idéal où apparaît le grand acteur universel, le rythme, dont le masque est d'une transparence inversement proportionnelle à la nescience technique du poète. Le sentiment, l'intuition, la « naïveté » technique de l'artiste révèlent, mieux que les acrobaties rythmiques d'un ouvrier sûr de ses recettes, la nature du langage poétique : le vers libre (entendu ici au sens de vers où « l'erreur » rythmique est involontaire) offre le spectacle de la liberté de la langue dans le mouvement de sa création. C'est ainsi que, dans son article « *Pesni 13 vësen* », Khlebnikov présente, à partir d'une nouvelle « explication de texte » de quelques extraits de poèmes composés par une fillette de treize ans, un abrégé d'art poétique où il affirme avec éclat la préséance du rythme (ou, pour reprendre l'expression de K. Čukovskij, « l'autocratie du rythme »[2]) sur les autres facteurs constitutifs du vers en même temps que l'aspect théâtral de la langue poétique. « *Pesni 13 vësen* » peut être considéré comme une sorte d'introduction-commentaire aux quelques poèmes de cette jeune fille, nommée Milica, poèmes qui parurent dans le second recueil *Sadok sudej* sur les instances de Khlebnikov[3]. Mais la portée de ces lignes introductives dépasse de beaucoup celle d'une simple présentation. Elles mettent en avant quelques idées et concepts fondamentaux pour une juste compréhension du système poétique khlebnikovien et de son orientation « idéologique » également. De plus, dans ce texte, apparaît en toute lumière la métaphore théâtrale, consubstantielle à l'esprit de Khlebnikov et à sa représentation de la langue œuvrée par l'activité poétique. Peut-être s'agit-il ici, plus que d'une simple métaphore, d'une première saisie de la métaphoricité essentielle de la langue, qui se meut (« tourne ») toujours déjà par la métaphore. Voici quelques passages, parmi les plus significatifs, de ce texte capital[4] :

431 Прекрасно, когда после года молодого месяца славы рок берет свою свирель и прислоняет ее к нежным детским устам и заставляет ее звать о мужестве и к суровым добродетелям воинов.

Здесь можно заглянуть на сущность вольного размера. Вот *Песнь к ветру* : восемь слогов строки – восемь чисел, в одежде звука ; в них гулки нечетные слоги :

И под плач твой заунывный
Грустно стало мне самой.

Здесь весть строгость созерцания. Но в следующих шестнадцати слогах :

Ветер, перестань, противный,
Надоел сердитый вой.

над словом « перестань » нет двух ударов, и очаровательная свобода от ударных слогов вызывает смену действующего лица первых шестнадцати слогов действующим лицом вторых шестнадцати слогов.

Действующее лицо первых шестнадцати слогов скорбное, строгое, грустное. Вторые наделены веселой лукавой усмешкой и задором к ветру. Это юное смеющееся лицо. Итак, отвлеченная задача размера погрешностей заключается в том, что в нем размеры суть действующие лица, каждое с разными заданиями выступая на подмостках слова.

Очаровательная погрешность, только она приподымает покрывало с однообразно одетых размером строк, и только тогда мы узнаем, что их не одно, а несколько, толпа, потому что видим разные лица.

Заметим, что волевой рассудочный нажим, в изменении размера у В. Брюсова и Андрея Белого, не дает этих открытий подобно погрешности, и лица кажутся неестественными и искусственно написанными.

Итак, этот размер есть театр размеров.

Так как покрывало размера приподнято ворвавшимся ветром, и смотрит живое лицо.

Строчка есть ходьба или пляска входящего в одни двери и выходящего в другие.

Итак, строгий размер есть немая пляска, но свобода от него (не искусственная, а невольная) есть уже язык, чувство, одаренное словом.

Это общая черта людей песни будущего.

Замолчи, замолкни, ветер.
И меня ты пожалей.

трогательной просьбой кончается строчка.

Пользование выражением в « прекрасных хоромах » относительно римлянки и римской жизни указывает, что в этой душе даже самые высокие числа иноземного быта не выше чисел русского быта, и юный дух с отчаяния бросается на меч, доказывая это.

Итак, мы делаем вывод, что чувства этого сердца опережают его возраст. Они весть « я » в будущем – « я » сегодня.

(« *Песни 13 вёсен* »)

Nous soulignerons, de ce texte, trois aspects déterminants :

– Il s'agit d'un texte programmatique : *Sadok sudej II* paraît à un moment crucial dans la lutte des «futuriens» (*budetljane*) contre l'hégémonie 432 symboliste. D'où le caractère militant, voire martial du texte : « *Rok... zastavljaet eë zvat' o mužestve i k surovym dobrodeteljam voinov* [...] *junyj dux* [...] *brosaetsja na meč* », dont le ton est aussi impétueux que celui d'autres articles ou manifestes de la même période (par exemple « *My obvinjaem...* »[1] et « *Polemičeskie zametki 1913 goda* »[2] ainsi que la fin de l'article « *Učitel' i učenik* »[3] et la proclamation « *Budetljanskij* »[4]). Les poèmes de la jeune Milica sont un échantillon de l'art « futurien », et tout uniment de l'art du futur, au même titre (et à un titre éminemment démonstratif !) que les autres poèmes publiés dans le recueil (notamment ceux de Khlebnikov lui-même : *Gibel' Atlantidy*, *Pereverten'*, *Marija Večora*, *Xovun*, *Sutemki suvečer*, *Šaman i Venera*, *Krymskoe*) :

432 Это общая черта людей песни будущего.[5]

– Ce texte posant quelques-unes des thèses fondamentales du « futurianisme » (*budetljanstvo*), à tout le moins du « futurianisme » tel que le concevait à l'époque Khlebnikov, il n'est guère étonnant de voir avec quelle vigueur il s'oppose à certains traits du symbolisme, qui est présenté ici comme « l'ennemi » de l'avenir, de la jeunesse et du « futurianisme » confondus. Passons sur cet aspect violemment polémique, constitutif du ton général des manifestes « futuriens » de l'époque, et dont nous reparlerons à propos de la genèse du groupe « futurien ». Remarquons seulement, au passage, l'agressivité avec laquelle est affirmé le « principe de slavité » en poésie contre l'Occident et les Occidentalistes de Russie (c'est-à-dire, dans le présent contexte, les symbolistes) à propos du refrain très slavophile, en effet, dans *Xoču umeret'* :

432

И в русскую землю
Зароют меня
Французский не буду
Учить никогда.
В немецкую книгу
Не буду смотреть.
Скорее, скорее
Хочу умереть.[6]

Le commentaire de Khlebnikov[7] :

432 Вот слава на щите юной волны. Не могли бы поучиться ей взрослые. Итак, взрослые не отравленную ли чашу бытия дают детям России завтра, если могла возникнуть эта горькая решимость. [...]. Итак, к детскому сердцу мировая скорбь находит путь через французский и немецкий, через умаление прав русских

fait écho au très violent article antisymboliste : « *My obvinjaem* »[8], de 1912 :

433 Мы обвиняем в том, что старшие поколения дают младшим чашу бытия отравленной.

[...] . Да в этом смысл жизни Андреева, Арцыбашева, Сологуба и других, чтобы мы, выступающие в жизнь, выпили отравленную чашу бытия, невинными глазами принимая ее за лучший напиток, а молодую змею принимали за безобидную подробность, тесемку, изящно обвившую сноп трав.

– Le troisième aspect, de loin le plus important dans le point qui nous occupe ici, à savoir le fonctionnement du système poétique khlebnikovien, est l'attaque menée par Khlebnikov contre les symbolistes, sur le terrain même de l'art poétique, pour asseoir sa propre conception des rapports de la technique et du langage, au niveau essentiel des principes de la versification. Ce que définit ici Khlebnikov, ou du moins ce qu'il tente de définir, n'est rien moins que la spécificité du langage poétique : il esquisse une nouvelle hiérarchie des valeurs dans le système poétique. Texte étrange que celui-ci où l'on voit un « futurien » se faire le champion des droits de l'inspiration et du sentiment contre l'art (l'artificialité) conscient et raisonné des deux grands maîtres et théoriciens de la technique poétique contemporaine, deux « symbolistes », A. Belyj et V. Brjusov. Cependant, ce texte n'est étrange que par rapport à une certaine image, déjà traditionnelle, du « futurianisme » (et du « futurisme » en général), qui oublie que ce « mouvement » fut avant tout un changement de la sensibilité au début de ce siècle. Lorsque Khlebnikov écrit[1] :

433 Итак, строгий размер есть немая пляска, но свобода от него (не искусственная, а невольная) есть уже язык, чувство, одаренное словом.

[...] . Итак, мы делаем вывод, что чувства этого сердца опережают его возраст,

nous le voyons, pour ainsi dire, se faire le fourrier de la nouvelle sensibilité, du nouveau *čuvstvo* et l'ambiguïté de sa défense[2], lorsqu'il parle de la « voix du sentiment », se retrouve chez tous les *zaumniki* et « alogistes » (Kručënyx, Zdanevič, Malevič) qui prétendent faire de l'art l'expression *directe*, la traduction immédiate du *čuvstvo*. Le mot éclaté, pulvérisé, en effet, transmettrait, exprimerait immédiatement le sentiment, l'émotion. Nous n'en sommes pas encore là dans ce texte où il n'est question que de « faute », au demeurant charmante (« *očarovatel'naja pogrešnost'* »), mais la voie est déjà tracée qui mène du « primitivisme infantile » au primitivisme tout court, c'est-à-dire à l'expression brute, « première », des sensations, des sentiments nouveaux qui *font* la nouvelle esthétique. Il faut cependant, pour apprécier cette « pointe » khlebnikovienne, retrouver le climat poétique de l'époque, climat dans lequel se forment le goût et le talent de ces jeunes poètes qui devaient s'émanciper de la tutelle des aînés symbolistes en brandissant l'étendard de la révolte « futuriste » (et acméiste, plus modérément) :

433 Это восстание молодежи.
Мы щит и вождь ее против старцев.[3]

Lorsque Khlebnikov rédige son article « *Pesni 13 vësen* » pour *Sadok sudej II* (à la fin de 1912 ou au début de 1913), il y a à peine trois ans qu'a paru le volumineux *Simvolizm* d'A. Belyj, dont nous avons déjà dit qu'il était une « somme » de l'art poétique symboliste (et, dans un certain sens, de la technique poétique en général) ; d'autre part, V. Brjusov, qui venait de donner dans *Tertia Vigilia*, *Vse napevy*, *Sem' cvetov radugi* et *Devjataja Kamena* quelques spécimens de belle versification commençait deux œuvres qui devaient faire date dans la démonstration des prouesses poétiques dont un auteur conscient de son métier était capable : *Sny čelovečestva* et *Opyty*.

433 Брюсов, может быть, превзошел Хлебникова в поэтическом экспериментаторстве,

écrivent les auteurs de *Poèzija pervyx let Revoljucii*[1]. Mais ces œuvres-là ne furent publiées qu'en 1913 (donc après la date présumée de la rédaction de « *Pesni 13 vësen* ») ; cependant, Brjusov, de par ses publications précédentes ainsi que par ses préoccupations contemporaines des débuts du « futurianisme », pouvait passer, avec raison, pour un autre maître éminent du vers. Outre les virtuosités versificatoires dont faisaient montre certains de ses recueils parus entre 1900 et 1910, il partageait avec un autre « maître » du symbolisme, Vjač. Ivanov, l'ambition de créer une sorte de panoptique de la culture poétique universelle, de monter une « scène » poétique où se déroulerait le jeu des différents systèmes et des différentes techniques poétiques du monde entier, aussi bien dans une perspective diachronique, historique, évolutive, que sur le plan de la synchronie. Brjusov écrivait dans un projet de préface à *Sny čelovečestva* :

433 Замысел : Представить все формы, какие прошла лирика у всех народов во все времена...[2]

В целом – хрестоматия всемирной поэзии, которая могла бы русского читателя ознакомить со всеми формами лирической поэзии...[3]

Dans une autre variante de préface pour le même ouvrage, il déclare tout le grandiose de son projet :

433 ...Я хочу воспроизвести на русском языке, в последовательном ряде стихотворений все формы, в какие облекалась человеческая лирика.

От безыскусственных песен первобытных племен, через лирику древнего Востока, античной древности, народов, создавших новую Европу, и народов, населявших Америку до ее завоевания конкистадорами, через все многообразие искусственной поэзии, как она была разработана на последние тричетыре столетия, вплоть до форм, найденных недавним прошлым и отыскиваемых поэтами « сегодняшнего дня », – я хочу представить своим читателям образцы всех приемов, какими пользовался человек, чтобы выразить лирическое содержание своей души. В целом *Сны человечества* должны быть « хрестоматией всемирной поэзии ».[4]

On comprend dès lors l'inquiétude des « futuriens », avec leur prétention à l'exclusivité dans l'innovation technique, mais aussi la ruse tactique de

Khlebnikov, lorsqu'il transporte, comme il le fait dans « *Pesni 13 vësen* », la scène à l'intérieur du fonctionnement du langage poétique. L'intention polémique est patente, mais le coup est habile, puisque c'est précisément la faute inconsciente, le « raté » poétique dû à l'impéritie de son auteur qui devient, grâce au « futurianisme », un trait plein de sens (nous n'osons guère employer, en cette occasion, le mot « procédé ») que Khlebnikov revendique comme profondément digne de l'art poétique nouveau (l'art « futurien ») en tant qu'il est signe d'une nouvelle sensibilité. La faute, l'erreur, la discordance *involontaires* produisent une poésie qui manifeste la nouvelle esthétique, celle justement qui est « empoisonnée » par la froide « modernité » occidentale des symbolistes.

433 Итак, этот размер есть театр размеров.
Так как покрывало размера приподнято ворвавшимся ветром, и смотрит живое лицо.[1]

Le vivant personnage qui entre et qui sort sur les tréteaux du texte poétique, au fil des lignes est la mesure (*razmer*), « l'âme de la danse », l'expression du sentiment, lorsque la règle chorégraphique est enfreinte en toute innocence. La faute ingénue, naïve, fonctionne comme une libération de la vérité du poème, autrement tenue captive par la loi de la mesure consciente de soi. L'apparition du visage de la poésie est liée à la condition de la naïveté enfantine, primesautière et primitive. Le « primitivisme infantile » des « futuriens » (et celui de Khlebnikov en tout premier lieu) est, on le voit à cette esquisse de « *Pesni 13 vësen* », une ruse du poète très sûr des procédés de son art (qu'il proclame nouveau) puisqu'il érige en fait conscient des fautes réellement inconscientes chez les enfants ou les « malhabiles », les « primitifs ». Ce que découvre Khlebnikov dans la « charmante faute » de Milica contre la norme métrique, c'est la nature de la langue poétique surprise dans son vrai fonctionnement. L'« erreur » inconsciente révèle la poéticité à l'œuvre dans le langage mal maîtrisé :

433 Очаровательная погрешность, только она приподымает покрывало с однообразно одетых размеров строк, и только тогда мы узнаем, что их не одно, а несколько, толпа, потому что видим разные лица.[2]

La faute est donc transformée, par la prise de conscience khlebnikovienne, en véritable signal poétique. L'art, comme système conflictuel résorbé, doit surmonter les contradictions dont il vit, mais pas totalement, de façon à laisser voir qu'il est une domestication du matériau ; il doit donc révéler par quelque faute, ou quelque discordance, son aspect « polémique ». L'œuvre parfaite, par contre, qui révèle la maîtrise de son auteur – comme c'est le cas chez Brjusov et Belyj, que cite Khlebnikov :

433 Заметим, что волевой рассудочный нажим, в изменении размера у В. Брюсова и Андрея Белого, не дает этих открытий подобно погрешности, и лица кажутся неестественными и искусственно написанными.[1]

– masque l'opération par laquelle le matériau a été dominé. L'œuvre, telle que l'entend Khlebnikov, et avec lui les « futuriens », doit être un quasi-surmontement du langage, qui doit faire voir, sentir, par quelque aspect discordant, « fautif », la résistance qu'il oppose au domptage des règles de l'art. N.I. Kul'bin écrivait en 1910, dans le recueil *Studija impressionistov* (ce même recueil où Khlebnikov avait donné, à côté de *Truščoby,* son fameux poème *Zakljatie smexom*) :

433 Гармония и диссонанс – основные явления мироздания. Они универсальны, общи для всей природы. На них основано искусство.

Жизнь обусловливается игрой взаимных отношении гармонии и диссонанса, их борьбой...

Совершенная гармония – нирванна, к ней стремится усталое Я.

Совершенная гармония – смерть...

Усложнение формы сопровождается диссонансом.[2]

Mais Khlebnikov semble ne pas remarquer sa contradiction dans la valorisation de la « disharmonie », de la « fausse note » : à proprement parler, la «faute» n'existe pas pour l'enfant naïve qu'est supposée être Milica, aux yeux du «futurien». La faute ne peut être sentie que par le maître, et ne peut être *valorisée* que par l'adepte d'une certaine école. Il y a loin de la «naïve fraîcheur enfantine» à la faute-valeur, la faute-procédé, la dissonance facteur d'harmonie ! «L'infantilisme» des «futuriens» ne peut être qu'une attitude d'adulte, très étudiée et réfléchie ; au vrai, « l'infantilisme » est une invention de grandes personnes, et le charme des enfants, de leurs gestes, de leurs paroles, de leurs œuvres vient précisément de ce qu'ils ignorent superbement l'âge du monde. Le retour évangélique à l'enfance, illustré par maint « futurien » dans son langage, a leurré plus d'un critique. Ainsi, par exemple, K. Čukovskij :

J'ai toujours été partisan de ce langage (il s'agit des néologismes d'I. Severjanin) et j'affirme depuis dix ans qu'il est régulier, inévitable et précieux. Il m'est particulièrement cher d'observer de pareilles tendances dans la langue des enfants : *découille-moi l'œuf* dit l'enfant de quatre ans – *le cheval m'a chevalé* – *le bouc encorne* – *le sapin est débougillé.* Et si vous lui demandez ce que c'est qu'un *krol* il vous répondra que *krol* c'est un *krolik* non petit, mais grand. Igor Severianine n'est pas un enfant de trois ans. Il est vrai que Severianine n'appellera pas le *potchtalion* (le facteur), un *potchtanikom*, mais est-ce qu'il ne pourrait pas dire : *le train a éternué, je me suis enconfituré, applique-moi une mouillon-presse ?*

Je ne dis pas cela pour blâmer mais pour féliciter Severianine. J'ai déjà prouvé plus d'une fois que quelque part dans les couches subconscientes de l'âme, il se cache chez les petits enfants une sensibilité si subtile à l'égard de toutes les règles et de toutes les formes de la langue maternelle que si vers cinq ou six ans on échappait à la nécessité biologique et si cette sensibilité ne s'émoussait pas, à dix ans tous seraient des Flaubert.

Il est remarquable que notre illustre linguiste, le professeur Baudouin de Courtenay, ait déclaré depuis longtemps que le futurisme était un gazouillement enfantin :

L'enfant – écrit Baudouin de Courtenay – ***prend possession de l'avenir en prédisant par les particularités de son langage l'état futur de la langue de la tribu, et ce n'est que plus tard qu'il fait, pour ainsi dire, marche arrière en se conformant de plus en plus à la langue normale de ceux qui l'entourent.***

Cela veut dire que l'on a le droit d'appeler Severianine un poète du futur, car Assia à trois ans disait sans avoir lu ses poèmes : Engaloche *mes jambes*, martèle *ce clou, le papier s'est dépunaisé*.[1]

Car, s'il y a bien identité de structure dans les procédés de lexation de l'enfant et du poète, dans la liberté rythmique de Milica et certaines licences métriques de tel ou tel poème « primitiviste », « naïf » de Khlebnikov, l'infantilisme ou la naïveté ne sont pas à chercher du côté des enfants, mais des poètes conscients qui élaborent un nouvel art poétique orienté contre la « structure excessive » des symbolistes, contre l'excès d'art d'un Brjusov, d'un Belyj ou d'un Vjač. Ivanov. Ce que cache le terme « infantilisme », c'est une relève dans la technique poétique et, indissociablement, dans une certaine conception de l'art poétique qui doit se mettre, désormais, au service d'une nouvelle sensation du monde, d'une nouvelle sensibilité ou, pour employer le terme exact, d'une nouvelle *αἴσθησις*. A cet égard, « *Pesni 13 vësen* » est un des premiers arguments du « futurianisme » naissant contre la dictature du sens, de la raison, de la conscience de la « poésie poéticienne » symboliste, au nom d'un sens, d'une raison, d'une conscience supérieurs, qui outrent les canons de la vieille école, annonçant ainsi les principes d'un art transcendant : l'art « outre-raison » (*Zaumnoe iskusstvo*).

La métaphore théâtrale, qui traverse le texte de Khlebnikov (*dejstvujuščee lico* ; *podmostki* ; *pokryvalo* ; *lico* ; *teatr razmerov* ; *pljaska vxodjaščego*..., etc.) n'est pas exempte de certaines arrière-pensées : pour Khlebnikov, comme pour ses compagnons *budetljane*, la langue poétique est le théâtre où se joue le Monde. La poésie moderne, celle qui choisit délibérément de s'orienter vers l'avenir, est un théâtre pour le temps présent (avant de devenir un Musée de la culture des temps passés) ; et le théâtre, à son tour, est le lieu d'élection où la langue peut jouer sa propre aventure, se donner en représentation comme le seul thème authentiquement spectaculaire : le spectacle se joue, en effet, déjà dans la langue, séquence d'événements singuliers, impromptus, imprévisibles. Quoi d'étonnant à ce que Khlebnikov ait choisi la scène comme tribune d'où la langue et la science pussent se contempler, et se donner en contemplation, non comme personnes ou allégories (comme cela était le cas dans le drame symboliste contemporain[2], où c'étaient les abstractions et quintessences d'Idées de la poésie symboliste qui parlaient et agissaient sur la scène, à l'instar des « Mystères » du Moyen-Age occidental) mais comme le drame lui-même qui fonde l'histoire du Monde ? Ainsi, tout naturellement, est-ce la « langue-thème » qui va, chez Khlebnikov, susciter son genre, un genre « transgénérique » : le « drame futurien » dont le modèle achevé est *Zangezi.*

La forme du système

a) *Zangezi*

Zangezi est l'encyclopédie du savoir scientifique et du pouvoir poétique de Khlebnikov. Placé au terme de sa carrière poétique comme chef-d'œuvre, ce monument poétique dessine rétrospectivement le sens général de l'œuvre entier de Khlebnikov. Quelques critiques, apparemment obnubilés par le « contenu », négligent le fait que *Zangezi* est une pièce de théâtre, même si, pour certains d'entre eux, c'est une pièce sans action, peu faite pour la scène. Ainsi, par exemple, constatant l'échec de la mise en scène de Tatlin au « Muzej Xudožestvennoj Kul'tury », en mai 1923, S. Jutnevič l'explique, en se référant à l'observation de N. Punin, par le caractère particulier de l'œuvre de Khlebnikov, qui n'en ferait pas une « pièce » au sens traditionnel du terme :

433 Задача тем особенно трудная, что « Зангези » не пьеса, а поэма и что ее нужно было инсценировать т.е. изобрести или точнее, найти в ней действие.[1]

A. Red'ko, dans son ouvrage *Teatr i èvoljucija teatral'nyx form*, interprète *Zangezi* comme une tentative pour entraîner le spectateur dans le domaine du « *zaum'e* » (*sic* !). Pour Red'ko, *Zangezi* est une pièce écrite dans le langage « *zaum'* », et ceci explique cela ![2] ... Le témoignage le plus intéressant, et de loin, mais le plus complexe, vu les relations particulières qu'entretenait son auteur avec le « futurianisme », est celui de K. Malevič, exhumé d'archives personnelles, et publié, dans une traduction anglaise, sous le titre : « About *Zangezi* »[3] :

433 Velemir Victor Khlebnikov Zangezi was one of the comets which was attracted by the earth into its system of events, reason, numerals and language, but it seems to me that Zangezi was not imprisoned, taken out of his free order which lay outside reason in zaum ; on the contrary, Zangezi ran to earth, as its own inalienable, original particle of reason, attempting to discover, or bringing the boards of fate, the draught of future events. What today is guesswork and assumptions must tomorrow become a clear event, like the eclipse of the moon for the astronomer.

To me Khlebnikov's poetry belongs to reason, every letter built by him is a note of the renewed practical world's song. It is reason again, transferring itself into a new existence of form.

In Zangezi's book we find in 'plane I' an academic imitation of the language of birds. In 'plan II' – the conversation of gods. Gods and little gods have started to talk amongst themselves using incomprehensible words, or they turn to us, the community which is accustomed to talk in one and the same language with the gods ; of course the community is at a loss hearing that Junona is pronouncing : 'Para pirururu, leololo buaro, vichealo, sesese, and Erot Emch', Amch, Umch'. If Socrates had listened to this conversation he too would have said to the people : The Gods are mad, thez have gone beyond reason, turned to zaum – similarly, the community has judged that Zangezi Velemir Khlebnikov is the alpha of zaum-poetry constellation. Zangezi is the alpha of Futurism, although already these two are highly different and have nothing in common in their structure.

As far as I know the constellation of Futurism, Non-objectivity and zaum, Zangezi's alpha does not belong to them, but rather to the constellation of the earth. Zangezi is dead. Zangezi stems from the root of numbers and words of earthly calculations. The calendar of the events of yesterday, today and tomorrow. He tore out the first page, and on this alpha Zangezi comes to an end, passes away, merely because on the board of fate discovered by him he could not change the drawn-up scheme, leaving his task to Beta.[1]

Retenons de cette critique sévère et très marquée par la philosophie suprématiste de son auteur, d'une part l'intéressante identification de Zangezi (le protagoniste du drame) et de Khlebnikov (car l'auteur, nulle part dans la pièce – ni même ailleurs – ne pose explicitement cette assimilation de lui-même à son personnage), et, d'autre part, la distinction formelle établie entre « futurisme » et « poésie-zaum' ». Nous aurons bientôt à distinguer les différents ordres de langage en lesquels est écrit *Zangezi* ; il est, en effet, inexact de présenter la pièce, ainsi que le font (pour des raisons diamétralement opposées) Red'ko et Malevič, comme écrite entièrement dans le langage « *zaum'* ». Il est encore plus inexact de n'y voir qu'une ordinaire parade langagière. Car *Zangezi* est un véritable drame, mais un drame d'un type nouveau, avec une action sans acteur. C'est un poème scénique où la poésie se récite, indifféremment, par la bouche de tel ou tel « hérault ». Ce qui se profère sur la scène est le drame de la langue et du temps, le drame de l'histoire. Théâtral, *Zangezi* l'est éminemment dans ce projet démonstratif, mais aussi dans la dénonciation, la « dénudation » publique, des procédés de montage et dans l'agencement de ses parties hétérogènes en une seule et même structure scénique qui fait de la pièce un chef-d'œuvre de constructivisme théâtral[2]. C'est dans la jonction entre Poésie et Théorie que réside la signification (le « thème sémantique ») de cette somme khlebnikovienne. La scène se présente comme la forme (et la formule) adéquate où s'opère la synthèse de la théorie et de la pratique poétiques, la forme idéale du système poétique khlebnikovien, du fait même de son dynamisme : si rien ne s'y passe, au sens commun du terme, la langue et l'histoire passent devant les « yeux » et les « oreilles » du spectateur, c'est l'évolution de la langue-histoire qui s'offre à la contemplation de l'intellect.

Examinons plus attentivement les différents plans de langage qui constituent les différentes surfaces ou « panneaux » (*ploskosti*) de la pièce. D'après N. Stepanov, Khlebnikov en dénombrait sept :

434

1. « Звукопись » – птичий язык.
2. Язык богов.
3. Звездный язык.
4. Заумный язык – « плоскость мысли ».
5. Разложение слова.
6. Звукопись.
7. Безумный язык.[1]

Ce n'est d'ailleurs, toujours d'après le témoignage de N. Stepanov, qu'une faible partie des strates langagières manipulées ou inventées par le poète, qui en recensait lui-même vingt :

434

1. Число-слово
2. Заумный язык.
3. Звукопись.
4. Словотворчество.
5. Разложение слова.
6. Иностранные слова.
7. Даль
8. Жестокие слова.
9. Нежные-сладкие.
10. Косое созвучие.
11. Цели... созвучия.
12. Вывихи слова.
13. Перевертни.
14. Народные слова.
15. Общеславянские слова.
16. Звездный язык.
17. Вращение слова.
18. Бурный язык.
19. Безумные слова.
20. Тайный язык.[2]

Cependant la distribution des registres, dans *Zangezi*, n'est pas tout à fait semblable à ce comput d'une précision toute mathématique. D'autre part, et là se manifeste le constructivisme de la pièce, il y a réarrangement et incorporation dans une structure dramatique qui en modifie profondément le sens de morceaux composés à des dates différentes, et pourvus d'une valeur poétique rebelle à toute comparaison et homogénéisation ; ceci rend particulièrement improbable la réduction de *Zangezi* à une quelconque unité stylistique. La pièce est tout le contraire d'une œuvre monolithique, mais s'offre comme un polyptyque. Il faut donc analyser avec précision ce « système du système » que représente *Zangezi*.

a) Le premier plan est un concert d'oiseaux, que Malevič appelle, dans l'article précédemment cité, « an academic imitation of the language of birds »[3]. Pourtant, l'académisme ne tient pas à l'imitation du «langage» des oiseaux, mais au genre même du « langage des oiseaux ». En 1913 en effet, Khlebnikov publiait dans *Rykajuščij Parnas* un petit sketch « *Mudrost' v silke* » qui anticipe le premier plan de *Zangezi* (il n'y a pas eu en effet reprise directe du morceau dans la pièce, mais les procédés de confection du langage des oiseaux sont les mêmes ici et là) :

434 Славка : беботэу-вевять !
Вьюрок : тьерти-едигреди !

Овсянка : кри-ти-ти-ти, тии !
Дубровник : вьор-вэр,виру, сьек, сьек, сьек !
Дятел : тпрань, тпрань, тпрань, а-ань !
Пеночка зеленая : прынь, пцирэб, пцирэб ! Пцирэб, сэ, сэ, сэ !
Лесное божество (с распущенными волнистыми волосами, с голубыми глазами, прижимает ребенка) :

Но знаю я, пока живу,
Что есть уа, что есть ау.

(Покрывает поцелуями голову ребенка).
Славка : беботэу-вевять ![1]

C'est ce plan de langage que Khlebnikov appelle dans ses notes : « *Zvukopis' – ptičij jazyk* », créant une fâcheuse confusion avec un autre plan de langage également « *zvukopis'* » et qui n'a rien de commun, dans son intention et son mécanisme propre, avec le langage des oiseaux[2]. Le premier plan de *Zangezi* offre un spécimen de poésie expérimentale, qui tente d'explorer les potentialités poétiques du « vocabulaire » très limité de ce que les psychologues appellent le langage animal, mais qui représente en réalité la « traduction », en langage humain, de cris animaux, de par leur nature situés hors des limites d'un système phonologique quelconque (donc hors des limites de toute langue humaine). Le premier plan de *Zangezi* livre donc, au sens le plus rigoureux du terme, un échantillon de poésie onomatopéique. Ceci rectifie assurément « l'académique imitation » de Malevič, car Khlebnikov n'imite rien. Il est peu probable que l'oiseleur qui parcourt la scène après le concert onomatopéique[3] pipe aucun oiseau. Ces oiseaux, en effet, sont des objets d'imagination et leur existence participe d'un ordre purement scénique : Khlebnikov exhibe les procédés par lesquels la langue russe se transpose, stylistiquement, en langage d'oiseau. Les timbres, les mécanismes articulatoires mis en œuvre par certaines séquences phoniques :

435 Пить пэт твичан / цы-цы-цы-сссыы / Пиу ! пиу ! пьяк, пьяк, пьяк...

les rythmes soigneusement indiqués :

435 Вьер-вьор ви́ру сьек сьек сьек ! Вэр-вэр ви́ру сек- сек- сѐк !
435 Пры́нь ! пцире́п-пцире́б ! Пциреб ! – цэсэсэ̀...[4]

collaborent conjointement à revivifier l'expressivité phonétique de la langue. Le premier plan de *Zangezi* consiste ainsi en un exercice stylistique, premier palier (hors de toute lexation sémantique) vers la néologie paronomastique[5].

b) Le deuxième plan (relayé par le onzième, à cause des contraintes d'ordre dramatique) introduit une autre couche de langage : le langage des dieux. A première vue, il ne paraît guère se distinguer de celui des oiseaux. L'auguste assemblée, « nichée » (« *zdes' gnezdujut bogi* ») sur des falaises de carton pâte, pépie, roucoule, jacasse, comme la gent ailée du panneau précédent. Cependant, malgré la similitude extérieure des séquences phoniques, il y a une notable différence entre les deux tableaux : tout d'abord, les dieux sont des personnages mythologiques qui incarnent les puissances secrètes de la langue. Les clameurs de victoire poussées par l'assistance, en réponse à l'extraordinaire « oraison » de Zangezi, dans laquelle ce dernier dévoile les secrets de la langue, effarouchent les dieux et les étrangent de la contrée. (Plan XI, « *Bogi uleteli, ispugannye mošč'ju našix golosov* »[1].) Ils sont le symbole assez rudimentaire des mystères de la langue, mystères qui « s'envolent » grâce à la doctrine de Zangezi. La « science linguistique » proclamée par le prophète annonce le véritable crépuscule des dieux. Ensuite, et ce second aspect justifie la différence majeure entre le registre langagier du deuxième plan et celui du premier, le langage des dieux se dégage totalement de l'hypothèque imitative qui pesait sur l'onomatopéisme ornithologique ; on ne saurait mimer, en effet, une langue par essence inouïe : Socrate, assure Malevič, s'il eût entendu Eros et Junon (*sic !*) prononcer

435 Эрот : Эмчь, Амчь, Умчь !
Думчи, дамчи, домчи,
Макарако киочерк !
Цицилици цицици !
Кукарики кикику.
Ричи чичи ци-ци-ци.
Ольга, эльга, Альга !
Пиц, пачь, почь ! Эхамчи !
Юнона : Пирарара – пирургуру !
Лео лоло буароо !
Вичеоло сесесе !
Вичи ! Вичи ! иби би !
Зизазиза изазо !
Эпсь, Апс, Эпс !
Мури-гури рикоко !
Мио, мао, мум !
Эп ![2]

n'eût pas manqué de faire remarquer que les dieux déraisonnaient, parlant « outre-raison », c'est-à-dire en (langage) « *zaum'* ». C'est peu probable – Socrate, du moins le Socrate que nous présente Platon dans le *Cratyle* aurait plutôt reconnu dans le plan II de *Zangezi* le langage propre aux dieux, « celui dans lequel ils donnent avec justesse ces noms qui sont les noms naturels »[3]. Le langage des dieux excède la limite du cadre linguistique, puisque la suite des sons qui le constituent (choisis cependant parmi les sons possibles du langage articulé) ne peut plus recevoir de signification, privée qu'elle est du support imitatif (mimétique). Le langage divin, quasi ineffable, représente une tentative à la limite, dont la finalité est d'aider à mieux comprendre les ressorts cachés du système poétique général, de ce que les critiques « formalistes » appellent la « poéticité ». Congédiant le sens, il se libère des contraintes de la communication ordinaire (quels messages, en effet, pourraient délivrer les dieux ?) pour mieux faire apparaître l'incommunicabilité inhérente au langage poétique, désormais purifié du sémantique et guidé par le seul thématique[1] : la forme phono-rythmique, le rythme pur *dans* la sécution phonématique libre, car libérée des contraintes de *l'ordre* sémantique. Le charabia du panthéon universel est un langage merveilleusement esthétique : le « miracle » de cette poésie d'épiphanie est de n'être plus qu'un vouloir de paroles, non soumis à un dire. *Ne* voulant *rien* dire, elle vise à cette finalité sans fin dont Kant fait le secret de la beauté en art, et qui est l'expressivité pour elle-même, rendue à elle-même. Jakobson nomme cette « expressivité autonome » la fiction esthétique du langage poétique ; de fait, le langage poétique atteint ici cet état de grâce où, assujetti à rien d'autre qu'à ses propres lois rythmiques, il apparaît comme un déferlement de liberté, régulé par les pulsions propres de la langue.

Les dieux sont au-delà de la « mesure », du « mètre » humain. Mais la raison de leur langue secrète et « juste », pour reprendre le mot de Socrate, est la raison cachée au plus profond de toute langue : le rythme musical. Celui-ci est universel. Le langage des dieux est un palier supérieur qui conduit vers la *vérité* de la langue, vers les lois immanentes de la « *zaum'* » authentique[2].

— Après l'intermède constitué par le plan des « paroles bigarrées » (échantillon du langage vulgaire, fait de propos insignifiants, de clichés, de lieux communs (plan III)[3] et la lecture d'un manuscrit qui n'est autre que celui des « Tables du Destin » (plan IV)[4]), les plans VI, VII, le début du plan VIII, présentent un spécimen de langage appelé indifféremment « poésie autonome », « discours transrationnel », « paroles de l'Alphabet » (nous mettons en italique les différentes expressions qui désignent ce langage) :

435 Спой нам *самовитые песни* !...Прочти на *заумной речи.* Расскажи про наше страшное время *словами Азбуки* ![5]

La terminologie est flottante, mais cette confusion est le fait non de Zangezi, mais de la troupe de ses fidèles qui réclament de lui une récitation publique de ses productions les plus abstruses (chœur des « fidèles », « *verujuščie* »)[6]. Or la langue stellaire qui s'annonce dans la grammatomachie du plan VII et s'explicite dans le plan VIII comme la langue universelle destinée à unir des étoiles entre elles (véritable langage algorithmique servant à établir des communications avec des civilisations extra-terrestres !) se distingue subtilement du langage transrationnel : ce dernier, situé expressément par Khlebnikov sur le plan de la seule pensée, de la raison (du *νοῦς*) institue une cinétique noologique abstraite (*Zaumnyj jazyk* – « *ploskost' mysli* »), une sorte d'hodographe des mouvements de la pensée (qui sont, dans le système matérialiste « moniste » de Khlebnikov, homologues de ceux de l'espace), tandis que le langage des étoiles est l'application de ce code abstrait (tel qu'il est glosé à la fin du plan VIII) aux besoins de la communication. Ceci explique le caractère mixte du « poème stellaire » (comportant à la fois les signes du langage transrationnel et leur glose en langage « vulgaire ») :

Где рой зеленых ха для двух
И Эль одежд во время бега,
Го облаков над играми людей,
Вэ толп кругом незримого огня
И ла труда, и пэ игры и пенья,
Че юноши – рубашка голубая,
Зо голубой рубашки – зарево и сверк.
Вэ кудрей мимо лиц,
Вэ веток вдоль ствола сосен,
Вэ звезд ночного мира над осью,
Че девушек – червонная рубаха,
Го девушек – венки лесных цветов
И со лучей веселья,
Вэ люда по кольцу,
Эс радостей весенних,
Мо моря, скорби и печали.
И пи веселых голосов,
И пэ раскатов смеха,
Вэ веток от дыханья ветра,
Недолги ка покоя.
Девы ! Парни, больше пэ ! Больше пи !
Всем будет ка – могила !
Эс смеха, да веревкою волос,
А рощи – ха весенних дел,
Дубровы – ха богов желанья,
А брови – ха весенних взоров
И косы – ха полночных лиц.
И мо волос на кудри длинные,
И ла труда во время бега,
И вэ веселья, пэ речей,
Па рукавов сорочки белой,
Вэ черных змей косы,
Зи глаз.
Ро золотое кудрей у парней.
Пи смеха ! пи подков и бега искры !
Мо грусти и тоски,
Мо прежнего унынья.
Го камня в высоте,
Вэ волн речных, вэ ветра и деревьев,
Созвездье го ночного мира,

Та тени вечеровой – дева,
И за-за радостей – глаза.
Вэ пламени незримого толпа.
И пенья пэ,
И пенья ро сквозь тишину
И криков пи.[1]

Le tocsin de la raison, l'angélus de l'esprit (« *blagovest' v um, nabat v razum* ») est un nouvel intermède, véritable prouesse verbale, qui réussit à combiner, en une longue litanie onomatopéique (le timbre des mots imitant le son étouffé d'un gong) le mot-thème *um* (« esprit », « raison ») avec une riche variété de préfixes, dont beaucoup coïncident avec des prépositions russes (*So-um*, *Pro-um*, *Pri-um*, *Za-um*, *Vy-um*, *Vo-um*, *Do-um*, *Ko-um*, etc.), les autres reprenant les sons fondamentaux de l'« alphabet » stellaire. « *Um* » est la syllabe mystique du prophète Zangezi, dans le nom duquel, d'après Khlebnikov, résonne le bruit des eaux du Gange[2]. Le plan X, vaste pantogramme[3] basé sur le son M, assure la transition vers le finale de la grammatomachie annoncée au plan VII, tout en représentant un enrichissement poétique du procédé initial, puisque le pantogramme se double d'un métaplasme procédant par suppression – adjonction de phonèmes (permutation de P, M et B : *mogatyr'/bogatyr', možar/požar*, etc.) :

Иди, могатырь !
Шагай, могатырь ! Можарь, можар ![4]

– Les plans XIII et XIV (ainsi que le début du plan XIX « *Iverni vyverni* » jusqu'à « *dobryj kon'* »[5]) ne correspondent pas à ce que Khlebnikov nomme, dans le brouillon d'une note, « *Razloženie slova* ». La théorie de la décomposition du mot est assez bien expliquée et illustrée dans l'article inédit publié par Kručënyx en 1930, dans le numéro 15 de la suite *Neizdannyj Xlebnikov*[6]. L'analyse du mot est l'exercice propédeutique qui conduit aux principes de la « *zaum'* », cinétique des lois de l'esprit révélées dans les lois du fonctionnement de la langue. Or, le long poème qui s'étend sur les deux panneaux treize et quatorze (c'est un seul et même poème, interrompu seulement par les cris de la foule qui n'y entend rien) n'est pas composé selon les principes du langage transrationnel.

Безумью барщина
И тарабарщина,
На каком языке господин Зангези ?[7]

demande une voix dans l'assistance. C'est bien naturellement la question qui se pose, à propos de la nouvelle exhibition de Zangezi réalisée dans un style qui rompt abruptement avec les dogmes de la doctrine linguistique, révélés et illustrés dans les panneaux précédents. Car, à présent, le ton se fait lyrique : le poème commence dans un silence recueilli (*Tiše*)[1], et se termine dans l'aveu chuchoté :

> ...я один, скрестив руку,
> Гробизны певцом.
> Я небыть. Я таковичь.[2]

La foule, d'ailleurs, ne s'y trompe pas, qui vocifère :

435 Зангези ! Что-нибудь земное ! Довольно неба ! Грянь комаринскую ! Мыслитель, скажи что-нибудь веселенькое. Толпа хочет веселого. Что поделаешь, – время послеобеденное.[3]

Or, ce poème fait écho à deux autres productions de Khlebnikov, dont nous avons déjà parlé : *Èto parus rekača* et *Morskoj bereg*. Des procédés communs régissent la composition de ces trois longs poèmes qui appartiennent à ce type de poésie grammaticale dont il a été question précédemment. Ce genre de composition appartient à ce que Khlebnikov nomme « *slovotvorčestvo* ». Mais alors que, dans les deux premiers plans de *Zangezi*, la néologie (l'invention verbale) était totale, libérée de toute contrainte sémantique et syntaxique (donc de toute structure signifiante), ici, elle n'est que relative, car la rupture avec le langage ordinaire n'est pas si grande qu'on ne puisse reconnaître verbes, substantifs, pronoms, bref, une certaine structure syntaxique intégrante qui façonne un semblant de signification. Ce que montre cette strate de *langage poétique*, c'est l'autonomie du plan structural syntaxique : la poésie peut s'engendrer à l'intérieur de schémas syntaxiques ordinaires, à partir d'unités de discours sémantiquement fuyantes (*tixoslavl'*, *uletavl'*, *sobesa*, *ètoty*, *netoty*, etc.). Mais c'est aussi parce que ces unités de discours sont forgées par le poète en respectant les lois de composition de la langue (les morphèmes ou éléments formatifs des mots du type *ètota*, *inogdava*, *letog*, etc. ne sont pas inventés par Khlebnikov, mais empruntés à la langue russe ordinaire) que la syntaxe du discours peut apparaître dans cette poésie ce qu'elle est réellement : une pure forme qui peut fort bien se contenter de la signification approximative des éléments qu'elle organise en discours.

– Les « poèmes phonographiques » (« *pesni zvukopisi* ») qui occupent le plan XV semblent détendre l'atmosphère grave qui règne sur la scène après la longue tirade lyrique de Zangezi. De fait, ils introduisent une note de gaieté, voire de frivolité, dans la succession des différents tableaux de langage offerts successivement depuis le début de la pièce, en ramenant les spectateurs aux débuts de la carrière « futurienne » de Khlebnikov, lorsque ce dernier publiait dans le recueil *Poščëčina*..., en 1912, son poème, désormais « classique » avec le *Zakljatie smexom* : *Bobèobi pelis' guby*...[1]. La « phonographie », c'est-à-dire la peinture par les sons, est une tentative qui montre bien le prestige du paradigme pictural chez les poètes des années du « futurianisme » militant[2]. Ce n'est pas la tentative langagière la plus intéressante chez Khlebnikov – encore qu'elle ait sa valeur propre de « document historique » – ni, non plus, la plus neuve ou la plus révolutionnaire dans la poésie. L'emblématisme des sonorités grâce auquel peuvent être évoqués des objets différents par un symbolisme passablement conventionnel, est trop connu depuis le célèbre sonnet des voyelles de Rimbaud (qui, lui-même, tenait la chose d'une longue tradition universelle en poésie) pour que nous l'examinions plus longuement. Toutefois, chez Khlebnikov, c'est moins la qualité des voyelles elles-mêmes qui forme la peinture sur une « toile » de correspondances non-spatiales que la valeur propre de l'ossature consonantique, et, par cet aspect, la « phonographie » est une première ébauche expérimentale de ce qui est devenu rapidement « l'analyse du mot » (*razloženie slova*) avec sa découverte de la fonction cinétique des consonnes dans le langage. La distance n'est donc pas si grande, qui sépare la « phonographie » des poèmes récités dans le plan XV de la « kinésigraphie » du langage stellaire, telle qu'elle fut exposée dans le plan VIII ;

– L'épilepsie qui saisit Zangezi dans le plan XVI fournit à Khlebnikov le prétexte de déployer un langage de folie, « *bezumnyj jazyk* », en lequel on reconnaît une séquence de bribes du langage ordinaire. L'entrechoquement de formules, appartenant à diverses régions de la langue naturelle (ordres militaires, menaces de voyou, borborygmes expressifs, etc.) produit l'effet de folie, à cause de l'extrême hétérogénéité de ces «débris» de langage que ne lie aucune logique interne. D'un point de vue strictement poétique, nous y reconnaissons un «magasin» de ces phrases de la rue qui parsèment les poèmes khlebnikoviens de la période «soviétique»[3]. Le plan XVII reprend à peu près directement les formules du poème *Nočnoj obysk*. L'insertion, dans le tissu du drame, d'un morceau apparemment aussi intempestif, montre l'importance que Khlebnikov accordait à la forme langagière du poème polyphonique[4]. Le panneau XVIII, comme les deux précédents, est en correspondance directe avec les investigations poétiques de Khlebnikov dans les années 1920-1921[5]. Toutefois, par la qualité de la langue, il paraît en retrait. Sa facture est classique, l'innovation formelle limitée. Il appartient au type du poème « illustratif », destiné à gloser poétiquement – et de manière traditionnelle – les découvertes mathématiques de Khlebnikov en histoire. Ce qui est illustré ici, c'est la théorie du « *vozmezdie* », de l'alternance périodique événement/antiévénement (*sobytie/protivosobytie*) dans la trame de l'histoire. Le plan XVIII est un exemple de poésie directement engendrée par les calculs mathématiques, par la théorie mathématique du temps[1].

– La deuxième partie du plan XIX (de « *Ja, volosatyj rekami...* » jusqu'à la fin)[2] a l'ampleur et la majesté de ton des poèmes lyrico-épiques composés durant les moments d'exaltation révolutionnaire, lorsque le chaos de la guerre civile semblait enfanter un ordre nouveau, utopique. Techniquement, ce poème est un montage de morceaux différents composés dans les années 1920-1921 : des poèmes primitivement autonomes sont ainsi fondus dans une structure nouvelle qui en modifie le sens. Ainsi le début[3] :

Я, волосатый реками !
Смотрите, Дунай течет
У меня по плечам !
И, вихорь своевольный,
Порогами синеет Днепр.
Это Волга блеснула синими водами,
А этот волос длинный,
Беру его пальцами,
Амур, где японка
Молится небу
Во время бури.

est un emprunt à une série de poèmes constituant l'ensemble *Azy iz uzy*[4]. La suite est une variation nouvelle du thème « Les heures de l'humanité » (« *Esli ja obrašču čelovečestvo v časy* »)[5] combinant le ton épique de *Ladomir*, les néologismes de *Èto parus rekača* (supportés dans le présent contexte par des métaphores aisément déchiffrables : « *Otšel'niku sebja/ Morskix osobnjakov žil'cu/Prostomu vetru* »[6] ; « *Ja ved' umeju šagat'/ Vzad i vperëd/Po stolet'jam/Onuči tugi* »[7], qui éclairent rétrospectivement les jeux sur les radicaux « *sob* »/« *seb* » et « *on* » dans *Èto parus rekača*) et les théories scientifiques du poète (le passage suivant, par exemple :

Слышу я просьбу великих столиц :
Боги великие звука,
Пластину волнуя земли,
Собрали пыль человечества,
Пыль рода людей,
Покорную каждым устоям,
В большие столицы,
В озера стоячей волны,
Курганы из тысячных толп.[8]

est un développement poétique engendré par « l'idée » de Khlebnikov que les villes sont le produit de forces qui, comme des aimants la limaille de fer, regroupent, « focalisent » la poussière humaine)[9]. Le finale de ce poème :

Мы дышим ветром на вас,
Свищем и дышем.
Сугробы народов метем,
Волнуем, волны наводим в рябь,
И мерную зыбь на глади столетий !
Войны даем вам
И гибель царств.
Мы, дикие звуки,
Мы, дикие кони.
Приручите нас :
Мы понесем вас
В другие миры,
Верные дикому
Всаднику
Звука.
Лавой беги человечество, звуков табун оседлав.
Конницу звука взнуздай ![1]

[Zangezi, en effet, monté sur son cheval auquel il a dédié un « plan » néologistique « *Iverni vyverni...* » ! au début du plan XIX, marche sur la ville (« *On edet v gorod* »[2])] est un hymne formidable (au sens étymologique de chant inspirant la terreur) qui exalte la puissance du preux « futurien », sûr de sa science et de ses effets subversifs : cette splendide image poétique, ici aussi est « fabriquée » par les conceptions scientifiques utopiques de Khlebnikov, telles que, par exemple, son urbanisme « futurien »[3]. Tout le métaphorisme de cette chevauchée du poète-savant monté sur ses coursiers « sonores », menaçant de régénérer l'humanité entière, est une réminiscence, à la clôture du drame (Zangezi, à ce moment-là, disparaît de la scène, cédant la place à un « Jeu » de moralité placé comme en appendice par rapport à la pièce proprement dite), de l'ouverture d'un autre grand « drame » (épopée) philosophique, antérieur de vingt-cinq siècles, le *Poème* de Parménide : celui-ci s'annonce, en effet, dans une fière introduction, par la chevauchée des cavales qui emportent l'âme du poète-philosophe vers les portes du Soleil-Vérité de la Vraie Connaissance :

435 *Ἵπποι ταί μέ φέρουσιν, ὅσον τ᾽ ἐπί θυμὸς ἱκάνοι,*
πέμπον, ἐπεί μ᾽ ἐς ὁδὸν βῆσαν πολύφημον ἄγουσαι
δαίμονος, ἥ κατὰ πάντ᾽ ἄστη φέρει εἰδότα φῶτα·
τῆι φερόμην · τῆι γάρ με πολύφραστοι φέρον ἵπποι
ἅρμα τιταίνουσαι, κοῦραι δ᾽ ὁδον ἡγεμόνευον.[4]

— Le plan XX n'est pas un plan de langage comme les autres. Aussi peut-il paraître comme un « hors-d'œuvre » inutile au drame qui vient de s'achever par le départ triomphal de Zangezi. Cependant, loin d'être un complément contingent de la dernière grande œuvre monumentale de Khlebnikov, le duo des deux protagonistes « Rire » et « Douleur » donne toute la dimension tragique de l'œuvre entier du poète et représente donc une pièce capitale pour l'intelligence du caractère « double » et contradictoire du « système Khlebnikov » : un monument de Raison fissuré par le sentiment le plus authentiquement tragique de l'incomplétude essentielle de ce système ouvert sur la Mort. Ainsi, derrière la résurrection scénique de deux personnages mythologiques du folklore russe[1], le spectateur entend la « moralité » de la pièce, à l'instar des « Mistères » médiévaux[2] où des personnages allégoriques glosaient le sens du drame. La mort du Rire répond sur le mode tragique, avec la distance d'une décennie, à la « Conjuration par le rire » qui avait inauguré la carrière poétique de Khlebnikov.

La revue des différents plans de langage qui constituent l'édifice de *Zangezi* rend évidente la difficulté de représentation visuelle du « livret » : le spectacle est avant tout conçu plus pour l'intellect que pour la vue. L'action (le drame) est intérieure, au sens où c'est le mouvement de l'esprit universel et la dynamique de la langue que veut « montrer » Khlebnikov. *Zangezi* est un drame abstrait. On peut dire de cette pièce ce qu'Aristote disait de la tragédie, dont les qualités se suffisent à elles-mêmes :

> Le spectacle, bien que de nature à séduire le public, est tout ce qu'il y a d'étranger à l'art et de moins propre à la poétique ; car le pouvoir de la tragédie subsiste même sans concours ni acteurs.[3] [...]
>
> ...la tragédie, même sans la gesticulation, produit encore l'effet qui lui est propre ; [...] car par la simple lecture on peut voir clairement quelle en est la qualité.[4]

L'extériorisation, donc le spectacle, dans *Zangezi*, réside dans la prolifération, non dans la gesticulation ou la mimique de l'acteur, encore moins, évidemment, dans les accessoires scéniques. La voix du récitant suffit et la scène doit être vide de corps ou d'objets visibles, afin que s'y affirme la plénitude d'une souveraine présence : celle de la Voix qui parle « hors champ ». Le deuxième aspect, novateur également, de la pièce, est l'unité d'une structure scénique qui commande le fonctionnement de plusieurs morceaux hétérogènes, lesquels, sans cette unité supérieure de construction (et d'intention) demeureraient autant de blocs hétérogènes simplement juxtaposés par le hasard, faisant de *Zangezi* une suite de morceaux et non pas une véritable composition théâtrale. L'innovation « constructiviste » consiste dans l'unité fonctionnelle de morceaux disparates à tous égards, que rien n'unit intrinsèquement, sauf cet élément essentiel justement, que tous possèdent également : la « théâtralité » poétique. Le dénominateur commun des fragments théoriques, des poèmes (« *poèmy* »), des dialogues pédagogiques (du type « *Učitel' i učenik* » et des pièces de vers (« *stixotvorenija* ») qui constituent le matériel de la pièce, est leur orientation scénique, leur « scénicité ». *Zangezi* fonctionne comme un miroir tendu par le poète à la Terre, miroir dans lequel se réfléchiraient les ondes de sa Voix. La parole en effet est spéculaire, et, en elle, se renvoient dans un miroitement sans fin les significations. Dans *Z i ego okolica*, le poète déclarait[1] :

435 Допустим, что 3 значит равенство угла падающего луча углу отраженного луча АОВ – СОД.

Тогда с 3 должны быть начаты : 1) все виды зеркал ; 2) все виды отраженного луча.

Виды зеркал : зеркало, зрение.

Имена глаза, как построения из зеркал : зень, зрачок, зрак, зины, зирки ; зрить, зетить, зор, зеница, зорливец ; зенки – глаза : зорок.

Имена мировых зеркал : земля, звезды ; зиры (звезды) зень (земля). Древнее восклицание « зирин » может быть значило « к звездам ». И земля, и звезды светятся отраженным светом.

Слово зень, которое значит и землю, и глаз, и слово зиры, значащее и звезды, и глаза, показывает, что земля, также звезды, понимались, как мировые зеркала.

Le mot Zangezi, par la double réflexion des deux sons « Z » (Zangezi), symbolise la figure phonique de la double spécularité de la pièce, qui installe le théâtre à l'intérieur du théâtre, mais toujours sous le rapport des « *mots* ». La théâtralité de *Zangezi* est la métaphore réalisée de la théâtralité implicite de l'œuvre entier de Khlebnikov.

La même remarque peut s'appliquer, bien qu'à un moindre degré de perfection dans la réalisation, aux autres pièces de Khlebnikov, *Snezini*[2], *Devij bog*, *Markiza Dezès*, ou à celles de ses collègues « futuriens » A. Kručënyx, *Pobeda nad solncem* et Majakovskij, *Vladimir Majakovskij*. Dans un de ces poèmes, *Licedej* (« l'acteur »), Khlebnikov a développé le thème de l'impossible théâtralité de la langue « futurienne » et de l'innovation langagière. Comme personne ne voit (ou ne sait voir), le poète est obligé de semer des yeux qui germeront un jour en spectateurs :

И с ужасом
Я понял, что я никем не видим :
Что нужно сеять очи,
Что должен сеятель очей идти ![3]

Le « *licedej* » n'est pas synonyme d'acteur, notion d'où est absente l'idée de feinte, de semblance ; le « *licedej* » est « l'hypocrite » dans tous les sens qu'a ce terme : étymologiquement, acteur, et, par extension, « ficteur », fabricant de « mensonges » comme celui qui joue un personnage qu'il n'est pas. Dans une conférence sur le théâtre, Blok disait que :

435 Если писатель есть по преимуществу *человек* (а он должен быть таковым), то актер, такой, каким создала его традиция, по преимуществу – лицедей. Может быть, он чертовски талантлив, но это только усугубляет его лицедейство. Он таскает в себе всегда непочатый угол героизма, вздувается от героизма, ему некуда деваться от привычки к тому, что он на сцене – герой, любовник, злодей. Таким же он пребывает в жизни.[1]

Avec le « futurianisme », à un degré supérieur encore à ce que prônait le symbolisme[2], l'auteur se fond avec l'acteur, se muant en une véritable figure artistique : à la limite – car il s'agit bien là d'une expérience-limite dans l'art – l'œuvre écrit (ou joue) son auteur, comme c'est le cas dans la tragédie *Vladimir Majakovskij*. Pasternak, dans *Oxrannaja gramota*, a bien tracé la « généalogie » de cette conception des rapports entre l'auteur et son œuvre, conception dans laquelle le « personnage » de l'auteur apparaît comme une création, une « fiction » presque, de la biographie, c'est-à-dire de la vie :

436 ...Но под романтической манерой, которую я отныне возбранял себе, крылось целое мировосприятие. Это было понимание жизни как жизни поэта. Оно перешло к нам от символистов, символистами же было усвоено от романтиков, главным образом немецких.

Это представление владело Блоком лишь в течение некоторого периода. В той форме, в которой оно было ему свойственно, оно его удовлетворить не могло. Он должен был либо усилить его, либо оставить. Он с этим представлением расстался. Усилили его Маяковский и Есенин.

В своей символике, то есть во всем, что есть образно соприкасающегося с орфизмом и христианством, в этом, полагающем себя в мерила жизни и жизнью за это расплачивающемся поэте романтическое жизнепонимание покоряюще ярко и неоспоримо. В этом смысле нечто непроходящее воплощено жизнью Маяковского и никакими эпитетами не охватываемой судьбой Есенина, самоистребительно просящейся и уходящей в сказки.

Но вне легенды романтический этот план фальшив. Поэт, положенный в его основание, немыслим без не-поэтов, которые бы его оттеняли, потому что поэт этот не живое, поглощенное нравственным познанием лицо, а зрительно-биографическая эмблема, требующая фона для наглядных очертаний. В отличие от пассионалий, нуждавшихся в небе, чтобы быть услышанными, эта драма нуждается во зле посредственности, чтобы быть увиденной, как всегда нуждается в филистерстве романтизм, с утратой мещанства лишающийся половины своего содержания.

Зрелищное понимание биографии было свойственно моему времени.[3]

Aussi le « *licedejstvo* » se conjugue-t-il avec le sentiment désespéré de la solitude tragique du poète, qui ne se montre, par pudeur envers ses contemporains (et par pudeur aussi envers les mots) que sous les traits de l'histrion[4]. La critique, celle du moins qui était, par principe, hostile aux innovations poétiques des « futuristes », contribuait à créer cette situation d'isolement de l'artiste, réduit avec malveillance au rôle d'un pitre public, descendant dégradé des *skomoroxi* du Moyen Age :

436 ...Головокружительные номера гг. Бурлюков, Крученых и К° уже больше не удивляют... Публика давно поняла, что это не искания в искусстве, а искания популярности, жажда оригинальничанья и только... Но ведь это уже касается не области искусства, а области психологии...

Это фигляры, а не творцы новых ценностей, фигляры всегда помнящие, что они стоят перед толпой... Разница между ними лишь та, что фигляры забавляют публику, а гг. Бурлюки, Крученых и Комп. дразнят ее...[1]

Le poète « futurien » est condamné à une perpétuelle solitude par l'incompréhension que rencontre son message :

Сваи вбивал в ум народа и оси,
Сделал я свайную хату
« Мы будетляне ».
Все это делал как нищий,
Как вор, всюду проклятый людьми.[2]

De même, personne n'« entend » les prophéties langagières et historiques de Zangezi sur la scène[3]. Mais aussi bien personne n'écoute ni ne regarde le spectacle de la solitude qui se donne en sacrifice sur les tréteaux :

Так я, великий, заклинаю множественным числом,
Умножарь земного шара : ковыляй толпами земель,
Земля кружись комариным роем : я один, скрестив руки,
Гробизны певцом.
Я небыть. Я таковичь.[4]

L'isolement du poète est cependant secrètement désiré : il est la marque extérieure du superbe isolement où se ramasse le langage, de son retrait dans le discours autonome revendiqué comme la seule possibilité pour la poésie de coïncider avec sa propre essence. L'excès « futurien » aboutit inéluctablement à la mort de la parole, au silence poétique. L'œuvre se détruit dans l'annonce de sa fin. Le poème idéal vers lequel tend tout l'effort « futurien » est, pour reprendre l'expression de Mallarmé, « le poëme tu, aux blancs »[5]. Conséquence du bannissement de la ψυχή hors de la problématique artistique, comme le suggérait K. Čukovskij[6] ? Ou bien tentation bouddhiste inhérente à la culture russe, selon l'hypothèse de Mandel'štam[7] ? Le poème-limite, le poème de la fin fut en tout cas « écrit »[8], sinon par Khlebnikov, du moins par un « égo-futuriste », Ignat'ev[9] :

Почему не желая живу ?
Почему умираю, живя ?
Почему оживаю, умру ?
Почему я – лишь я ?
Почему я мое – вечный гид
Вечный гид без лица ?
Почему бесконечность страшит
Безначальность конца ?

(*Эшафот*[10])

Après de telles paroles, il ne reste plus au langage qu'à s'abolir dans l'explosion sémantique que représente la totale autonomisation du signifiant[1], ou bien dans le silence élevé à la dignité d'un principe ontologique : le drame *Zangezi* s'achève avec la succion d'une figure hautement symbolique qui anéantit les manuscrits du prophète[2] ...

Sans doute le théâtre moderne post-symboliste risque-t-il d'encourir les mêmes reproches que celui des symbolistes : celui de *n'*être *qu'*un théâtre d'abstraction, où l'auteur fait passer ses propres obsessions métaphysiques ou ses mythes personnels dans un cas, son « thème » historico-linguistique dans l'autre. Pourtant, dans le cas des « futuriens », le thème serait plutôt celui de l'absence de thème. Ce qui se joue sur la scène n'est pas à proprement parler vu, ne peut l'être. Ce qui « s'entend » se situe au-delà de la dissonance linguistique, mais cette écoute-là relève aussi peu du sensible que la « vue » du spectacle. Le théâtre « futurien » est construit essentiellement par le spectateur.

b) *Pobeda nad solncem : Prologue*

La théorie poétique de ce nouveau théâtre – ou plus exactement de cette nouvelle conception du théâtre – est donnée par Khlebnikov avec toute la densité propre au langage poétique, dans le prologue du livret de l'opéra « futurien » *Pobeda nad solncem*, écrit par A. Kručënyx, opéra dont Matjušin disait qu'il était la victoire totale remportée sur l'ancienne esthétique figurée par le soleil[3]. Dans le prologue, le spectateur peut entendre se développer la nouvelle théâtralité, l'esprit y saisit le drame des transformations de la langue. Le théâtre, lui, changeant d'essence, devient un « contemploir transfigureur » (« *Sozercog* » et « *preobražatel'* »). Il y a là plus que simple rectification de noms : c'est une transmutation de la fonction du théâtre qui devient agent de transformation spirituelle[4]. Ce qui apparaît et est transfiguré sur la scène linguistique, ce sont les contours des mots, l'étendue des concepts traditionnels et le temps de l'antique théâtre fixé dans l'unilinéarité : la langue traditionnelle *et* les concepts anciens qu'elle véhiculait sont liquéfiés devant le spectateur et se muent par l'opération « magique » que suggère le titre « *černotvorskie vestučki* »[5] en d'autres mots, d'autres concepts, dont l'étrange nouveauté fonde le spectacle. Nous sommes ainsi fort près de la destruction de la notion même du « drame », destruction qu'annonçait[6] B. Livšic dans son article programmatique « *Osvoboždenie slova* » :

436 ...Может ли драматическое действие, развертывающееся по своим исключительным законам, подчиняться индукционному влиянию слова, или хотя бы только согласовываться с ним ? Не является ли отрицанием самого понятия

драмы – разрешение коллизии психических сил, составляющей основу последней, не по законам психической жизни, а иным ? На все эти вопросы есть только одни ответ : конечно, отрицательный.[1]

Remarquons cependant qu'il s'agit ici du renversement de la notion *traditionnelle* du drame. Les « *Černotvorskie vestučki* »[2] éclatent sans conteste en un feu d'artifice de néologismes réussis qui accomplissent avec bonheur une slavisation systématique du vocabulaire théâtral ordinaire où abondent les termes « allogènes ». Mais le prologue ne représente pas seulement une anticipation spontanée et naïve (dans sa superbe ignorance de toute transaction avec les vraisemblances du langage quotidien), de la lutte contre la servilité linguistique envers les prestigieux vocables étrangers. S'il en était ainsi, l'introduction khlebnikovienne à *Pobeda nad solncem* ne constituerait qu'une variante, parmi bien d'autres, du courant slavophile qui se manifeste dans la langue en Russie depuis le XVIIIe siècle[3] et dont les tentatives «futuriennes» ne seraient que l'aboutissement exacerbé à la veille d'une nouvelle confrontation avec l'Occident. Ainsi, par exemple, dans un article paru en 1849 sur « l'Odyssée et ses traductions », Senkovskij proposait – plaisamment il est vrai – de russifier les noms des dieux et des héros de l'épopée grecque, afin de faire apparaître avec un relief plus grand leur caractère propre ; voici un échantillon de ces équivalences :

436 Зевс – Живбог, Див ; Афина-Паллада – Синева-Невидимка, Синь-Дева ; Муза – Спевана, Утеха ; Калипсо – Покрывалиха ; Посидон – Текучист (случайно Сенковский этимологизирует и подвернувшееся латинское имя : Прозерпина – Проползана) ; Аполлон – Худог ; Гефест – Самогор ; Афродита – Самокраса ; Илион – шарик, клубок ; Гектор – Шестер, Сам-Шест ; Елена – шкатулка ;

Пенелопа – Мучисковорода ; Ахилл – Нееда, Безкорм ; Парис – Маклер, и т.д. В соединении с отчествами это звучит так : Агамемнон Атрид – Распребешан Невпопадович, у него сын – Грубиян Распребешаныч (Орест), дочь – Дебелощека Распребешановна (Ифигения).[4]

Les « *Černotvorskie vestučki* » illustrent plus qu'une escarmouche de slavophiles, engagée sur le terrain de la nomenclature théâtrale[5]. Elles constituent une charte poétique du nouveau théâtre « futuriste », le « *Budetljanin* »[6] :

436 Чернотворские вестучки.
Люди ! Те кто родились, но еще не умер. Спешите идти в созерцог или созерцавель.
Будетлянин.
Созерцавель поведет вас,
Созерцебен есть вождебен,
Сборище мрачных вождей
От мучав и ужасавлей до веселян и нездешних смеяв и веселогов пройдут перед внимательными видухами и созерцалями и глядарями : минавы, бывавы, певавы, бытавы, идуньи, зовавы, величавы, судьбоспоры и малюты.

Зовавы позовут вас, как и полунебесные оттудни.
Минавы расскажут вам, кем вы были некогда.
Бытавы – кто вы, бывавы – кем вы могли быть.
Малюты, утроги и утравы расскажут, кем будете.
Никогдавли пройдут, как тихое сновидение.
Маленькие повелюты властно поведут вас.
Здесь будут иногдавли и воображавли.
А с ними сно и зно.[1]

Le théâtre « futurien » installe la scène dans la « Futurie » (« *Budeslavl'* »), le pôle du temps vers lequel tend le langage. Aussi y a-t-il une part considérable de féerie et de magie dans ce théâtre : le « *sno* » (formé sur le radical *sn-* de *son*, « songe, rêve »). Le dramaturge se fait l'enchanteur qui laboure le champ de l'imagination, y disséminant les germes du futur (selon l'analogie *snoxar'/paxar'*). Mais, comme toujours chez Khlebnikov, l'aspect féerique, fantastique se double d'un aspect scientifique ; la poésie du conte populaire est, pour lui, le prodrome de la science[2]. Plus généralement, l'art anticipe, par l'imagination, ce que la science construit rationnellement beaucoup plus tard :

437 Искусство обычно владеет желанием в науке власти. Я желаю взять вешь раньше, чем беру ее. Он говорил, что искусство должно равняться по науке и технике, ремеслу с большой буквы. Но разве не был за тысячелетия до воздухоплавания сказочный ковер-самолет? Греки Дедала за два тысячелетия? Капитан Немо плавал под водой в романе Жюль Верна за полстолетия до мощной немцев битвы при ⟨неразб.⟩ островах.[3]

Aussi bien le théâtre « futurien » est également un « *zno* » (formé sur le radical *zn-* de *znat'*, « savoir, connaître ») et le dramaturge un « *znaxar'* », détenteur d'une science qui n'est occulte que parce qu'elle est occultée par l'ignorance de la fausse science vulgaire. La formule qu'emploie Khlebnikov dans une lettre à Kručënyx résume bien la conjugaison de la science et de l'imaginaire dans son système poétique :

437 (драма) Построенная на особых знаниях – зно, на воображении – сно.[4]

Conducteur d'hommes (*vožd'*) comme il l'est de mots (« *Slovožd'* » est le titre donné par Kamenskij à Khlebnikov dans son ouvrage *Put' èntuziasta*)[5], le dramaturge-thaumaturge attire impérieusement les spectateurs par le service solennel du spectacle (« *sozerceben/moleben* ») dans la sphère de l'intemporel (« *ot mučav... voobražavli* »)[6]. En cet endroit du prologue, la glose khlebnikovienne devient particulièrement précieuse :

437 Зовава – зовет итти. Бытава – драма вне времени.
Бывава – драма из настоящего. Песнизна – мотив.
Былава – из прошлого [минава] [старизна] (Тантал).
Идава – из будущего.[7]

Le véhicule de cette merveilleuse sortie dans le monde où le temps s'abolit est la langue, la langue transfigurée par le jeu des racines et la prolifération affixale, les mots ne racontant plus qu'eux-mêmes et déclinant leur identité par la liberté retrouvée des déclinaisons intérieures. Le spectacle du monde – le monde comme spectacle – est institué par le jeu linguistique. Les procédés néologiques aménagent un espace qui fait voir[1] la langue. Les mots en liberté de la scène futuriste (« *zercog* ») sont appelés « mots spectatifs (« *zercožnye slova* ») par Khlebnikov et Kručënyx dans le manifeste *Slovo kak takovoe*[2]. Les espèces sous lesquelles se cache la force motrice du théâtre futuriste sont des *racines* (« *min*-, *zov*-, *byv*-, *inogd*-, *nikogd*-, etc.) qui nominalisent des *modalités* de la temporalité conçue comme une totalité où les temps grammaticaux représentent la limitation imposée par la subjectivité du spectateur naïf :

437 Минавы расскажут вам, кем вы были некогда.
Бытавы – кто вы, бывавы – кем вы могли быть.
Малюты, утроги и утравы расскажут, кем будете.[3]

Le spectateur naïf, néanmoins, ne demeure pas incorrigible : la « Futurie » interpelle ceux qui sont nés mais ne sont pas encore morts... (alors que les « morts » ambulants sont menacés d'un véritable « matraquage » sémiotique)[4]. Si le spectateur consent à s'éveiller à l'appel du futur, s'il consent à la vie, alors il connaîtra lui aussi la libération des limites et des limitateurs (critiques littéraires) :

437 В детинце созерцога « Будеславль » есть свой подсазчук. Он позаботится, чтобы говоровья и певавы шли гладко, не брели розно, но достигнув княжебна над слухатаями, избавили бы людняк созерцога от гнева суздалей.[5]

et participera au spectacle de transfiguration du cosmos :

437 Места на облаках и на деревьях и на китовой мели занимайте до звонка. Звуки несущиеся из трубарни долетят до вас.[6]

Cette métaphore générale de l'univers tient de l'Apocalypse, elle en revêt toute la solennité jusque dans l'injonction finale :

437 Будь слухом (ушаст) созерцаль !
И смотряка.[7]

La « cérémonie contemplatoire » (« *sozerceben* ») résonne comme une voix qui sème dans la vie les ferments du réveil :

437 Семена « Будеславля » полетят в жизнь.
Созерцебен есть уста ![8]

Ainsi le système poétique de Khlebnikov s'actualise avec un éclat incomparable dans cette charte du théâtre transfiguré et transfigurateur. Panoptique des forces de l'univers réfractées par le prisme du langage, le « *Budetljanin* », arène du langage, est le pôle où convergent toutes les lignes de force du système poétique khlebnikovien. Prologue à la pièce de Kručënyx *Pobeda nad solncem*, les « *Černotvorskie vestučki* » constituent également le prologue indispensable aux œuvres monumentales de Khlebnikov, de *Deti Vydry* comme de *Zangezi*[1]. Le « thème » de ces épopées scéniques réside autant dans la langue que dans la synthèse de fragments hétérogènes[2]. On décèle dans la *construction* de ces œuvres et dans leur seul « contenu » concret, la langue, que la pensée de Khlebnikov est une pensée scientifique imageante, une pensée qui opère par synthèse figurée. Dans le système de Khlebnikov, dont on peut apercevoir la remarquable architectonique dans *Zangezi*, le λογος scientifique trouve sa complémentarité dans le *μῦθος* poétique et Khlebnikov s'y montre comme un poète qui réfléchit « scientifiquement » sur des procédés de liaison des contenus de pensée. Il n'y a rien de surprenant à la figuralité de la « pensée scientifique » chez Khlebnikov et à sa poéticité : elle s'élabore en effet dans le langage qui lui prête ainsi dès le départ, son propre corps, sa matière. Cette dernière, dès lors, devient nécessairement la figure matérielle de l'abstraction scientifique, puisqu'elle l'a engendrée. Il y a donc un va-et-vient continuel entre la langue et la science. Ce que découvre et théorise Khlebnikov, c'est la poéticité naturelle, immanente[3] de la langue. Par « métaphore en retour », le monde lui aussi, immergé dans l'activité linguistique, se mue en un immense poème. Si Khlebnikov est homme de science, théoricien, il l'est à la manière des physiologues de l'Antiquité qui célébraient dans des poèmes épiques les mystères de l'univers, par eux dévoilés. Certains critiques, comme par exemple Fritz Mierau, rapprochent, et avec raison, la poésie de Khlebnikov de la poésie didactique d'un Lucrèce ou d'un Lomonosov[4]. Cependant Lucrèce et Lomonosov expliquaient et développaient en vers une théorie scientifique *externe* à l'art poétique. Chez Khlebnikov, au contraire, c'est la théorie du langage et du monde conçu comme œuvre de langage[5], bref, c'est le *système poétique* du monde qui engendre la poésie. Sa tentative serait donc assez proche de celle des physiologues présocratiques, s'il avait du moins, comme eux, à produire un message externe à la langue. Khlebnikov est le *physiologue de la langue* qui a trouvé la formule de présentation de son système dans l'épopée (le drame) scénique. Aussi paraît-il impropre de qualifier *Zangezi* de poème scénique didactique. Le « message » de Zangezi procède d'un ordre qui transcende la *διδαχή*, le simple enseignement doctrinal des vérités extra-linguistiques. La difficulté de détermination du genre auquel appartiendrait ou s'apparenterait *Zangezi* provient du fait qu'il brise et dépasse les cadres traditionnels que sont les genres. « L'ordre futurien », ainsi que le voyait bien B. Livšic[1], abolit la notion du genre. *Zangezi*, comme déjà *Deti Vydry*, est transgénérique. La catégorie du genre est-elle d'ailleurs encore pertinente pour l'analyse d'œuvres « futuriennes » (et pour les œuvres de Khlebnikov tout particulièrement) ? L'ambiguïté du genre de *Zangezi* est renforcée par une autre particularité : l'agencement des plans, qui donne à l'œuvre une structure de montage formellement marquée, se double d'une visée sémantique profonde qui tiendrait à faire « entendre » les différents modes de fonctionnement du monde dans les différents plans de la langue. L'entreprise de Khlebnikov, par son côté gnostique[2], révèle un sens aigu de l'intempestivité chez le poète, qui le conduit à ignorer superbement les conventions du genre dramatique, sans pour autant faire verser l'œuvre dans la catégorie des « mistères » allégoriques médiévaux ou indiens[3]. Ce qui se révèle, dans *Zangezi*, comme dans *Deti Vydry*, se situe bien au-delà de la superficialité de masques allégoriques : dans la liturgie du poème récité (car l'un et l'autre sont des *poèmes* destinés à la lecture-récitation) se profère le système du monde dans la langue[4], grâce à l'homologie que seul un poète pouvait instaurer : *Mir kak stixotvorenie.*

Chapitre II

LA CONSTRUCTION DU SYSTÈME

L'orientation du système poétique de Khlebnikov

Une biographie poétique est contingente, arbitraire, peut-être même est-elle impossible[1]. L'étude diachronique du système de Khlebnikov établie dans la première partie de cet ouvrage, suivait la genèse de ce système qui devait trouver son équilibre, sinon sa perfection, dans la grande composition dramatique. Le projet de ce chapitre est de faire apparaître l'unité du système dans le temps, en montrant l'unité nécessaire qui préside à cette évolution et qui régit les lois du développement de ce système. Il s'agit de montrer dans la recherche poétique de Khlebnikov les lignes de force qui en dessinent l'unité, l'ensemble des lois du changement ou le système du changement de la poétique khlebnikovienne. Si la biographie poétique décrivait l'itinéraire de Khlebnikov, de ses premiers récits à *Zangezi*, le présent chapitre s'attache à démontrer l'orientation nécessaire qui conduit de la mise en place du système à son plein achèvement dans le poème scénique. Le système, ou du moins, son sens, est sans doute davantage dans l'intervalle qui sépare de son état final l'état originel du système. Ici seront donc étudiées la mise en place, la construction d'un nouveau système à partir d'un système ancien, « générateur ».

Pour déterminer l'orientation du système poétique de Khlebnikov, il faut analyser le système dont il part. Où, dans le paysage de la poétique russe du début du XXe siècle, se situe la poésie de Khlebnikov ? Le système poétique initial qui encadre les débuts de Khlebnikov a reçu dans l'histoire de la littérature le nom assez vague de « symbolisme »[2]. Le « symbolisme » que rencontre Khlebnikov au début de sa carrière poétique, entre 1905 et 1910, est, pour ainsi dire, un « symbolisme » de crise, le

« deuxième symbolisme »[1], fortement ébranlé dans ses principes par la mutation politique et spirituelle que subit le pays tout entier durant la première décennie du siècle. Dans ce « symbolisme » divisé, qui cherchait sa propre évolution (ou sa propre rénovation) tout en restant fidèle à quelques principes généraux auxquels il devait son identité et son originalité, il faudra donc détecter les éléments qui ont préparé Khlebnikov au travail poétique sans toutefois le satisfaire dans leur coordination systématique et poétique : ni l'art, ni l'« idéologie » symbolistes n'ont, en effet, emporté l'adhésion de Khlebnikov, que l'on voit au contraire très tôt, à une époque où il songe encore à publier dans une revue symboliste[2], en possession des thèmes directeurs qui tracent l'architecture générale de son œuvre. Khlebnikov pouvait rester, avec moins de génie et moins d'audace, dans le sillage du « symbolisme ». Il n'eût été qu'un épigone[3]. Or il a rompu avec le canon symboliste au moment même où, dans les années 1910-1912, le «symbolisme» comme école de pensée et comme technique poétique éprouvait une nouvelle crise du fait d'attaques extérieures et de scissions internes. La rupture de Khlebnikov, par-delà l'anecdote personnelle[4], s'inscrit donc dans le contexte plus vaste d'une période cruciale de l'évolution du « symbolisme » dans son ensemble, période déterminante marquée par l'éclosion de nouvelles « sous-écoles » qui posent violemment l'autonomie de leur existence dans le rejet brutal d'un *certain* « symbolisme », d'une *certaine* part de l'héritage poétique du « symbolisme » et, au-delà de lui, du classicisme. Comprendre la phase décisive de l'élaboration du système khlebnikovien, dans les années 1910-1912, c'est comprendre du même coup la volonté, le « sémantique » de son système, la nécessité de son orientation, déceler l'unité de la recherche poétique dès ses premiers tâtonnements. C'est également comprendre la nécessité de la rupture avec un certain aspect du « symbolisme » et saisir l'inéluctabilité de l'attirance du poète vers ce fameux « mouvement » (ou cette « école ») qu'un hasard historique malencontreux a affublé de l'étiquette – combien pernicieuse – de « futurisme » et que nous accepterons à titre provisoire, pour soumettre à révision, ultérieurement, la prétention de ce titre à une assise scientifique. Happé dans l'orbite du « futurisme » comme il l'avait été naturellement dans celle du « symbolisme » quelques années auparavant, Khlebnikov devait, semble-t-il, trouver dans ce mouvement ce qu'il n'avait point rencontré dans le précédent[5]. Dans le même temps, il faudra analyser les raisons qui ont amené la plupart des « futuristes » du groupe, auquel Khlebnikov s'était joint, à considérer ce dernier comme le « chef » poétique de l'école et ses œuvres comme l'échantillon le plus pur de l'art nouveau qu'ils voulaient promouvoir. En d'autres termes, il faudra analyser ce que les autres trouvaient de «futuriste» en lui pour saisir le malentendu qui explique l'échec de cette double rencontre. Khlebnikov a traversé le « futurisme » comme il a traversé le « symbolisme », poursuivant sa voie propre parmi les « écoles » qui voulaient l'annexer à leurs idées, à leurs doctrines, l'utiliser dans leurs combats et leurs polémiques. Ainsi la période qui s'étend de 1908 à 1915 voit la progressive édification du système poétique khlebnikovien, qui se définit par rapport à (et dans) deux grands courants poétiques – le « symbolisme » et le « futurisme ». Le mouvement est un, qui conduit au-delà des deux écoles, vers ce qui constitue le système poétique de Khlebnikov dans sa spécificité, système irréductible à une appellation limitative et déformatrice, quelle qu'elle soit (« futurisme », « futurianisme », « avenirisme », « imaginisme », etc.). Les années postérieures à la grande période « futuriste » (1913-1915)[1] n'appportent plus guère que des retouches ponctuelles[2] à un système qui cherchait sa plénitude démonstrative dans la composition dynamique, basée sur l'enchaînement des plans de langage et la continuité d'un discours où la forme théâtrale accomplissait la synthèse des différents éléments du « système ».

Le système générateur : le symbolisme

Suivons à présent et analysons dans le détail le processus d'élaboration du système durant les années de formation de Khlebnikov et examinons-en les différentes modalités. « L'école » poétique dominante, qui imposait une certaine conception du sens de la poésie et dirigeait la construction des différents systèmes poétiques individuels, était le « symbolisme » dont l'hégémonie s'exerçait incontestablement dans la deuxième moitié de la décennie 1900-1910, malgré les prodromes d'une crise sérieuse, patente depuis la première révolution[3]. Nous ne prétendons nullement donner ici un tableau exhaustif du symbolisme russe, aussi « nombreux » d'ailleurs que le futurisme. Le but de l'exposé ci-dessous est d'esquisser l'environnement poétique qui permet de comprendre tout ce que Khlebnikov doit au symbolisme, et également comment, en quels lieux, s'est opéré le décrochement du système proprement khlebnikovien par rapport au système générateur. Ce n'est pas amoindrir le génie innovateur de Khlebnikov que de rappeler que tout système poétique ne peut se constituer que dans l'opposition à ce qu'il a devant lui, comme obstacle à son développement autonome. Dans le système général du symbolisme russe, l'élaboration du système poétique de Khlebnikov représente, en son premier stade, un processus d'auto-différenciation conduit jusqu'à la rupture et à une autonomie créatrice d'un nouveau style collectif, d'un nouveau système général, appelé « futurisme ».

Les symbolistes se donnaient pour tâche la restauration des valeurs spirituelles en art. Le mouvement symboliste[1] se déclarait comme une vigoureuse réaction dirigée contre la dictature du matérialisme[2] dans l'art, matérialisme lui-même issu du positivisme qui avait gagné les classes cultivées de la société russe dans la deuxième moitié du XIXe siècle. Au début du XXe siècle s'effectuait une mutation progressive dans des couches toujours plus larges de l'opinion publique, mutation accélérée par l'échec du mouvement révolutionnaire[3]. La théorie symboliste aussi bien que les programmes et manifestes qui essayaient avec plus ou moins de bonheur et de rigueur de définir l'essence du phénomène[4], appelaient à un retour vers les valeurs esthétiques et spirituelles[5] négligées depuis un quart de siècle par un engagement militant dont le résultat pour l'art avait été un complet asservissement à des buts extrinsèques, le critère politique d'utilité ou d'efficience sociale décidant seul de la qualité d'une œuvre d'art[6] (et de sa recevabilité auprès du public). Ce que l'on considère comme le premier « manifeste » du mouvement, bien qu'il n'ait nullement eu la prétention de l'être, est l'essai de D.S. Merežkovskij « *O pričinax upadka i o novyx tečenijax sovremennoj russkoj literatury* »[7]. Ce texte ouvrait en fait une nouvelle période dans la sensibilité du public russe au cours de la dernière décennie du XIXe siècle. Il est curieux de relever que plusieurs points de l'argumentation de Merežkovskij, dirigée contre une certaine conception de la littérature et contre la philosophie qui la sous-tend, seront repris quelque vingt ans plus tard par les « futuristes » dans leurs programmes et leurs manifestes. Déplorant la platitude de la critique contemporaine, la déchéance de la langue et la dégradation de la littérature (dégradation qui reflétait, au sens de Merežkovskij, la dictature de la médiocrité moralisante, pédagogique, installée dans les arts), l'auteur, tout en déplorant l'absence d'une littérature, d'une création réellement nationale (« *narodnoe tvorčestvo* »)[8], se livrait à une lecture de la « jeune » tradition du XIXe siècle pour y repérer l'émergence de principes idéalistes, travaillant l'œuvre des plus grands : Tjutčev, Turgenev, Gončarov, Dostoevskij. Dans des pages qui annoncent la critique khlebnikovienne (mais chez Khlebnikov l'attaque sera dirigée contre... les symbolistes ![9]), Merežkovskij oppose à l'ascétisme utilitarien des « pseudo-populistes » le sentiment du beau, de l'art, de la langue, si vifs chez le peuple russe (aux yeux de Merežkovskij, l'art s'identifie à la vie, la langue russe au peuple qui la crée et la parle) :

437 ...Сам народ, который все-таки больше страдает, чем за него страдают, не стыдится красоты, а любит ее, как жизнь, как свободу, как свою силу, как хлеб насущный. Красота для него вовсе не роскошь и не отдых, она для него – солнце жизни, вдохновение в его песнях, молитва в его страданиях.

О нет, он не стыдится красоты. И, право же, народ поет весну и цветы, и красные зори, и даже ласку милой, все, что в жизни сладко, все дары Божии, поет не хуже, а гораздо лучше, сильнее и музыкальнее, чем, напр., Фет, столь нелюбимый народниками. И заметьте, что ведь поет он их именно бескорыстно, не думая ни об идее, ни о пользе, а чувствуя блаженство красоты и освобождения от земных цепей.[1]

. . . .

[...] Кто поймет и полюбит красоту в Пушкине, тот полюбит не что-то чужое, далекое и враждебное народу, а самую душу русского языка, т.е. русского народа. Как все великое, как все живое, красота не отдаляет нас от народа, а приближает к нему, делает нас причастными глубочайшим сторонам его духовной жизни. Бояться или стыдиться красоты во имя любви к народу – безумие.[2]

Le corollaire de la dénonciation de la « trahison » dont serait coupable la littérature russe est l'appel au retour vers l'autonomie du mot (ou du discours) artistique, étrange anticipation du mot d'ordre essentiel du « futurisme », l'ipséité du discours (« *samovitoe slovo* ») :

438 ...Слово только тогда достигает полноты своего действия, когда оно само для себя награда и цель, для них же слово – только орудие для работы или меч для борьбы, а цель – сама жизнь, т.е. действие воли на волю других людей.[3]

Enfin l'essai de Merežkovskij esquisse une première définition de ce qui apparaîtra une dizaine d'années plus tard comme le caractère propre de l'art et du poète symbolistes :

438 ...Подобного лирика привлекает не сама природа, а то, что лежит там, за пределом ее. Как неловко он смешивает черты пейзажа, подмеченные где-нибудь на Черной Речке и в Новой Деревне, с фантастическими оттенками своего внутреннего мира, с царством фей. Все предметы, все явления для него в высшей степени прозрачны. Он смотрит на них, как на одушевленные иероглифы, как на живые символы, в которых скрыта божественная тайна мира. К ней одной он стремится, ее одну он поет ! В современной, бездушной толпе это больше, чем мистик, это – ясновидящий, один из тех редких и странных людей, которых древние называли *vates.*[4]

Cependant, dans un mouvement de sage prudence, l'écrivain refuse encore à ce qui n'est qu'un pressentiment du changement spirituel qui se dessine dans l'intelligentsia russe, le nom de « courant littéraire » :

438 ...Это течение, лучше сказать, эта смутная потребность целого поколения, едва определившаяся, почти не выраженная словами, возникла не из метафизических обобщений, а прямо из живого сердца, из глубины современного общеевропейского и русского духа. Я даже не знаю, можно ли назвать эту потребность – литературным течением. Это скорее только первая подземная струйка вешней воды, слабая и жизненная.[5]

Il est vrai qu'avec l'article « *O pričinax ...* » nous n'en sommes encore qu'aux premiers balbutiements du mouvement, au « dégel »[6] qui annonce le printemps et la renaissance de la spiritualité russe. Néanmoins, le symbolisme, malgré les tentatives ultérieures, est un mouvement d'autant plus malaisément définissable dans ses principes, sinon dans sa pratique, qu'il n'en existe pas *une* théorie, mais *des* théories, et que, contrairement à ce qui se passera pour les mouvements « postsymbolistes » (acméisme – futurisme), les programmes ou manifestes furent peu nombreux et discrets[1]. Bien qu'il ait rassemblé des théoriciens et des artistes de génie qui lui ont donné, non sans contradiction et désaccords internes, une série d'armatures théoriques et un ensemble de chefs-d'œuvre artistiques, le « symbolisme » pourrait sans aucun doute mieux s'appréhender comme une tendance, un état d'esprit général orienté vers la promotion consciente de valeurs spirituelles oubliées pendant des décennies, ou tout au moins considérées comme secondaires par rapport à des buts d'efficience sociale déclarés primordiaux. Il conviendrait plutôt de parler d'une certaine atmosphère qui s'instaurerait peu à peu dans la vie intellectuelle[2] de la société russe entre 1890 et les premières années du XXe siècle et qui conquerrait insensiblement une hégémonie complète dans le champ artistique, jusqu'à la fin de la première décennie du siècle. Malheureusement, le nom ici comme ailleurs, trahit l'essence du mouvement : d'abord en créant l'illusion de l'unité du concept (il serait plus exact de parler des symbolismes[3]), ensuite en suggérant l'idée d'un emprunt étranger[4]. Le symbolisme russe est issu d'une mutation générale des idées et de la sensibilité, de l'esthétique européenne au milieu du XIXe siècle. Le mouvement qui conquiert peu à peu la Russie (du moins l'élite cultivée du pays) à la fin du XIXe siècle représente, comme tel, le développement conséquent de la synthèse poétique effectuée par Baudelaire[5], synthèse qui devait diriger inéluctablement l'art poétique vers le « modernisme », c'est-à-dire vers une méthode résolument antiromantique[6]. Les destinées du symbolisme ainsi entendu s'avèrent toutefois complexes et malaisées à cerner. Si en Allemagne le symbolisme se greffa et se développa sur un corps constitué de traditions poétiques et philosophiques (l'idéalisme) qui lui donnèrent le statut d'une doctrine de vie, d'une *Weltanschauung*, sur le sol russe, en revanche, tout en conservant avec son nom ses traits originaux de mouvement poétique antiromantique[7], il devait trouver un nouvel élan, une nouvelle orientation par rapport à sa visée originelle et ainsi se transformer en tout autre chose qu'une simple option poétique ou « école littéraire »[8]. Pourvu de son armature philosophique germanique, le symbolisme occidental ranimait en Russie une tradition spirituelle occultée par le positivisme en art ; d'autre part, il donnait une impulsion décisive à la redécouverte de la tradition philosophique religieuse byzantino-russe[9] qui se doublait, dans le même temps, d'une ressuscitation de l'hellénisme prébyzantin (manifestée principalement par la « rage traductrice » qui se saisit des principaux poètes symbolistes, Merežkovskij, Brjusov, Sologub, surtout Annenskij et V. Ivanov), c'est-à-dire essentiellement d'une pensée grecque pré-chrétienne, que les premiers clercs de la Russie chrétienne avaient soigneusement écartée lors du « tri » effectué pendant la transplantation de la culture byzantine[1]. Aussi la Russie devait-elle connaître, grâce à la conjonction de ces différents éléments resurgis de la tradition spirituelle de son passé le plus lointain et subsumés sous un même concept, celui de symbolisme, une « Renaissance »[2] dans le sens que ce terme peut avoir en Occident[3]. La Russie possédait une certaine tradition culturelle byzantine, sans avoir assimilé l'héritage antique, présent dans la culture-mère. Dans son type de civilisation (incluant les systèmes politique, idéologique, philosophique, esthétique, artistique, etc.), la Russie se voulait résolument byzantine, ignorante d'Athènes[4]. Paradoxalement, c'est par l'Occident latin, grâce à la direction européenne prise par la politique culturelle de l'État russe au XVIIIe siècle, que la Russie découvrit l'héritage de l'Antiquité classique, par le biais du classicisme en art, et qu'elle devait connaître, après un long cheminement[5], l'effloraison de sa propre renaissance byzantino-païenne, à la fin du XIXe siècle et au début du XXe siècle, en un mot qu'elle devait se réapproprier l'intégrité de son héritage culturel hellénique, le païen comme le chrétien. Le symbolisme est l'autre nom de cet essai de synthèse entre les deux composantes de la culture russe.

Le symbolisme[6] russe est donc beaucoup plus qu'une simple école, qu'un simple mouvement littéraire. La « décadence »[7] (il serait plus exact de dire le « décadentisme »), souvent confondue avec lui, ne représente que la version nationale du symbolisme français (du « décadentisme » français) répudié par le symbolisme russe « authentique » comme plagiat stérile et avilissant pour l'autonomie de la poésie russe. Le symbolisme exprime une manière de sentir, une esthétique (qui, comme telle, est un élément essentiel d'une construction du Monde), un phénomène spirituel, un système du Monde. Sa philosophie renoue avec l'idéalisme allemand néokantien, les traditions ésotériques et mystiques[8], l'occultisme occidental[9], emprunte à Schopenhauer, Nietzsche[10], Bergson[11], en même temps qu'à la tradition religieuse orthodoxe russe et à la pensée religieuse antique [Platon et le néoplatonisme, la gnose antique (païenne et chrétienne), les cultes à mystères grecs[12] et orientaux...]. Vl. Solov'ëv[13] a effectué l'extraordinaire synthèse de ces éléments si hétérogènes dans son œuvre philosophique en même temps qu'il a, par sa poésie, posé les jalons de cette nouvelle voie que devait prendre un art qui se voudrait fidèle à cet idéalisme syncrétique. La poésie devient l'enjeu décisif de la reconquête spirituelle de l'art. A vision nouvelle, art nouveau ; désormais ce dernier est investi de la mission de suggérer, bien plus que d'illustrer, la nouvelle intellection du monde et de l'âme humaine. L'art poétique du symbolisme s'élabore donc à deux niveaux : d'abord, dans des principes théoriques, répétés et modulés par à peu près tous les poètes qui se réclamaient de cette philosophie nouvelle ; d'autre part, dans la poésie effectivement produite par les symbolistes et reconnue comme symboliste par le public. Le caractère majeur de l'art nouveau est sa figurativité. Le propre de la poésie symboliste se réduit à n'être que figure, c'est-à-dire *autre* que ce qu'elle paraît : sa vérité se trouve ailleurs qu'en elle-même, la poésie n'est pas à elle-même sa propre fin, ainsi que le signifie assez pesamment le poème de Vjač. Ivanov *Al'pijskij rog*[1]. Elle est un chiffre[2]. La matérialité de la production symboliste se dissout[3] dans l'altérité, l'absence de cet « autre » qui seul est la vérité et qui se nomme, selon les auteurs, Dieu, l'Esprit, le Beau, le Bien, les Valeurs éternelles, etc. Prétendant lutter contre l'aliénation où avait sombré, à leur sens, la poésie « sociale » du siècle précédent, les symbolistes asservissaient de nouveau la poésie à autre chose qu'elle : la poésie, comme jadis la philosophie, devenait servante de la théologie. La technique[4] poétique, portée aux limites de la perfection, ne représente qu'un tremplin pour approcher cette dernière, qui *n*'est *plus* de la poésie[5] ! La poésie symboliste paraît, on le voit, chose contradictoire : l'art est spolié de sa propre essence, « aliéné » ; il est *et* n'est pas lui-même, étant dans le monde sensible la figure imparfaite d'une essence parfaite, ou, pour reprendre le vocabulaire platonisant des symbolistes, l'hypodigme approximatif d'une idée. Ceci est la conséquence d'un choix gnoséologique : « l'autre » (le Divin, la Réalité, la Vérité, etc.) ne peut se dire que dans le mythe ou par la métaphore. L'art permet de vaincre l'espace/temps s'il emprunte le détour du Mythe[6]. Même pour les symbolistes, l'art symboliste se condamne comme art, perdant toute autonomie. L'art poétique symboliste est ce qu'on a voulu que l'icône fût dans l'art pictural : une « icône » verbale, un hiérogramme dont la contemplation doit conduire, par une progressive élévation, à la « vue » (l'intuition directe) de l'être infigurable. La poésie symboliste se déclare par sa prétention ontologique un art anagogique[7]. La victoire de l'être consacre la perte de l'art. La vision du monde symboliste suscite de la sorte un complexe d'émotions et de notions (une esthétique) qui oblitère *la réalité de l'œuvre d'art*[8]. Aussi comprenons-nous pourquoi le paradigme musical[9] joue un si grand rôle dans l'art poétique symboliste. Le discours poétique tend vers l'idéal musical, le sens s'efface devant le jeu autonome des « sons » du discours ; la « musique des concepts » efface progressivement les contours et les frontières posés par la raison. La vision du monde dicte au poète les recettes de son art : les règles sont au service de la transcendance, coopérant et fonctionnant dans un système qui pose comme fin la figuration la moins imparfaite possible de l'invisible. L'art symboliste se transmue en religion, le travail du poète imite la prière.

Cette spiritualité dissolvante suscitait ses genres propres. Parmi les genres possibles où pût se déployer pleinement la totalité du projet symboliste, il semble bien que ce soit le drame qui répondît le mieux à ce dessein. Le drame[1], et particulièrement le drame spirituel (le « Mystère ») exprime de la manière la plus adéquate le caractère syncrétique du symbolisme russe : il résume tout à la fois l'office du culte dionysiaque, la tragédie grecque[2], le « mistère » médiéval occidental, le *dejstvo* russe des seizième et dix-septième siècles, le drame lyrique wagnérien et la philosophie dramatique nietzschéenne « mise en scène » sur le parvis du temple de la culture universelle que rêvaient de restaurer les symbolistes. Le drame spirituel (ou « drame lyrique », ou « Mystère », ou « farce sacrée », indifféremment selon Blok[3]) est la forme suprême de l'art poétique comme service sacré, comme liturgie[4] (*svjaščennoe dejstvie*). En inversant la formule, on pourrait affirmer sans excès que l'art poétique symboliste s'identifie à l'art de la figuration du « mystère » ontologique, art qui a trouvé sa forme adéquate dans le « mistère » religieux[5]. Le « mystère »[6] russe emprunte son nom et sa signification à l'Occident latin, sa langue à Byzance, ses thèmes au néo-paganisme dionysien. La contradiction fondamentale du projet n'apparaît que trop dans la réunion de ces éléments hétéroclites. Où, en effet, un art syncrétique eût-il pu se mouvoir, qui combinait des parties si antinomiques (la latinité chrétienne, l'Orient byzantin, le paganisme d'érudition humaniste, le néo-paganisme musical, lyrique, d'inspiration germanique), si ce n'est dans la sphère de la plus haute abstraction ? Ce qui frappe, en effet, dans le drame symboliste, c'est sa conventionalité abstraite, aussi bien dans la thématique que dans la langue[7]. L'art de l'intemporel (ou celui qui *vise* l'intemporel) construit un diagramme de figures[8] dotées de certaines fonctions, qui parlent la langue hiératique de l'hellénisme byzantin (le slavon d'Église). L'art symboliste devient de cette manière un art intempestif, un musée ou un panthéon[9] de la culture universelle. Visant l'ailleurs, l'éternel, l'art symboliste manque la vie tout en manquant lui-même de vie. L'excès de figuralité détruit la figure en en faisant apparaître simultanément l'inanité[10]. La poétique symboliste fut ruinée[11] lorsque certains poètes osèrent dire tout haut ce que les « symbolistes » eux-mêmes redoutaient[12] : à savoir que les figures cachaient, dans leur prétendue transparence, le néant et, de ce fait, perdaient jusqu'à leur dignité de figures. L'au-delà, en effet, n'existait que dans l'imagination des symbolistes. Celui-ci répudié, apparaissait toute l'artificialité de l'art symboliste, dégradé au rang de rhétorique. Si, historiquement, ce furent les peintres[1] qui, les premiers, dénoncèrent l'artifice du procédé figuratif et la vanité de toute prétention[2] à une représentation d'objet, la « révolution » picturale s'accomplit évidemment dans et contre une certaine tradition *picturale*. La rupture poétique[3], si elle suivit de près la transformation des conceptions de la peinture, ne put s'accomplir que dans et contre une certaine tradition *poétique*. Elle fut consommée par des poètes, exclusivement, même si ces poètes étaient le plus souvent également des peintres ou tout au moins des experts en peinture[4]. Tel fut le cas de Velimir Khlebnikov.

Il n'est pas indifférent que Khlebnikov ait commencé sa carrière poétique dans le sillage de deux « maîtres » parmi les plus représentatifs de l'éclectisme et de l'abstractionnisme « symbolistes » : Vjač. Ivanov[5] et M. Kuzmin ; ni que ses premières productions fissent écho à celles de F. Sologub et d'A.N. Tolstoj[6]. Le problème posé par cette incontestable proximité poétique est celui de l'« influence » et de l'imitation[7]. Le caractère toujours faussement redoutable de ce problème scolastique réside dans l'impropriété des termes en lesquels on le pose. En fait, les mots « influence » et « imitation » escamotent le véritable problème : comment se constitue à partir d'un système poétique donné, un nouveau système, dans l'œuvre de tel ou tel écrivain ? Suivre la construction de ce nouveau système, c'est étudier le phénomène complexe de la « parodie littéraire »[8], tel que l'a analysé Ju. Tynjanov à l'exemple des rapports qui unissent le « premier » Dostoevskij au modèle gogolien[9]. Le refus du symbolisme, chez Khlebnikov, se devine moins dans les écrits polémiques ou les manifestes d'école signés par lui dans les années de « militantisme futurien » que dans la manière dont, dans ses œuvres de débutant (utilisées *ensuite* comme arguments polémiques par le « futurianisme », alors qu'elles furent composées à une époque où ce dernier comme tel n'existait pas encore...), il construit son propre système poétique en conservant certains éléments du symbolisme, en en rejetant d'autres : le sens même du terme parodie enveloppe les deux démarches apparemment antinomiques. Que Khlebnikov ait reproché aux symbolistes leur « occidentalisme », leur oubli du peuple pour lequel le poète doit écrire, leur mépris (ou leur oubli) des traditions littéraires nationales[10], cela doit être pris en considération et éclaire une différence de mentalité (entre « symbolisme » et « futurisme ») qui n'est pas à négliger pour une appréciation complète de « l'idéologie futuriste »[11]. Mais ce fait n'élucide en rien le sens du combat poétique, qui va assurément dans la même direction, mais par ses propres voies. Or ce sont ces voies-là qu'il importe d'éclairer à présent en analysant la manière dont, à l'intérieur du discours poétique traditionnel – considéré, pour reprendre la comparaison de R. Jakobson[1], comme discours originaire –, Khlebnikov en perturbe l'agencement des éléments et dessine la configuration d'un autre système qui devait être qualifié par la suite, et si malencontreusement, de « futuriste ». Nous proposons une analyse de l'installation de ce système sur l'exemple de trois œuvres de la période symboliste : *Snežimočka*, *Markiza Dèzes* et *Devij bog*[2]. Nous constaterons, à l'examen de ces pièces, que Khlebnikov avait déjà disposé en elles les linéaments de cet art poétique nouveau qui devait le faire reconnaître plus tard comme le « pionnier du futurisme russe ».

La construction du système

a) analyse de *Snežimočka*

Snežimočka ou *Roždestvenskaja skazka*[3] figurait dans le projet initial du théâtre futurien « *Budetljanin* » aux côtés de *Železnaja doroga* de Majakovskij) et de *Pobeda nad solncem* (de Kručënyx)[4]. C'est assez dire que cette pièce devait présenter aux yeux de l'aréopage « futurien » assez de traits qui la distinguassent du drame symboliste et pussent lui permettre de soutenir le voisinage des deux autres qui, superficiellement, semblent plus « révolutionnaires » dans le langage et même dans leur structure. *Snežimočka* en effet s'inscrit dans la double tradition du drame symboliste contemporain[5] et du drame à sujet populaire et mythologique, illustré au dix-neuvième siècle par Puškin et Ostrovskij[6]. Un fait mérite d'être souligné : sur la couverture du cahier où il écrivit sa pièce, Khlebnikov a raturé le premier titre « *Snežimočka – Roždestvenskaja skazka – Podražanie Ostrovskomu* »[7]. Toute la valeur de la correction tient à l'oblitération du mot *podražanie*, « imitation ». Khlebnikov avait senti que sa pièce était bien autre chose qu'une banale imitation de *Sneguročka* d'Ostrovskij, même si initialement elle avait été conçue comme un « à la manière de ». La « manière » d'un auteur transforme toujours la « matière » qu'il choisit (cette « matière » n'étant bien souvent que la « manière » d'un autre auteur).

La pièce d'Ostrovskij *Sneguročka* est l'élaboration littéraire[8] d'un matériel emprunté au folklore russe. Les chants populaires, le rythme épique du *Slovo o polku Igoreve*, les *byliny*, les rites païens rustiques (*obrjady*, *obrjadovye pesni*, *dejstva*) servent au développement d'un thème dramatique *indépendant* du matériel que ces éléments représentent.

Les personnages sont les participants d'une intrigue qui trouve son déroulement dans leur psychologie propre, si rudimentaire qu'elle puisse paraître : piété filiale, amour maternel, jalousie, amour, dépit...[1] . Les éléments qui auraient pu sembler les plus rebelles à une incorporation dans un schéma dramatique (le personnage de Lel', les festivités païennes du Mardi-Gras, ou la fête de Jarilo) trouvent un emploi vraisemblable dans le thème dramatique général, même s'ils affligent d'une certaine languidité poétique[2] la marche de l'action, la ralentissant parfois pour qu'elle cède la place à des intermèdes de pure féerie, durant lesquels Ostrovskij livre d'authentiques chants populaires puisés aux recueils de chansons et aux ouvrages ethnographiques de son époque (Prologue, 1er tableau : « Chœur des oiseaux » et 4e tableau : « Chœur des Bérendéens » – Acte I, 3e tableau : « Chant de Lel' » – Acte III, 1er tableau : « Chants et rondes des jeunes Bérendéens » ; « Chanson de Lel' », « Chanson de Brusilo » – Acte IV, 4e tableau : « Chant des Bérendéens »). L'opéra de Rimskij-Korsakov[3] révèle, avec toute la force que peut offrir l'art musical, les moments de la féerie poétique : ce sont les endroits de la pièce où précisément Ostrovskij cède la parole aux bylines, aux chants rituels, aux chansons populaires traditionnelles, bref là où le littérateur intervient avec le plus de discrétion ; en un mot, là où s'épanche la richesse du langage, le rythme propre du parler russe populaire, ce que le dramaturge nomme lui-même « le rythme épique ». *Sneguročka* d'Ostrovskij est, dans le plein sens du terme, une « variation sur un thème folklorique ».

Le « conte de Noël » *Snežimočka* se présente comme le contraire d'un drame, car l'action s'y développe selon d'autres principes que l'évolution psychologique des personnages (les ἤθη ou caractères du drame classique). D'autre part, le « thème » en tant que tel disparaît également : ce n'est pas *à partir* du folklore russe que Khlebnikov construit la pièce, comme c'était le cas chez Ostrovskij, mais c'est la langue qui, savamment œuvrée, développe et construit autarciquement son propre folklore, manifestant sa *narodnost'*[4] sans la moindre stylisation[5] . Khlebnikov parachève de ce fait (ou poursuit, mais sur un autre mode) ce que Vjač. Ivanov proposait dans *Poèt i čern'*[6] :

438 Если музыку метко назвали бессознательным упражнением в счету и счислении, то творчество поэта – и поэта-символиста по преимуществу – можно назвать бессознательным погружением в стихию фольклора. Атавистически воспринимает и копит он в себе запас живой старины, который окрашивает все его представления, все сочетания его идей, все его изобретения в образе и выражении.

Символы – переживания забытого и утерянного достояния народной души.

...Истинный символизм должен примирить Поэта и Чернь в большом, всенародном искусстве. Минует срок отъединения. Мы идем тропой символа к мифу. Большое искусство – искусство мифотворческое. Из символа вырастет искони существовавший в возможности миф, это образное раскрытие имманентной истины духовного самоутверждения народного и вселенского.

L'extinction du psychologisme comme principe constitutif de l'action et l'abolition du thème comme contenu possible de l'œuvre font de *Snežimočka* un échantillon insigne de ce que Khlebnikov appelait dans son prologue à *Pobeda nad solncem* un « *preobražavl'* » (un « transfiguroir »[1]).

Snežimočka apparaît à bien des égards comme la systématisation scénique des recherches linguistiques et poétiques menées par le poète durant les années 1906-1908[2]. La mythologie[3] slave de la pièce naît en effet des procédés de dérivation et de formation des mots à partir des racines slaves[4] :

Снезини. А мы любоча хороним... хороним...
А мы беличи-незабудчичи роняем... роняем... (Веют снежинками и кружатся над лежащим неподвижно Снегичем-Маревичем.).

Смехини. А мы, твои посестры, тебе на помощь... на помощь... на помощь... Из подолов неженных смехом уста засыпем – серебром сыпучим...

Немини. А мы тебе повязку снимем... немину...

Слепини. А мы тебе личину снимем... слепину...
А мы, твои посестры, тебе на помощь... на помощь...

Снезини. Глянь-ка... глянь-ка : приотверз уста... призасмеялся, – приоткрыл глаза – прилукавился. Ой, девоньки, жаруй ! (С смехом разбегаются. Их преследует Снегич-Маревич, продолжая игру и оставляя неподвижными тех, кого коснулся.).

Березомир. Сколько игр я видел !... Сколько игр... (поникает в сон) сколько игр...

[1ое деймо]

Dans la trame de la féerie langagière, Khlebnikov introduit[5] quelques quatrains expérimentaux dont on trouve maints exemples similaires dans ses cahiers de la même époque[6] :

Дрожит струной
Влажное черное руно,
И мучоба
Входит в звучобу...

Крылом вселенновым овеяла
И в тихую мгляность растаяла.
Вселенничей-слезичей сеяла,
И душу прекрасным измаяла.

Люд стал лед.
И хохот правит свой полет
О, город – из улиц каменный лишай,
Меня, меня не лишай.

Jeux de racines, néologismes affixaux, paronomases, rimes-calembours, déclinaisons intérieures : nous avons là une panoplie des recherches poétiques de Khlebnikov devenues facteurs dramatiques, en l'absence de tout facteur proprement psychologique. Si Snežimočka quitte la campagne pour la ville et y meurt en fondant sous les yeux des badauds, la motivation de cette « action » ne doit pas être cherchée dans la curiosité naïve et téméraire d'une jeune paysanne pour les charmes de la ville (ceci en effet équivaudrait à une réintroduction du principe psychologique, la curiosité étant un trait de l'ἦθος classique) mais dans l'allégorie[1] transparente *au niveau de la langue* : la Fable russe (traditionnelle, folklorique, populaire) « fond »[2] dans la langue littéraire russe (le parler « de la ville ») à la fois comme langue et comme thème, précisément parce qu'elle se fond avec elle, la fertilisant de la luxuriante richesse de ses propres mythes linguistiques, de son trésor langagier[3] :

Кто-то. Но где же Снежимочка ? Снежимочка где ?
Рокот. Снежимочка где ? Где Снежимочка ?
смятение
Руководитель игры (после некоторого промежутка, всходя на помост). Снежимочки нет. Она таинственно исчезла, но то место, где она была, покрыто весенними цветами. Унесите же в руках, как негасимые свечи, разнесите по домам знак таинственного чуда и, может быть...
Голоса многих. Чудо ! чудо ! Снежимочка растаяла цветами.
Голос удаляющихся. Мы будем помнить ее заветы...
(Проходят, наклоняясь, тела благообразных стариц, юношей, детей, и срывают благоговейно длинные голубые цветы ;
они горят, как свечи.)

Alors que, dans la pièce d'Ostrovskij, le sacrifice désespéré et involontaire de Snegoročka et de Mizgir', gage de la future prospérité matérielle des Bérendéens, était célébré dans l'allégresse générale par l'hymne païenne qui concluait la pièce[4] :

Даруй, бог света,
Теплое лето.
Красное Солнце наше,
Нет тебя в мире краше.
Краснопогодное,
Лето хлебородное.
Красное Солнце наше !

dans le conte de Noël khlebnikovien la disparition de Snežimočka est un miracle (« *čudo* »), car elle engendre des fleurs qui signifient la spiritualité slave, païenne retrouvée et recouvrée dans l'intériorité même de la langue russe, malgré l'urbanisation et l'urbanité artificielles[5] qui témoignent de sa superficielle occidentalisation[6] :

Голоса удаляющихся

Забыли мы, что искони
Прожали вещие кони.
Благословляй или роси яд,
Но ты останешься одна –
Завет морского дна –
Россия.

Новые голоса удаляющихся

Ушедшая семья морей
Закон предвечный начертала,
Но новою веков зарей
Пора текущая сметала.
Но нами вспомнится, чем были,
Восставим гордость старой были.
И цветень сменит сечень,
И близки, близки сечи.

Le troisième acte de *Snežimočka* offre une authentique festivité slave[1], où les acteurs communient, dans un langage purifié, par la gloire, l'éclat purs de leur Mémoire nationale, celle de leur peuple et de sa culture. Le slavophilisme[2] exacerbé qui se déchaîne dans les serments et les joutes païennes est l'expression la plus belliqueuse de l'antisymbolisme linguistique de Khlebnikov[3]. Le procédé du mélange des plans dans la pièce – plan de la réalité, plan du fantastique[4] – procédé de la dramaturgie symboliste, fonctionne comme un élément supplémentaire dans la polémique littéraire antisymboliste : les hommes « réels » et « tueurs de mystère » qui apparaissent par intermittence incarnent autant les « symbolistes » que les « réalistes » en art ; les uns et les autres en effet ne croient guère à la féerie, à la magie du langage russe rendu à lui-même, arraché à l'adoration servile des modèles étrangers par le *Slavodej*, acteur et restaurateur de la Slavie qui s'identifie au futur (« *Budeslavl'* »). La tâche de celui-ci consiste à ressusciter le passé dans sa splendeur bafouée par les « occidentalistes symbolistes » et ignorée d'eux. Le moment le plus pathétique de *Snežimočka*, celui où l'on mesure le plus directement l'enjeu de la bataille pour le futur de la langue, coïncide avec l'hymne (*pesn'*) qui ouvre le troisième acte[5] :

Я тело чистое несу
И вам, о улицы, отдам.
Его безгрешным донесу
И плахам города предам.
Я жертва чистая расколам,
И, отдаваясь всем распятьям,
Сожгу вас огненным глаголом,
Завяну огненным заклятьем.

L'idée que le poète se fait sacrificateur n'est pas neuve. Elle vient des symbolistes. Mais la conception du Poète comme sacrificateur sacrifié, comme victime volontaire immolée à la langue, est, elle, le propre de cette nouvelle tendance, issue du symbolisme mais hostile à son système esthétique, à laquelle devait être octroyé le nom de « futurisme ». Ce qu'offre avec abnégation le poète nouveau, nouveau prophète crucifié, ce qu'il offre à la ville (aux places, aux rues) privée de la langue, c'est sa voix même, son verbe poétique nouveau. Le Poète novateur se présente comme la victime consentante de la Langue[1].

b) analyse de *Devij bog*

« Transgénération » de la dramaturgie symboliste et classique, telle se désigne l'œuvre accomplie par V. Khlebnikov dans son conte de Noël *Snežimočka*. Le même glissement de valeurs (par rapport au drame classique et symboliste) peut se constater dans une autre œuvre presque contemporaine, *Devij bog*[2]. Khlebnikov, dans *Svojasi*, offre les clefs d'une interprétation possible de ce drame[3] :

438 В *Девьем боге* я хотел взять славянское чистое начало в его золотой липовости и нитями, потянутыми от Волги в Грецию. Пользовался славянскими полабскими словами (Леуна).

...Если определять землями, то в *Ка* серебряный звук, в *Девьем боге* золотой звук, в *Детях Выдры* – железно-медный.

Азийский голос *Детей Выдры* ;
Славянский *Девьего бога*, и
Африканский *Ка*.

[...]. *Ка* писал около недели, *Дети Выдры* – больше года, *Девий бог* – без малейшей поправки в течение 12 часов письма, с утра до вечера. Курил и пил крепкий чай. Лихорадочно писал. Привожу эти справки, чтобы показать, как разнообразны условия творчества.

[...]. *Девий бог*, как не имеющий ни одной поправки, возникший случайно и внезапно как волна, выстрел творчества, может служить для изучения безумной мысли.

Так же внезапно написан *Чортик*, походя на быстрый пожар пластов молчания. Желание « умно » – а не заумно, понять слово привело к гибели художественного отношения к слову. Привожу это как предостережение. (*Свояси*)

Les indications les plus précieuses concernent la langue de la pièce : quel en est le statut dans le registre si riche des plans du discours chez Khlebnikov ? « Création verbale » (*slovotvorčestvo*), langage transmental (*zaumnyj jazyk*) ou langue démente (*bezumnyj jazyk*) ? La question mérite d'être étudiée, en raison d'abord de l'invitation de Khlebnikov lui-même[4] (« Devij bog... *možet služit' dlja izučenija*... ») ; ensuite, parce que cette investigation peut éclairer un des recoins les plus obscurs de la création littéraire et de la secrète élaboration du système poétique chez ce grand rationaliste du verbe.

Si *Snežimočka* nous a fait assister à la refonte du système dramaturgique classique et symboliste, et, comme effet de cette restructuration profonde, à une « slavisation » interne de la langue (ce que Khlebnikov appelle son « premier rapport au mot »[1]), *Devij bog* est le premier « mistère » intégralement slave du répertoire « futurien ». La parodie ne se déroule plus, comme dans *Snežimočka*, sur la scène seulement, mais aussi dans les coulisses : *Devij bog*, dans sa totalité, apporte la réponse de Khlebnikov au double défi du mystère symboliste « antiquisant »[2] tel que l'ont établi Vjač. Ivanov et F. Sologub.

Le « mystère » comme forme du spectacle « symboliste » résulte, comme nous l'avons vu, d'une série de méditations philologiques, philosophiques et poétiques, chez la plupart des artistes symbolistes. En Russie, il effectue la symbiose, dans l'art, de plusieurs phénomènes comme la redécouverte du monde grec, la ressuscitation du sentiment tragique de l'existence (par la médiation du nietzschéisme), l'étude érudite du monde et des religions antiques ainsi que de l'univers médiéval occidental. Il représente la forme synthétique de l'art religieux tel que les symbolistes s'imaginaient[3] qu'il avait dû exister dans les époques reculées de la culture européenne et hellénique. Il exprime, en quelque sorte, la quintessence du système poétique symboliste, la forme qui livre pleinement l'« idéologie » et l'art poétique de ce mouvement de pensée, sa conception du monde, de la langue, de l'art, son esthétique. Nécessairement, c'est dans le mystère que se dévoilent, avec l'évidence la plus cruelle, les défauts, les points faibles de ce système. L'abstraction de la visée symboliste ne pouvait se manifester avec plus de vigueur que dans la langue et le schéma général du mystère. Quelles étaient les lois générales, la structure obligée de ce modèle du monde qu'il représentait ? Le secret de l'être, considéré par les symbolistes comme le seul garant de l'authenticité spirituelle de leur art, les condamnait à l'œuvre abstraite : l'inconnu, le caché, le mystérieux (le Dieu, la Sophia...) ne pouvaient se manifester que dans l'allégorie d'un langage allusif. Un répertoire des mots les plus fréquents de leur vocabulaire en convainc aisément[4]. Le secret ontologique, soigneusement cultivé, contraignait à un langage ésotérique, à des thèmes dramatiques abstraits aussi intemporels que les entités agitées dans la philosophie symboliste. Le type de ce théâtre d'ombres, à équidistance de la tragédie antique et du « mistère » chrétien (tel du moins que le concevaient les symbolistes) se trouve réalisé dans l'œuvre de F. Sologub, « *Liturgija mne* »[5], que l'on pourrait définir comme la « formule algébrique » du théâtre mystique. La matrice situationnelle du mystère-type apparaît dans toute sa simplicité structurelle :

1) *Le cadre* : la nuit, un défilé aux flambeaux autour d'un autel :

439 Наступает ночь. В пустынной долине собираются желающие совершить Литургию. Они приносят дары, хранимые до времени в покровах. Все приходящие снимают обувь и обычное платье, облекаются в белые одежды и увенчиваются цветами. Ждут Отрока-жреца. Светочи, еще не все зажженные, мерцают слабо ; их держат юноши. Некоторые из юношей принесли флейты, бубен, лиры, тимпан. Ожидающие, приготовляясь к совершению Литургии, поют гимны предначинательных воспоминаний. В то же время воздвигают алтарь из каменных плит и возлагают на него сучки и ветки деревьев.[1]

2) *Les personnages* : des Adolescents et des Vierges (« *junoši i Devy* »), des hommes (« *muži* »), des vieillards (« *starci* »), des errants (« *stranniki* », le Conservateur des traditions (« *Xranitel' predanij* »), l'Éphèbe (« *Otrok* »), des édificateurs (« *stroiteli* »), des femmes (« *Žëny* »), le Gardien de l'autel (« *Xranitel' altarja* »).

3) *La fable du drame sacré* : le sacrifice de l'Éphèbe pour la Communauté.

L'imprécision topographique et temporelle assure la pluralité d'interprétations possibles : liturgie christique ? dionysiaque ? allégorie du rôle du poète dans la communauté humaine ? Tout cela à la fois, probablement. Le plus remarquable n'est cependant pas le « lieu » imaginaire où les protagonistes de ce drame métaphysique se débattent : c'est leur langue qui manifeste l'utopie de la scène. L'Éphèbe, les Vierges, les hommes parlent uniformément la langue de la liturgie, de l'office sacré, cette langue « slavo-byzantine » qui véhicule les concepts ecclésiaux de la philosophie symboliste »[2] :

Познание истин невозможно
На этой суетной земле,
Но обещание не ложно, –
Святое кроется во мгле.

И ожиданию ночному
Явить законы бытия
Сойдет к свершению святому
Для нас и жертва и судья.

Мы создадим
Блаженный строй,
И над землей
Прострем довольство и покой.

Грозя чарующему Змию,
Святыню злого дня кляня,
Как вы свершите Литургию,
Когда забыли вы Меня ?

Отрок нежный и прекрасный !
Ты ли агнец непорочный,
Под ножом безгласный,
Здесь в великий час полночный
Искупающий страдания
Омраченного созданья,
Зло и лживость бытия ?

Ce théâtre théologique restaure la langue hiératique de l'Église ainsi que la terminologie livresque et savante du répertoire classique[1]. Nous sommes donc bien loin de la truculence, du réalisme familier du langage national, populaire, du mystère médiéval occidental. Il a manqué évidemment aux symbolistes, malgré tous leurs efforts, une tradition nationale[2], populaire, avec le sentiment de cette tradition et de cette langue populaires.

Devij bog peut être analysé en partie à la lumière de la question que posait le théâtre symboliste aux jeunes poètes des années post-révolutionnaires (1905-1910) : le « mot » théâtral[3]. En effet, sans briser le schéma abstrait du système comme formule théâtrale de l'« idéologie symboliste », Khlebnikov opère un glissement sémantique par la substitution d'une « forme » nationale slave[4]. A cet effet, il choisit un terrain nouveau – et ce choix sera particulièrement fécond de conséquences pour le « futurianisme » – pour le déroulement du drame sacré : le paganisme[5] et la langue de la nation slave, celle de l'épopée fondatrice, des contes, des *byliny*. Cependant, Khlebnikov, en ne rompant pas le cadre général du drame, reste prisonnier de la problématique symboliste, et, de ce fait, la parodie est moins efficace que dans *Snežimočka*[6]. Le terrain de la polémique, en effet, n'est pas neutre, et dans les limites du drame symboliste, pleinement assumées, *Devij bog* verse comme naturellement dans la stylisation, avec toutefois cette réserve d'importance que Khlebnikov effectue la stylisation d'un modèle seulement probable, fictif ! La ressemblance avec un modèle qui appartient à l'ordre de l'irréel, du passé[7] mesure tout à la fois et le succès et l'échec du poète. Dans *Devij bog*, la parodie, trop parfaite (et comment la parodie pourrait-elle ne pas l'être quand le modèle n'existe pas ?) côtoie dangereusement la stylisation stérile. Lorsque le déplacement de certains éléments du modèle (réel ou fictif) approche d'un seuil minimal, l'intention parodique, proprement créatrice, s'évanouit et ne démontre plus que la virtuosité technique de l'auteur. Khlebnikov, par la suite, ne reviendra plus à cette formule, puisque, aussi bien, dans l'« éclair » de la création de *Devij bog*, il en avait définitivement exploré les potentialités et atteint les limites. Néanmoins, il gardera toujours cette aspiration fondamentale à créer une forme de poésie intégralement slave – épopée, drame ou roman[8]. Il n'a laissé que des ébauches[9] de ce projet obsédant, dont aucune, d'ailleurs, n'a la valeur démonstrative de *Devij bog*.

Malgré cette restriction, *Devij bog* est une œuvre capitale dans l'élaboration du système poétique khlebnikovien, même si, par la suite, il ne revient plus à cette forme de théâtralité[1]. En effet, c'est dans *Devij bog* que le lecteur saisit dans sa pleine dimension le défi lancé par Khlebnikov à la culture poétique symboliste, voire à l'ensemble de la culture russe, dans son présent, son passé et son avenir : Khlebnikov, poète « futurien », dote, avec *Devij bog*, la culture russe d'un passé culturel *fictif* qu'elle n'a pas eu dans la conscience culturelle collective, mais qu'elle aurait pu vraisemblablement connaître, n'eût été la christianisation du pays. La religion païenne, la foi du paganisme slave que Khlebnikov oppose polémiquement au « dionyso-christianisme » des symbolistes ne représentent pas, bien sûr, une option métaphysique, mais un choix poétique (esthétique) : ce n'est pas tant la foi païenne (hypothétique par essence) de Khlebnikov qui suscite une langue « purifiée » des effets de son baptême chrétien byzantino-slave, que la langue elle-même choisie par lui, aperçue autrement et « paganisée » par ce regard *vierge* (et restaurée fictivement dans un état prébyzantin) qui fabrique et suscite une mythologie, une esthétique, une « religion » slaves, païennes, enracinées dans le terroir de la Mémoire collective du peuple. Cette double restauration, menée par des moyens poétiques, manifeste la profonde intempestivité, relevée par Mandel'štam[2], des conceptions linguistiques et poétiques de Khlebnikov. Examinons les procédés de « sécularisation » du langage, procédés qui fabriquent l'effet esthétique d'« archaïsme slave ».

Le texte de *Devij bog* ressemble à un florilège de tous les « russismes » marqués au coin de l'archaïsme : rythmes de chants populaires, de *byliny*, tournures stéréotypées des contes populaires, formes de mots ou locutions-types, génériquement signifiantes (indiquant leur appartenance à un registre déterminé de discours), abondent dans le langage des personnages de ce drame « paysan » et lui confèrent une coloration prononcée de parler populaire, authentiquement russe[3] :

439 Дочь князя Солнца : Мамонько ! Уж коровушки ревьмя ревут, водиченьки просят, сердечные. Уж ты дозволь мне, родная, уж ты позволь, родимая, сбегаю я за водицей к колодцу, напиться им принесу, сердечушкам-голубушкам моим. Не велика беда, если княжеской дочке раз сбегать до колодца за водой идучи...

Старуха : О, мать-княгинюшка ! Да послушай же ты, что содеялось ! Да послушай же ты, какая напасть навеялась ! Не сокол на серых утиц, не злой ястреб на голубиц невинных, голубиц ненаглядных, голубиц милых – Девий бог, как снег на голову...

...Явился незванный, негаданный. Явился ворог злой, недруг, соколий глаз.

Княгиня : ...И лишь равно-мил синечерный кудрями Сновид. Но он на далеком студеном море славит русское имя.

Non seulement les divers personnages de l'œuvre portent des noms indigènes (Molva, Dobroslava, Snovid, Gordjata, Rud, Rox, Užas, Šum, Ljubava, Gomon, Smex, Belynja, Tišina, Krik, Osetr, Vepr', Večer, Veter, etc.) mais ils parlent souvent la langue des chrestomathies de littérature vieux russe. Le dieu traverse ainsi une Slavie imaginaire « syncrétique » : tout à la fois Kievie préchrétienne, république novgorodienne et farouche tribu polabe. L'indécision du « lieu » permet le flottement des termes culturels qui marquent habituellement une civilisation déterminée[1] : *veče*, *xram*, *Perunovo pole*, *tisjackij*. Aussi le décor (tel que le dessine une indication de l'auteur) porte-t-il les traits de la vieille Russie villageoise (conventionnelle) des légendes (la « *derevjannaja Rus'* »)[2] :

439 Сзади, теснясь, из узкого, стесненного жестокими суровыми бревнами переулка – его безобразие уменьшено скатами крыш, скворешнями и старыми ветлами, – выливается, подобно весеннему пруду, толпа и наполняет лужайку перед двором князя...

Из ворот славного князя Солнца выбежали – куда, куда ? – две знатных боярыни. Мелькают кокошники, венки зеленых полевых трав, красные лица, яркие глаза, радость нежной и молодой толпы.

Le paganisme culturel favorise la reviviscence de déités « étymologiques » à côté du Perun historique : Černaja Smert', Čumnobog, Rok, Sud'ba, Duxi... Le schéma emprunté aux mythes gréco-symbolistes (ceux de Dionysos, Diane, Artémis et Endymion)[3] se couvre d'une délicate résille slave par l'emploi de mots rares, judicieusement placés dans le texte (comme le fameux « Leuna »[4]) et qui fabriquent l'atmosphère slave, cette « dorure de tilleul » qui donne son charme propre à une pièce qui resterait autrement un simple démarquage, slavisé, du mystère symboliste. La parodie est rétablie par un élément qui tient moins à la nature du langage qu'à la distance que crée l'auteur entre lui-même et son œuvre : l'humour[5]. Cette discrète dissonance installée au cœur du texte introduit la dimension ironique qui suscite l'écart entre l'œuvre et son auteur en dévoilant l'artificialité de la composition littéraire. Un des procédés de distanciation qui fait apparaître la *fictivité* de la fiction dramatique est celui par lequel la « réalité » que confère au drame l'accord tacite du lecteur/auditeur, se vide de toute crédibilité : la brutale interférence d'un autre plan de « réalité », en totale contradiction avec les lois de la vraisemblance admises par le récepteur, montre la spécularité à l'œuvre dans le texte. Il s'agit en l'occurrence de deux plans, chronologiquement incompatibles[6] :

439 Третье

Светелка, наполненная по большей части безусыми вооруженными юношами.

Один (с приподнятой смешно губой и устремленными поверх слушателей глазами) : вот что, этому нужно положить конец ! Вам известно, что бродяга, отрок, причем решительно не выдающийся, ничем не отличающийся, завладел, или вернее похитил сердца всех прекрасных барышень столицы. Мне достоверно передавали, что там нечего пердосудительного не происходит – они просто собираются и проводят время вместе, как если бы у них отняли половину их лет. Но что их ожидает в будущем ! Что с честью их и их семей ! Да, мы должны их убить. Его участь решена не нами. Мы только исполнители. Его не следует порочить. Но и не следует щадить. Он должен пасть. Но говорят, там есть отряд вооруженных девушек. Как с ними поступить ? Нет никакого сомнения, что они станут защищать своего любимца. Я предлагаю поднять меч и на них, но пусть, кто не убьет его, упадет грудью сам на меч. Я кончил. Несогласных с моим предложением прошу поднять руку. Раз... два... При одном воздержавшемся, семь за, два против. Угодно собранию...

Остальные : Мы согласны.

Княжич Шум : Я пришел к вам. Я знаю, где он. Он в Священной Роще. Мне сказала об этом сестра.

Председательствующий : Я поздравляю вас с сообщительностью, которая привела вас сюда, и предлагаю собранию вернуться к порядку дня.

Вошедший : В чем цель вашего собрания ?

Председательствующий : Мы решили переселиться в души наших предков. Для этого мы перешли в прошлое на 11 веков. Но пришел он и смутил наш покой. Мы обсуждаем способы, опираясь на меч, восстановить покой.

Le doute s'enfonce dans la réalité du langage lui-même quand son homogénéité est perturbée par l'enchevêtrement des plans de signification différents. L'autre procédé constitue une avancée originale vers un type de discours littéraire « moderne » : c'est l'autoparodie d'un discours qui s'efface lui-même dans une suite d'autocorrections, de réticences ou d'erreurs réglées qui en montrent la discursivité, et le font apparaître comme un système de procédés, comme un dispositif capable de créer souverainement la « réalité », *sa* réalité, par un agencement arbitraire des éléments constitutifs de la langue. L'assistance de la dernière scène (« *prisutstvujuščie* ») joue à cet égard le rôle de commentateur collectif d'un événement imaginaire[1] :

440 Тот смотрит загадочно-открыто, и жрец наклоняется к нему шептать тайну и вдруг, расхохотавшись, касается его уст своими. Но тот смеется. Жрец падает, откидываясь назад, на руки прислужников и умирает. Но нет, этого еще нет. Это еще только наше воображение. Еще только отошел от кумира жрец и идет мимо стоящих неподвижно девушек с плащами на голове. К спокойно стоящему Девьему богу идет он и что будет ? Дальше что ? Несет он с потупленными глазами смерть и и бледный и смеющийся будет, сражаясь, падать, встретив лобзание, или бежать. Но бежать он мог бы и раньше. Но у него нет оружия !

Le principe de la narration indirecte des drames classiques se voit subverti par le fait que le récitant ne récite rien, parce qu'il n'y a rien en dehors de son propre récit. Ce commentaire qui se donne fictivement comme son propre jeu sur la scène se veut l'affirmation triomphante de la puissance d'imagination dont se sent investi l'écrivain « post-symboliste ». La cacophonie événementielle des derniers actes de *Devij bog* tient à ce simple axiome : tout est possible, si l'auteur le veut. Lui, et lui seul, est le garant de l'événement littéraire. Cette superbe de l'imagination qui ne se sait plus de limites est l'apanage de la génération nouvelle qui devait militer dans les rangs « futuristes » pour asseoir la suprématie de l'imaginaire moderne. En ce sens, *Devij bog* méritait bien sa place dans la publication des pourfendeurs de l'art symboliste : *Poščečina obščestvennomu vkusu*.

c) analyse de *Markiza Dèzes*

La lutte contre l'hégémonie d'une école poétique nécessite le recours à l'autorité d'un ancêtre ; son patronage garantit la légitimité des revendications et des prétentions littéraires de la nouvelle école[1]. Dans *Markiza Dèzes*[2], qui est un « essai » de jeunesse, et, à bien des égards, un long poème expérimental, Khlebnikov réussit le tour de force de s'appuyer sur un modèle classique[3] pour à la fois le détourner de son classicisme canonique (le classicisme étant en effet un décret de la postérité) et l'utiliser polémiquement contre ceux-là mêmes qui l'érigeaient en modèle classique. Engendré par l'étude de la pièce de Griboedov *Gore ot uma*, *Markiza Dèzes*, par son orientation satirique[4] et son système rythmique, donne l'illusion nouvelle d'une « imitation » de la grande comédie de Griboedov. Cependant, ici comme dans les autres « drames » de Khlebnikov, manque l'ossature du drame : ni action, ni intrigue, ni caractères ne se présentent comme éléments capables d'engendrer, par leurs interactions, de structure dramatique. Nous entendons des voix dans *Markiza Dèzes*, sans y sentir la présence d'aucun personnage. Khlebnikov emprunte toutefois à l'œuvre de Griboedov un « schéma » de comportement dramatique : l'abstraction scénique de la fameuse séquence de la calomnie[5], où les personnages s'évanouissent dans l'anonymat des voix[6] qui n'apparaissent plus que comme les manifestations diverses d'un même type, la foule (opposée au personnage par excellence, Čackij). La marquise et son compagnon (« *sputnik* », son double masculin ou son écho) sont, tout au plus, des ectoplasmes de personnages, des tendances scéniques « animées » qui se distinguent et se séparent de la masse. C'est le « mot » poétique, le discours composé qui devient le héros principal de la pièce. Ju. Tynjanov écrit[7] :

440 ...До комизма ощутимое слово, превращаясь в звуковой жест, подсказывая своего носителя, как бы обратилось в этого носителя, подменило его ; слова вполне достаточно для конкретности героя, и « зрительный » герой расплывается.

S'il y a satire (hypothétiquement dirigée contre la Ville et les milieux littéraires symbolistes de la capitale), elle ne repose assurément pas sur la seule dénonciation, par ces *personae*, ces masques parlants[8], d'une *famusovščina* pétersbourgeoise représentée par la foule anonyme des visiteurs de l'exposition[1]. La satire est déplacée vers le domaine formel de la versification. Khlebnikov tire parti des multiples possibilités que présentait le vers ïambique libre ainsi que de la prodigieuse richesse des rimes de Griboedov[2], mais il étend le jeu des variations rythmiques et rimiques jusqu'à leur conférer le rôle principal dans la pièce[3]. La satire n'est pas pour autant dirigée contre le modèle « classique », loin de là[4] : elle vise bien plutôt la ritualisation de la prosodie dans la dramaturgie symboliste et la parodie prend tout son sens, encore une fois, si l'on restitue au mot sa pleine valeur de dépassement d'un modèle par majoration d'*un* de ses éléments par rapport à l'ensemble. Ainsi l'élément rythmique et métrique (un parmi les multiples facteurs de la fabrication du discours artistique) amplifié à l'excès par Khlebnikov, crée-t-il une nouvelle poétique en brisant l'étau du genre dramatique : dans *Markiza Dèzes*, ce sont les procédés rythmiques et métriques qui donnent son sens à la pièce, attirant l'attention du spectateur sur le jeu des différents mètres et sur les mots en écho, les rimes[5] :

a) В взоров море тонучи,
Я хожу одетый в онучи.

b) Он в белое во все одет, и лапоть с онучем
Соединен красивым лыком. Склонение местоимения « он » учим...

c) Пожилой господин
Кем – полькой, шведкой, Руси дочью ?
Лель
Нет, но звездной ночью,
Когда я обещанье дал расточиться в Руси русской рать
И, растекаясь, в битвах неустанно умирать.

d) Поэт (одетый лешим)
Стан пушком золотым золочен,
Взгляд мой влажен, синь и сочен.
Я рогат, стоячий, вышками.
Я космат, висячий, мышками,
Мои губы острокрайны.
Я стою с улыбкой тайны.
Полулюд, полукозел,
Я остаток древних зол.
Мне, веселому и милому козлу,
Вздумалось прийти с поцелуем ко злу.
Разочаруют, лобзая, уста,
И загадка станет пуста.
Взор веселый, вещий, древен,
Будь, как огнь сотлевших бревен.
Распорядитель вечера (слуге)
За Рафаэлем пошли.
Кто это пришли ?
Слуга
Маркиза Дэзес !

Маркиза Дэзес
Я здесь не чувствую мой вес.

e) Спутник
Быть может, да, но вот и он...
Маркиза Дэзес
Хотите дам созвучье – бог рати он.
Я вам подруга в вашем ремесле.
Спутник
Да, он Багратион...

f) Рыжий поэт
Я мечте кричу : пари же,
Предлагая чайку Шенье,
(Казненному в тот страшный год в Париже),
Когда глаза прочли : « чай, кушанье ».
Подымаясь по лестнице
К прелестнице,
Говорю : пусть теснится
Звезда в реснице.

g) Слуга
Одни поют, одни поют,
И все снуют, и все снуют.
Пока дают живой уют.
. . . .

h) Смеясь, урча и гогоча,
Тварь восстает на богача.
Под тенью незримой Пугача
Они рабов зажгли мятеж.
И кто их жертвы ? Мы те же люди, те ж !

Le spectacle offert par Khlebnikov dans *Markiza Dèzes* est situé à un degré d'abstraction plus élevé que dans *Snežimočka* ou *Devij bog* : il se déplace des « mots » de la langue, du vocabulaire et de la syntaxe vers les principes plus abstraits de la langue *poétique*, c'est-à-dire vers le système poétique lui-même. La « déréalisation »[1] des objets qui constitue le thème dramatique[2] fondamental de *Markiza Dèzes* (les figures de l'art se dé-esthétisent et deviennent des êtres vivants, les « objets » acquièrent une totale autonomie, tandis que les personnages vivants de la pièce se pétrifient en figures d'art, devenant objets de consommation esthétique[3]), cette « déréalisation » est, par le tour propre à la fabrication du discours (la « composition » ou fabrication du discours *est* l'activité poétique *stricto sensu*), la *réalisation* scénique du *transfert* du centre de gravité de toute la pièce : le thème dramatique se transporte vers la périphérie de l'œuvre d'art, c'est-à-dire vers ce que l'on considère actuellement comme la forme du matériel poétique (l'organisation prosodique du discours) tandis que celui-ci (le « matériel ») se métamorphose en « thème ». Les signes deviennent choses, les choses signes[4]. Le système prosodique, formel, devient le contenu de la pièce, son thème ; le thème apparent se formalise dans la polymorphie des vers. Dans cet extraordinaire chassé-croisé du sujet et de l'objet, du fond et de la forme (pour reprendre les termes d'une doctrine périmée), tout perd contour, forme, sens et contenu ; le « contenu » se vide, le « fond » est un trou, mais la forme devient encore plus insaisissable quand elle n'est forme *de* rien. Ainsi la pièce disparaît-elle dans l'obscurité du non-sens et du non-être ; dans le dialogue final entre la marquise et son mystérieux compagnon triomphe la rime, dans sa forme la plus abstraite, la *mise* en écho des *signes* de phonèmes (des signes de signes donc) que rien plus ne distingue dans le système phonologique *et* poétique de la langue russe (« *směr'te/smerti* ») :

Так ! Я плачу. Чертоги скрылись волшебные с утра.
Развеяли ветра. Над бездною стою. Не « ять » и « е », а « е » и « и » !
Не « ять » и « е », а « е » и « и » ! Голос не умолкший смерти.
Кого – себя ? Себя для смерти ! Себя, взиравшего ? О, верьте, мне поверьте !

Le drame de l'être et du néant de sens s'articule au seul jeu des lettres E et Ѣ qui se répondent, à la rime, dans un duo infernal. Dans l'espace poétique instauré par *Markiza Dèzes*, la rime[1], symbole de l'acte poétique, est devenue le grand protagoniste du drame khlebnikovien.

Le problème du futurisme

Ainsi, vers 1910, Khlebnikov avait déjà constitué, à l'intérieur du domaine que traçaient les genres symbolistes, son propre terrain expérimental, en mettant délibérément l'accent sur l'un des aspects de l'art poétique le plus difficile : le travail de la forme poétique. *Snežimočka*, *Devij bog* et *Markiza Dèzes* sont les jalons les plus remarquables sur cette voie qui conduisait Khlebnikov vers une conscience toujours plus vive des particularités poétiques du « matériel » qu'il utilisait : la langue russe. L'art poétique élaboré par Khlebnikov se déduisait insensiblement du système linguistique russe et devenait la poésie de la « grammaire » russe, dans ses deux dimensions, diachronique et synchronique. Khlebnikov donnait ainsi une poésie de la dynamique de la langue dans le temps historique, de sa continuité dans l'évolution, en un mot une poésie du matériau dans son développement. Excédant les limites du système poétique symboliste, Khlebnikov était inéluctablement dirigé, par le tour de ses recherches poétiques, vers les groupes artistiques qui essayaient de nouvelles voies dans les procédés de représentation, en rompant délibérément avec les méthodes canoniques, les « types » des écoles symboliste et classique. Les groupes d'« avant-garde » se multipliaient alors dans les deux capitales de l'Empire et c'est à l'un d'entre eux qu'il était réservé à Khlebnikov de donner, en même temps qu'une certaine célébrité[1], l'échantillon de cette « poésie nouvelle » que le groupe prônait dans ses manifestes et articles théoriques. Cependant, l'engagement plus ou moins volontaire de Khlebnikov dans les rangs du « futurisme » russe (dans la version hyléenne) eut – et a encore de nos jours – pour conséquence, l'attribution à Khlebnikov d'une « étiquette littéraire » qu'il ne mérite guère. La passion classificatoire conduit, d'une part, à parler du « futurisme » russe *comme* s'il y avait *une* école ou *un* mouvement qui correspondît exactement à cette désignation, d'autre part, à ranger l'œuvre de Khlebnikov dans cette catégorie *toute faite* alors que c'est lui qui a contribué de manière essentielle à *créer* cette « école » *sui generis*[2] que l'on identifie au « futurisme » !

Lorsque, en 1909/1910, Khlebnikov publie dans *Studija impressionistov*, *Sadok sudej I*, puis, dans les années suivantes, collabore aux recueils et manifestes « futuriens », il ne « sort » pas du symbolisme pour « entrer » dans un mouvement rival *déjà* constitué, mais c'est à l'intérieur du système poétique symboliste qu'il trace une ligne nouvelle, laquelle devait trouver son prolongement naturel dans la séparation, la scission interne, bien que la rupture fût moins violente dans la *pratique* poétique que ne pouvait le laisser croire le ton des manifestes « futuristes ». L'environnement poétique manifeste[3] de Khlebnikov dans ses années de formation est le système poétique formé par l'ensemble de ces systèmes poétiques individuels que sont les œuvres poétiques de Vjač. Ivanov, M. Kuzmin, A. Blok, V. Brjusov, A. Remizov, F. Sologub, ainsi que celles de S. Gorodeckij, d'A.N. Tolstoj[4]. Il importe de comprendre pourquoi, entre 1910 et 1912, l'« environnement » change, pourquoi le nom de Khlebnikov s'associe à ceux de Kručënyx, Kamenskij, V. Majakovskij, D. et N. Burljuk, B. Livšic... Il importe surtout de savoir si, et dans quelle mesure, le passage de Khlebnikov vers le « futurisme hyléen » (qu'il a *créé* par ses œuvres des années 1908-1910, soulignons-le encore une fois) a accentué dans les faits l'éloignement du poète par rapport au symbolisme, a accentué une rupture qui tendait déjà à se consommer dans la technique poétique, a hâté l'évolution naturelle, organique, de son système vers des formes plus radicales ; il faut également étudier dans quelle mesure le « séjour » de Khlebnikov dans le petit groupe hyléen a contribué en quelque manière à précipiter la formation d'une « école » originale dans la vie littéraire de l'époque, école dont la dénomination serait à établir en fonction de ses particularités intrinsèques.

Les mots, en effet, ne sont ni innocents, ni neutres, lors même que leur sens paraît clairement perçu. Classicisme, romantisme, symbolisme, réalisme, futurisme, acméisme sont autant de termes classificatoires commodes, à la condition qu'ils apportent une meilleure connaissance d'un phénomène littéraire inédit, et cela suppose une exacte définition ou compréhension de chacun de ces termes. Or, tel n'est point le cas, notamment pour le mot « futurisme ». Comme la plupart des termes forgés en Occident pour désigner expressément des faits repérables à l'intérieur de la culture occidentale, il ne convient pas pour caractériser une réalité culturelle russe originale et irréductible à un quelconque modèle occidental. L'opération par laquelle des désignations, valables et justifiées dans leur application à une certaine aire culturelle, sont transférées[1] à des phénomènes culturels différents, n'a pas peu contribué à abuser l'Occident (et la Russie) sur la signification des phénomènes de la culture russe. Leur appliquant ses propres schémas, ses propres modèles, ses propres normes culturelles, l'Occident a toujours occidentalisé, pour mieux les « connaître », des formes de culture qui eussent exigé une autre approche, d'autres schémas explicatifs et d'autres dénominations. Par cette pratique, la connaissance du fait culturel russe, dans sa spécificité, devenait impossible. La critique russe a sa part de responsabilité dans cette démarche réductrice dont elle s'est rendue complice, puisqu'elle a généralement accepté les appellations sans toujours apercevoir les effets fâcheux d'une telle substitution pour l'appréhension de l'originalité culturelle russe. Tel était déjà le cas pour le symbolisme qui recouvrait en effet une série de phénomènes hétérogènes dont l'émergence à un moment donné de la culture russe s'expliquait par le passé culturel du pays et l'histoire artistique immédiate, celle de la deuxième moitié du dix-neuvième siècle. Les symbolistes russes, nous l'avons vu, ont été naturellement amenés à réviser les valeurs des types culturels occidentaux et à inventer une meilleure définition de leur conception du monde et une meilleure formulation des caractéristiques de leur système artistique en faisant un retour critique sur le développement historique de leur propre culture. Si, en ce sens, des efforts furent faits, la désignation ne changea pas[2]. Qu'importe, au demeurant ? Les symbolistes, dans leur quasi-unanimité, dotaient le terme « symbolisme » d'un contenu sémantique différent de celui qu'il pouvait bien avoir en Occident, se contentant, pour le distinguer de son homonyme français ou allemand, de le pourvoir de l'épithète « russe »[3]. Aussi le « symbolisme russe », dans la mesure où il était russe, était-il déjà différent[4]. « Russification » d'un mouvement occidental qui, « transplanté » dans la réalité russe, se transforma au point de ne plus avoir de commun que le nom avec le symbolisme européen ? Ou bien phase du développement organique de la réalité culturelle et spirituelle russe qui, se cherchant un nom qui pût lui donner une existence autonome à l'intérieur de cette réalité, l'emprunta à l'Occident, s'exposant ainsi au péril de confusions dommageables pour son sens profond et son autonomie ? Le départ entre ces deux ordres de faits, très différents, est singulièrement délicat dans l'étude d'une période où la Russie semblait s'occidentaliser en profondeur[1], dans sa culture, sa sensibilité artistique et non dans la superficialité des institutions politique seulement. La Russie n'a jamais été plus proche des formes de la culture européenne qu'à la fin du dix-neuvième siècle et au début du vingtième ; et par formes de la culture européenne, il faut entendre ce qu'il y a de plus profond en elles : les techniques de la création artistique, subordonnées à une esthétique, un système de construction du monde[2]. La guerre et ses conséquences ont balayé les illusions russe et européenne. Néanmoins la perméabilité culturelle de la Russie, dans les années 1890-1914, en faisait le lieu idéal où pouvait s'opérer la synthèse[3] entre les différentes composantes de sa propre culture (réconciliation du christianisme et du paganisme, de l'Orient et de l'Occident). Grâce à l'intériorisation de la culture européenne et à l'authentique extension vers l'universel, la Russie put prendre conscience de son originalité et des caractères propres de sa contribution à la culture. A cet égard, le cas du « futurisme » est exemplaire des processus par lesquels la Russie transforme l'apport culturel occidental et repense sa propre culture dans sa différence face à l'Occident.

Le futurisme, dans sa définition la plus stricte, est un mouvement antitraditionaliste (antisymboliste principalement) développé en Italie au début du vingtième siècle, sous l'impulsion de F.T. Marinetti[4]. Le futurisme, phénomène culturel *italien* possède tous les éléments constitutifs d'un parti artistique : chartes, programmes, manifestes, déclarations, théories et de nombreuses œuvres[5] qui exhibent les principes et techniques de l'art nouveau plus sûrement que ne le sauraient faire des déclarations d'intention. Son acte de naissance « officiel », aisément repérable dans l'histoire événementielle par le Manifeste du futurisme publié dans *le Figaro* du 20 février 1909, et qui ne doit pas, bien évidemment, être confondu avec les causes profondes de l'émergence du mouvement[6], donna néanmoins le branle à la propagation du « futurisme » dans la plupart des pays européens. Le futurisme italien fut donc rapidement connu, grâce à la presse, du public russe[7]. Mais ce n'est que deux ans plus tard que le mot passa dans l'usage littéraire[8] pour désigner une nouvelle école créée dans le sillage du symbolisme par I. Severjanin[9] ; elle devait s'identifier dans l'esprit du public, immédiatement et pour de longues années, avec la variante russe la plus représentative du futurisme italien, par la simple adjonction d'un préfixe : l'égo-futurisme. On peut assez aisément juger de l'égo-futurisme par sa théorie, proclamée sur le ton mystificateur et provocateur des appels marinettiens, et par les œuvres des égo-futuristes[1]. Il ne faut pas perdre de vue, dans l'analyse de l'égo-futurisme, que cette variante « égoïste » du « futurisme », passant en Russie pour *le* futurisme par excellence, servit de point de repère et d'étalon pour la désignation et l'évaluation de tous les mouvements « futuristes » subséquents (et, selon la règle, rivaux de l'égo-futurisme).

L'égo-futurisme s'affirme comme la quintessence de toutes les écoles, de toutes les techniques artistiques, un résumé de l'art et de la philosophie universels. Ce faisant, il ne renie point ses liens avec le symbolisme, dont la tâche déclarée était de révéler les techniques des autres écoles littéraires – réalisme, romantisme, classicisme, naturalisme[2]. L'accent mis sur le principe subjectif (comme l'indique le nom de l'école : égo-futurisme), l'exaltation du moi et la proclamation de l'intuition[3] souveraine sont les traits distinctifs d'une vision du monde qui se choisit ses ancêtres dans le Musée de la Philosophie universelle. La pratique poétique de l'égo-futurisme se révèle beaucoup moins conséquente et révolutionnaire que les bribes de théories parsemées dans les diverses revues ne le laissaient présager. La division interne du mouvement éclata lors du départ d'I. Severjanin et de sa rupture avec le groupe qu'il avait fondé. I. Severjanin était poétiquement un conservateur ; il reprenait dans son œuvre une tradition sous-symboliste « décadente », celle de Fofanov et de Loxvickaja[4], tout en la mettant au goût du jour par l'apport d'un vocabulaire à la mode, clinquant et précieux, qui, à son sens, constituait la marque originale du « futurisme ». Voici, pris au hasard, quelques titres de poèmes de son recueil le plus célèbre, « *Gromokipjaščij kubok* » : *V berëzovom kotèdže*, *Berceuse osennij*, *Primitivnyj romans*, *Lesofeja*, *Rondeli*, *Nocturne*, *Èskiz večernij*, *Chanson russe*, *Četkaja poèza*, *Noctjurn*, *Fioletovyj trans*, *Kačalka grëzèrki*, *Boa iz krizantèm*, *Šampanskij polonez*, *Dissona*, *Epitalama*, *V šalè berëzovom*. L'égo-futurisme à peine fondé, il le quitte pour chanter le « primitif », à la campagne[5]. D'autres égo-futuristes, G. Ivanov, Graal'-Arel'skij, après un bref séjour dans l'égo-futurisme passent dans le camp adverse de la « Guilde des Poètes » (« *Cex Poètov* ») d'où devait naître l'« acméisme ». De semblables scissions internes ou « trahisons »[6] parlent éloquemment de la perméabilité des frontières entre écoles rivales et, surtout, de l'indétermination des *styles* poétiques dans ces différents « clans » littéraires qui, en fin de compte, se reconnaissent tous un maître commun (même s'ils luttent contre lui et prétendent le dépasser) : le symbolisme[7], que chacun développe à sa manière, chacun d'entre eux proclamant le modernisme de son art poétique, sans interroger plus profondément le sens de la modernité affichée. I.V. Ignat'ev, l'un des rares poètes du groupe égo-futuriste à avoir tenté de pourvoir l'égo-futurisme d'une doctrine et d'un art poétique conséquents, est, sous ce rapport, fort proche d'un autre poète-théoricien appartenant au groupe rival « hyléen » : B. Livšic. I.V. Ignat'ev souligne en effet deux faits d'une importance décisive pour l'intelligence du phénomène « futuriste russe » : le « futurisme » tel qu'il l'entend (c'est-à-dire essentiellement l'égo-futurisme, ou, comme il préfère le nommer, l'« œcuménisme »[1] (*vselenstvo*), n'est pas un phénomène d'ordre *littéraire* ; c'est une révolution culturelle déclenchée par le soulèvement de l'individu (« l'atome spirituel ») aliéné dans la société et la ville contemporaines (et, par-là, il exhibe toute l'ambiguïté de « l'urbanisme » futuriste), révolution qui, par son universalité, engage nécessairement une transformation de l'art[2] :

440 Христианство – религия рабов, протест против римской цивилизации. Идеи пролетариата – религия Труда и Капитала.
Эгоизм же – религия рабов духовного крепостничества, Культуры, Города (т.е. общежития).

Ressentant l'inéluctabilité et la profonde rationalité du « futurisme » comme forme esthétique de cette insurrection individualiste, il relève, parmi d'autres, les conséquences les plus importantes pour l'art de l'irruption du futur comme catégorie esthétique dans la forme présente : le mouvement, l'abolition du thème de la prose, le renouvellement et le mépris du mètre dans la poésie[3] :

440 ...За Ассоциацией мы можем указать заслуги :
а. Движение и игнорирование темы в прозе.
б. Обновление и игнорирование метра стиха.
в. Сдвиг в области рифмы.
г. Эго-призму.
д. Современность и
е. Механичность.

...Движение в прозе мы можем проследить в opus'е И.В. Игнатьева « Следом за... » (Бей, но выслушай. П. Глашатай. 1913. Цена 50 к.).

Игнорирование темы иллюстрируется Василиском Гнедовым, большим мастером в области эго-футуристической прозы.

Ces traits dessinent la configuration d'une forme de représentation poétique qu'il appelle, avec bonheur, « la sténographie »[4] du discours littéraire[5] :

441 Одними из эго-футуристов делаются попытки к « объединичению Дроби », другими наша речь т.с. « стенографируется ».

La syncope des mots, le télescopage des sens, l'aperception de significations nouvelles par le forgement de mots, la reviviscence de sens latents par la résurrection des ἔτυμα manifestent une poétique en action, éprouvée par des œuvres qui en démontrent la possibilité et en justifient l'autonomie par rapport au symbolisme. Malheureusement, Ignat'ev n'eut pas le temps de systématiser ses positions théoriques en installant une pratique poétique conséquente qui eût conduit logiquement à l'éviction de l'art (comme concept) et à son remplacement par la vision directe de l'Apocalypse[1] :

441 ...Будущий, нескорый путь литературы – безмолвие, где слово заменится книгою откровений – Великой Интуицией.

Le départ d'Ignat'ev signifiait la fin de l'école égo-futuriste et livrait le terrain théorique de l'art nouveau à son émule, le futurianisme hyléen.

En effet, un an après la naissance de l'égo-futurisme russe, s'était manifesté à l'attention du public moscovite un nouveau groupe de propagande de l'art nouveau, dans une brochure au titre retentissant : *Poščëčina obščestvennomu vkusu*[2]. Le recueil s'ouvrait par le manifeste homonyme, portant la signature de D. Burljuk, A. Kručënyx, V. Majakovskij et V. Khlebnikov. Ce manifeste, figurant à présent dans toutes les anthologies de la littérature « futuriste » contenait, non encore explicité, le terme destiné à devenir le signe de l'art radicalement nouveau des futuristes-hyléens : le mot[3] (le discours poétique) absolu (« *samovitoe slovo* »)[4] :

441 Читающим наше Новое Первое Неожиданное.

Только мы – лицо нашего Времени. Рог Времени трубит нами в словесном искусстве.

Прошлое тесно. Академия и Пушкин непонятнее гиероглифов.

Бросить Пушкина, Достоевского, Толстого и проч. и проч. с Парохода современности.

Кто не забудет своей первой любви, не узнает последней.

. . . .

Мы приказываем чтить права поэтов :

1) На увеличение словаря в его объеме произвольными и производными словами (Слово – новшество),

2) На непреодолимую ненависть к существовавшему до них языку,

3) С ужасом отстранять от гордого чела своего, из банных веников сделанный Вами Венок грошовой славы.

4) Стоять на глыбе слова « мы » среди моря свиста и негодования.

И если пока еще и в наших строках остались грязные клейма Ваших « Здравого смысла » и « хорошего вкуса », то все же на них уже трепещут впервые Зарницы Новой Грядущей Красоты Самоценного (самовитого) Слова.

Д. Бурлюк,
Александр Крученых,
В. Маяковский, Виктор Хлебников.

Malgré le caractère violemment polémique du manifeste, rien dans le recueil ne permettait de classer le groupe sous la rubrique « futuriste ». Ce n'est qu'à l'automne 1913 seulement, avec la parution du recueil *Doxlaja luna*[5], que la « compagnie littéraire » se décida à arborer le titre de « futuriste » avec la mention provocatrice « Futuristes – Hylée – Mélange des seuls futuristes du Monde – les poètes de Hylée ». Ce petit groupe de « futuristes-hyléens » regroupait des poètes dont certains s'étaient déjà signalés à l'attention du public dès 1910 avec la parution de *Sadok sudej*[1], considérée usuellement comme la première des nombreuses publications du groupe hyléen. Au-delà de *Sadok sudej*, il y a encore un recueil, *Studija impressionistov*[2], de N. Kul'bin, et, en remontant encore plus haut dans la « préhistoire » du futurisme hyléen, on ne trouve que des personnes venues d'horizons très différents : D. et N. Burljuk, B. Livšic, V. Khlebnikov, E. Guro, V. Kamenskij, V. Majakovskij... Quelle a été la genèse de « l'hyléisme »[3] ? S'il fallait faire l'archéologie de ce groupe, si important dans l'histoire de la poésie par le génie poétique de certains de ses membres, on pourrait dire que la première désignation fut entièrement fortuite et, précisément à cause de son caractère immotivé et de son indétermination sémantique, caractérisait adéquatement un groupe de jeunes artistes que rassemblait leur commune hostilité envers un « ennemi » commun : le « symbolisme russe » trop occidentaliste[4] et « moderniste » à leurs yeux ! V. Šklovskij a, dans son style sobre et concis, assez fidèlement résumé la genèse de ce groupe[5] :

441 ...С низовьев Днепра приехали Бурлюки, издав маленький квадратный сборник на обратной стороне обоев ; он назывался *Садок судей*.

В нем напечатались Бурлюки, Василий Каменский, Велимир Хлебников, Гуро.

Кружок получил имя древней греческой колонии на Днепре – « Гилея ». Она давно исчезла, но Бурлюки оказались хорошими соседями : они сохранили имя Гилеи.

Сама группа еще только образовывалась. Потом она приняла имя « будетлян » (от слова « буду »), издав книжку *Пощечина общественному вкусу*.

Deux détails retiennent l'attention, dans ce témoignage : d'une part, la transformation du groupe hyléen, concurremment avec le changement de sa dénomination ; d'autre part – ces deux faits sont évidemment interdépendants – l'émergence du nom « *budetljane* ». *Sadok sudej* n'engageait pas ses participants : toute déclaration programmatique en était absente, et les œuvres produites ne réalisaient pas de projet poétique cohérent. *Poščëčina...*, par contre, dans le maximalisme de ses revendications, contenait le principe fondamental du « futurisme » (*budetljanstvo*) : l'autonomie absolue du discours poétique, le principe de la valeur autarcique du « matériel »[6] (son autotélie, terme qui traduit approximativement « *samocennost'* »). Ce trait définissait à lui seul, en l'absence de toute « marque » littéraire, le caractère novateur du recueil. Nous y reconnaissons une exigence typiquement khlebnikovienne, sanctionnée par le nom « *budetljane* », désormais attaché à « Hylée » comme le signe de sa vérité poétique : la slavisation du terme étranger « futuriste » consacre de manière définitive la spécificité du « futurisme hyléen ». Aussi avons-nous choisi de le re-traduire en français par le terme « futurien » (futurianisme) pour souligner la distinction établie par la « compagnie littéraire » russe entre « *budetljanstvo* » et « *futurizm* », distinction qu'il importe de maintenir à tout prix dans les langues occidentales[1]. La spécificité du mouvement s'affirme non seulement *contre* le futurisme occidental, mais dans une mesure beaucoup plus grande encore[2], contre le groupe rival égo-futuriste. L'originalité du futurianisme devait s'affirmer davantage encore dans les manifestes et recueils suivants[3], principalement dans les manifestes de la fraction radicale, formée par Kručënyx et Khlebnikov[4] et trouver sa formulation la plus nette dans l'écrit théorique de B. Livšic : « *Osvoboždenie slova* »[5]. Livšic[6] mesurait dans toute son ampleur la conclusion qui *découlait inéluctablement* de la proclamation du discours autonome : l'extinction de la notion classique de thème et l'abolition des catégories traditionnelles du discours poétique (les genres) :

441 Но если разуметь под творчеством свободным – полагающее критерий своей ценности не в плоскости взаимоотношений бытия и сознания, а в области автономного слова, – наша поэзия, конечно, свободна единственно и впервые для нас безразлично, реалистична ли, натуралистична или фантастична наша поэзия : за исключением своей отправной точки она не поставляет себя ни в какие отношения к миру, не координируется с ним, и все остальные точки ее возможного с ним пересечения заранее должны быть призваны незакономерными.

[...] Отрицая всякую координацию нашей поэзии с миром, мы не боимся идти в своих выводах до конца и говорим : она неделима. В ней нет места ни лирике, ни эпосу, ни драме. Оставляя до времени в неприкосновенности определения этих традиционных категорий, спросим : может ли поэт, безразличный, как таковой, ко всему, кроме творимого слова, быть лириком ? Допустимо ли превращение эпической кинетики в эпическую статику, иными словами, возможно ли, коренным образом не извращая понятия эпоса, представить себе эпический замысел разчлененным искусственно – не в соответствии с внутреннею необходимостию последовательно развивающейся смены явлений, а сообразно с требованиями автономного слова ? Может ли драматическое действие, развертывающееся по своим исключительным законам, подчиняться индукционному влиянию слова, или хотя бы только согласовываться с ним ? Не является ли отрицанием самого понятия драмы – разрешение коллизии психических сил, оставляющей основу последней, не по законам психической жизни, а иным ? На все эти вопросы есть только один ответ : конечно, отрицательный.[7]

Pourquoi, dans ces conditions, les Hyléens, les futuriens ont-ils assumé l'appellation de « futuristes » (les seuls vrais « futuristes » du monde) qui devait s'avérer si fâcheuse, par la suite, à cause de ses implications occidentales ? La cause de cette acceptation est extra-littéraire. Le « futurisme » était une « marque »[8] qui n'autorisait aucune déduction sur la nature de l'art qui se proclamait tel. La critique journalistique, en général hostile à l'art nouveau[1], avait imposé ce nom comme épithète péjorative pour tout ce qui faisait scandale (grâce à l'action d'I. Severjanin) et les futuriens acceptèrent de se transformer en futuristes, inconscients des dangers que représentait cette substitution pour la pureté de leur projet original. L'arrivée de Marinetti[2], paradoxalement en apparence, clarifia la situation théorique en manifestant l'hétérogénéité foncière du futurisme italien et du futurianisme, et en posant, pour la première fois, en Russie, la possibilité d'existence d'un futurisme « marinettien »[3].

Khlebnikov et le futurianisme

Ainsi nous avons affaire, entre 1910 et 1914, à une forme d'action artistique collective, spécifique, que nous appelons le futurianisme. Qu'en est-il des rapports de Khlebnikov avec ce mouvement dont il fut, selon certains, le chef et l'âme[4] ? Question d'une extrême complexité puisqu'il n'y a pas deux éléments séparés s'influençant et se transformant mutuellement (Khlebnikov *et* le futurianisme), mais un seul et même procès dialectique : le poète V. Khlebnikov se transformant dans son option initiale et irrévocable, le futurianisme, et cela en collaboration *et* opposition avec d'autres poètes (V. Majakovskij, D. Burljuk, A. Kručënyx) qui acceptent, pour des raisons de tactique, la stratégie de groupe, l'action commune dans le futurianisme. La question futurienne est rendue plus confuse encore pour l'analyse par la constatation suivante : l'évolution du futurianisme de 1910 à 1914 n'est pas le fait de doctrinaires qui débattent de problèmes théoriques seulement, mais essentiellement de poètes qui créent des œuvres tout en cherchant simultanément à élaborer un art poétique nouveau, capable d'affirmer sa cohérence face à l'appareil impressionnant du système symboliste. Khlebnikov, dans les nombreuses controverses du groupe, a clairement défini sa position[5] :

442 ...Я боюсь бесплодных отвлеченных прений о искусстве. Лучше было бы, чтобы вещи (дееса) художника утверждали то или это, а не он.

Ce sont donc les *œuvres* de Khlebnikov, publiées entre 1910 et 1914 (compte tenu du décalage chronologique, signalé précédemment, entre la composition de l'œuvre et sa publication) qui nous permettent d'étudier l'évolution du futurianisme khlebnikovien, en rapport avec les œuvres de ses compagnons de combat. C'est alors que l'on peut apprécier l'hétérogénéité *interne*[6] du futurianisme et l'irréductibilité de la démarche khlebnikovienne à quelque « modèle » que ce soit. C'est alors également que l'on mesure l'incompétence heuristique d'un vocable et la vanité des controverses littéraires qu'il suscite : Khlebnikov (ou Kručënyx, ou Majakovskij, ou Burljuk) par exemple, serait-il le seul futurien conséquent ? Serait-il le seul resté fidèle[1] à l'idéal futurien de 1910 ? Mais, d'abord, qu'est-ce donc que le futurianisme ?

Les œuvres de Khlebnikov publiées pendant les années 1910-1912 (écrites, pour la plupart, avant 1910) font déjà entrevoir une profonde divergence par rapport au système poétique dominant (le symbolisme), dans la valorisation du matériel poétique (le système de la langue) qui tendait vers la libération progressive et relative d'un thème à l'intérieur du système sémiotique considéré dans son ipséité[2]. Le thème se formalise[3] : c'est la langue dans son procès d'autocréation. Le privilège accordé par le poète à ce qui n'était considéré jusqu'alors que comme *un moyen* de représentation ou d'expression pouvait, tout en l'éloignant du réalisme symboliste[4], le conduire à un rapprochement poétique probable avec les égo-futuristes ou ceux qui cherchaient une rénovation interne de la poésie dans l'abandon de la métaphysique symboliste (les acméistes)[5]. Gorodeckij, Gumilëv, Gnedov, Ignat'ev avaient des préoccupations poétiques qui ne différaient pas essentiellement de celles de Khlebnikov durant la période considérée[6]. Mais cette hypothèse oublierait un fait capital qui rendait impossible toute évolution de Khlebnikov vers des principes acméistes ou égo-futuristes : l'orientation résolue du poète vers la slavité[7] comme *facteur de création.* Ni les égo-futuristes, ni les acméistes ne répudiaient le modèle des écoles poétiques occidentales. Tout au contraire, ils appuyaient leurs efforts de renouvellement de l'art poétique symboliste par la caution de poètes occidentaux qui présentaient à leurs yeux le modèle de la « régénérescence » qu'ils voulaient promouvoir dans la poésie russe : W. Whitman[8] pour les uns, Gautier, Villon, Rabelais pour les autres[9]. Enfin, aucun autre mouvement poétique, dans les années 1910-1912, n'allait aussi loin dans les conséquences de la libération du discours poétique que le futurianisme. La primauté du « mot » sur le sens (ou sur le thème conçu, à la manière classique, comme le contenu sémantique d'une œuvre) conduisait vers un méta-langage et une « métapoésie » que récusaient les acméistes et auxquels les égo-futuristes n'accordaient qu'une attention réduite. Deux futuriens ont développé dans leur pratique poétique, avec un esprit de conséquence remarquable, les principes du « cubisme poétique »[10] : Kručënyx et Khlebnikov. En cela, ils restaient fidèles au principe de « l'autonomie du discours », mais la modalité de cette autonomie divisait profondément les deux poètes. Aussi voit-on à cet exemple combien il est difficile de parler *du* futurianisme, puisque ce dernier était entendu de différentes manières par chacun des futuriens. Kručënyx voulait étendre l'empire du verbe à l'en-deçà du langage (l'émotion, l'intuition, le « *pereživanie* » ou l'expérience non-verbale), faire sentir par la distorsion de la langue (le « cubisme verbal ») la force émotive ; le langage brisé et recomposé selon d'autres principes devait « parler » la pure forme lyrique[1]. La croyance en la possibilité de *représenter* (ou « traduire ») phoniquement l'émotion reconduisait donc implicitement la valeur figurative du matériel que l'on prétendait libérer de tout assujettissement à la signification. La nouvelle sensibilité futurienne – selon Kručënyx – dictait une nouvelle construction de la langue. L'esthétique nouvelle imposait sa loi au matériel verbal qui était chargé de transmettre (« faire sentir ») la nouveauté de ce système esthétique par la destruction de l'ancienne langue et sa reconstruction selon des principes inédits, témoignant de l'omnipotence de la subjectivité créatrice. Le vin nouveau futurien brisait les vieilles outres, pour les remplacer par d'autres : la structure traditionnelle contenant/contenu, loin d'être abolie, ressortait, plus vigoureuse, de l'épreuve futurienne. La condition, chez Kručënyx, d'une totale adéquation entre la « forme » et le « contenu » restaurait, avec la vieille dichotomie d'école, le principe figuratif du langage. Dans la folie de cette logique de la signification (le langage signifie immédiatement son « objet »), Kručënyx rétablissait, par voie de nécessité, la thématique de l'œuvre dans son sens traditionnel de *res de qua agitur* ; la sensibilité de l'homme moderne, considérée par le futurien comme la nouvelle réalité, devenait objet de représentation[2] :

442 ...Мы во власти новых тем : ненужность, бессмысленность, тайна властной ничтожности – воспеты нами.

L'œuvre de Kručënyx donne la mesure de l'exacerbation des contradictions internes du futurianisme en général, grâce à la remarquable persévérance du poète dans la voie de recherches tracée par l'hypothèse futurienne initiale sur la possibilité d'un discours poétique autonome : l'œuvre artistique est sentie comme l'ultime recours contre le néant de signification et en même temps comme une « trahison » envers le sens[3]. Kručënyx, anachorète de l'art, s'est constamment tenu à la limite de la forme de représentation artistique, limite au-delà de laquelle, le sens aboli, règne le silence ou la mort (silence de la poésie, et, dans le cas le plus tragique, suicide de l'artiste). Le pathétique[4] de ce fanatisme rigoureux dans le culte de l'ipséité du « signe-chose » a été souligné avec beaucoup de délicatesse par Pasternak dans son article où l'éloge est aussi ambigu que l'art même de Kručënyx[5] :

442 Чем зудесник отличается от кудесника ? Тем же, чем физиология сказки от сказки.

Там, где иной просто назовет лягушку, Крученых, навсегда ошеломленный пошатыванием и вздрагиванием сырой природы, пустится гальванизировать существительное, пока не добьется иллюзии, что у слова отрастают лапы.

Если искусство при самом своем рождении получило из логики единицу, то именно за это движение, выдающее его с головой.

Le « prurit » du magicien futurien (« *zudesnik/kudesnik* ») signifie l'impatience de voir les mots se transformer en choses et l'irritation éprouvée devant le maintien, malgré tous les tours d'escamotage futuriens, de la coupure radicale entre le signifiant et le signifié ; le « *zudesnik* » est le poète exaspéré d'être spolié du pouvoir divin de créer les objets par le seul acte de nomination. Chez Kručënyx, l'ipséité du discours poétique, conçue et développée dans le sens d'une complète autosémie, menait fatalement à l'explosion du langage poétique.

Pour Khlebnikov, la traversée du futurianisme marque une période de maturation poétique ambiguë. Les manifestes et programmes qu'il signait[1] étaient le fruit d'une rédaction *collective*, et la part exacte qu'il y prit demeure incertaine. Néanmoins, ces déclarations qui ouvraient les recueils futuriens engageaient tacitement tous les participants. Concomitamment avec son action dans le groupe futurien, Khlebnikov poursuivait ses recherches poétiques qui ouvraient une perspective fort différente de la « voie moyenne » futurienne. Il est loisible d'apercevoir la marque proprement khlebnikovienne sur le futurianisme dans le refus constant de toute récupération extérieure ainsi que dans la primauté reconnue aux œuvres[2]. Mais c'est la marche indépendante de Khlebnikov vers son langage particulier – la *zaum'* khlebnikovienne[3] – *et* vers une nouvelle forme de *composition* poétique qui constitue l'approfondissement le plus audacieux et le plus fécond du grand principe futurien : l'ipséité du discours poétique. Le « phonisme » rationaliste de Khlebnikov, par son monisme matérialiste qui identifie le signifiant et le signifié (le phonème doué d'un sens universel, « objectif », est une particule sonore et signifiante de la matière, une sorte de « phonon » dans la doctrine atomiste de Khlebnikov) dénonce une tentative originale de réduire la dualité du signe et du concept : le sens est récupéré, rendu coextensif et immanent à la matière phonique[4]. Par ce moyen, l'autosémie du discours poétique ne conduit pas à la destruction « glossolalique » du langage, puisque celui-ci est « sensifié » de part en part. Le futurianisme institutionnel[5], si l'on peut parler ainsi en l'absence de tout art poétique et de toute théorie cohérente (à la brillante exception des articles de B. Livšic), le principe du groupe, limité par la force des choses à des déclarations communes de peu d'effet pour la technique poétique de chaque futurien, ne pouvaient devenir qu'une limitation dans la progression de Khlebnikov vers une autre forme de langage et de représentation poétique. Le sens de la quête poétique fondamentale de Khlebnikov, clef de voûte de tout son système poétique, est en effet la résolution de la contradiction essentielle entre la poésie (comme art du langage) et le temps. Plaçant, en futurien conséquent, la création artistique sous le signe du futur, Khlebnikov ressentait intensément le tragique de la situation futurienne : le futur est une catégorie redoutable qui emporte, en devenant présent, les œuvres qui n'avaient de sens que par lui. L'innovation excessive, intempestive, dans le langage pouvait flétrir plus vite que les œuvres « classiques »[1] capables d'engendrer inépuisablement un sens toujours nouveau par la perfection de la composition. Le dilemme était le suivant : ou une écriture transcendante, aux effets esthétiques douteux, et destinée à être, un jour, dépassée ; ou le classicisme, le classicisme d'une forme poétique capable d'assumer l'éternité[2]. Ou l'extrémisme transmentaliste (la composition en *zaum'*) d'un Kručënyx ou d'un I. Zdanevič[3], ou la facture acméiste[4]. La langue transmentale telle que l'entendait Khlebnikov, comme expérience « révolutionnaire », restait l'idéal du futur : son statut, dans le système poétique de Khlebnikov, la désignait comme une langue-limite qui supprimait toute possibilité d'autre écriture poétique[5]. L'écriture poétique provisoire, dans l'attente indéfinie de son élimination au sein de l'empire transmental, se cherchait, dans le « siècle », entre le perfectionnisme minéral de l'acméisme et la « sténographie » futurienne. Justement, parce que le futurianisme poétique ne se confondait pas, pour Khlebnikov, avec une course contre le rythme immanent de la langue, mais représentait au contraire une lutte décisive engagée, sur le terrain de la composition du discours, contre le défi du temps (le rythme de l'histoire), l'écriture poétique – entendue comme l'ensemble des lois de composition qui transforme le discours ordinaire en monumental intemporel – devait inventer une forme qui pût vaincre l'effet aliénant, destructif du temps. La recherche d'une forme de composition non-temporelle[6], recherche qui fonde toute l'originalité de la méthode khlebnikovienne, requiert que nous examinions ce problème de la tachygraphie « futuriste »[7].

L'opinion commune veut que le futurisme soit l'art dynamique qui rende avec le plus d'adéquation dans sa forme le dynamisme et la vitesse du monde contemporain, monde de l'industrialisation accélérée, des progrès rapides de la science et de la technique, monde de la civilisation urbaine, aux rythmes heurtés et trépidants. Le futurisme comme art de la vitesse figure une des thèses majeures du futurisme italien. Certains futuriens ont, par des formules imprudentes, avalisé cette thèse comme caractérisant la forme de leur art[8]. La catégorie dynamique du futur, difficile à manier il est vrai[1], était remplacée par un dynamisme vulgaire, tout d'imitation (dans le sens trivial de ce terme) : le discours haché, heurté, télescopé, raccourci (apocopes des mots, etc.), exhortatif, impératif, « rendrait », « traduirait », on ne sait par quel mimétisme mystérieux, le rythme rapide, heurté, trépidant de la vie moderne. Ce représentationnisme direct confondait brachylogie et sténographie, discours raccourci (par amputation de son étendue) et discours dense (densifié par un approfondissement de son « intension »). La critique hostile à l'art nouveau, ainsi que nous l'avons déjà constaté à propos de la *zaum'*, était alors tout à fait pertinente quand elle faisait remarquer que la cursivité futuriste n'était que l'hypostase de la métaphysique symboliste renversée. Le mimétisme élémentaire des truquages discursifs restaurait la vitesse, la modernité, la contemporanéité, etc. comme thèmes; or c'était une conséquence qui battait en brèche l'autonomie du discours, si hautement revendiquée par les futuriens. Le futurianisme (le « futurisme », dans la terminologie de l'époque) semblait ainsi s'identifier à une brachylogie superficielle qui réduisait la dimension temporelle du discours sans en affecter l'essence. Mandel'štam a justement dénoncé cette imposture qui consiste à identifier le « futurisme » avec ce trait si inessentiel dans l'art poétique[2] :

442 Всякая попытка механически приспособить язык к потребностям жизни заранее обречена на неудачу. Так называемый футуризм, понятие, созданное безграмотными критиками и лишенное всякого содержания и объема, не только курьез обывательской литературной психологии. Он получает точный смысл, если разуметь под ним именно это насильственное, механическое приспособление, недоверие к языку, который одновременно и скороход, и черепаха.

C'était en effet confondre le rythme du langage et celui de la vie, plus exactement maintenir la dichotomie vie/langage et forcer ce dernier à « imiter » dans son rythme propre le rythme impétueux de la vie moderne[3]. Or le discours poétique autonome ne pouvait pas ne pas avoir son rythme propre, autonome. L'ipséité du discours commandait l'ipséité du rythme, « l'autorythmie ». Qu'est-ce que le rythme d'un discours poétique ?

Il y a deux « rythmes » dans le discours, selon que l'on considère sa substance phonique ou sa forme intérieure. Le premier sens du rythme est celui de la succession, ordonnée et réglée dans le temps, des durées des sons qui composent la « matière phonique » dans certains systèmes, ou des intervalles séparant les accents dans d'autres systèmes. Ce rythme-là, musical, est l'objet de la rythmique et de la métrique qui constituent un chapitre fondamental de tous les arts ou traités poétiques[4] :

442 ...Ритмичность стиха – цикличное повторение разных элементов в одинаковых позициях с тем, чтобы приравнять неравное и раскрыть сходство в различном, или повторение одинакового с тем, чтобы раскрыть мнимый характер этой одинаковости, установить отличие в сходном.

Ритм в стихе является смыслоразличающим элементом, причем, входящий в ритмическую структуру, смыслоразличительный характер приобретают и те языковые элементы, которые в обычном употреблении его не имеют. Важно и другое : стиховая структура выявляет не просто новые оттенки значений слов, она вскрывает диалектику понятий, ту внутреннюю противоречивость явлений жизни и языка, для обозначений которых обычный язык не имеет специальных средств.

Derrière ce rythme de la temporalité du discours *énoncé* se cache un rythme profond (intime, intérieur), le rythme de la forme intérieure, du sens. Mais le sens appartient-il encore à la temporalité, est-il un *ῥυθμιζόμενον*[1] ? Oui, si l'on considère la variation des visées temporelles d'un même sens que nous appellerons, dans ce cas précis, le « thème » de l'œuvre. La présentation des appréhensions successives de ce même thème qui en sont autant de modes constitue cette délicate « rythmopée sémantique » (périodisation du sens par retour de la même structure sous les différents aspects de sa manifestation), dont P. Valéry écrivait avec raison que c'est la chose la plus difficile à définir[2]. Ce rythme interne de la manifestation du sens que Khlebnikov tentait de déceler dans le tableau de l'histoire (la suite événementielle des faits, qui constitue le monde), le poète a essayé de la produire par l'agencement d'une structure de discours originale, par la variété d'un même thème en ses différents modes de réalisation temporelle : la fameuse structure en tableaux (« voiles » dans *Deti Vydry*, « plans » dans *Zangezi*), par laquelle le discours est considéré comme la projection, sur son propre « espace » de déploiement, d'un même sens qui varie selon la nature de cet espace. De la combinaison des styles ainsi que de l'entrechoquement des mètres les plus variés – comme le fait remarquer Ju. Tynjanov dans « *Promežutok* »[3] –, les plus hétérogènes, résulte cette structure originale que l'on retrouve également dans certains récits en prose[4].

Du futurianisme vers la rythmopée

La recherche de l'organicité d'une composition dynamique qui se développe selon ses propres lois culmine dans une nouvelle forme ; elle atteint le stade suprême de l'*autonomie temporelle* du discours poétique, qui définit une autre période dans la création khlebnikovienne, période où s'approfondit le futurianisme, où l'autonomie initiale du discours, proclamée par les manifestes du groupe hyléen, s'accomplit dans un authentique discours autorythmique aux lois dictées par les pulsions internes de la langue. Il est délicat de *nommer* adéquatement un procédé de composition si complexe[1] ; sans doute est-il préférable de le décrire concrètement en son fonctionnement.

Le long poème *Poèt*[2] offre un exemple de composition où le sujet est aboli au profit d'une pure fluence poétique, d'un « rythme » porté par les mots ou par les vers qui servent de relais, dans leur répétitivité, à une configuration générale de sens très floue. Les hésitations de Khlebnikov quant au titre de cette œuvre – « *Poèt* », ou « *Vesennie svjatki* » ou « *Rusalka i poèt* » – montrent assez l'indécision du thème directeur ; les quatre cent cinquante-huit vers du poème constituent un majestueux épanchement où s'entrelacent indistinctement les motifs du poète, de la *rusalka* et du carnaval, organisés autour de quelques phrases, images ou mots-clefs : le spectre (« *prizrak* »), la Vierge (« *Deva* »), l'eau (« *voda* »), le poète (« *pevec* »). Chaque leitmotiv à son tour développe un réseau d'associations nouvelles qui s'enchevêtrent en une inextricable mosaïque où les mots, encastrés dans des formules inattendues, amplifient leur sens tout en préservant une unité sémantique abstraite qui assure au poème entier une apparence de composition. Ce discours transgénérique mêle la description épique, le dialogue, l'apostrophe oratoire, le monologue méditatif, lyrique.

Le poème débute par une majestueuse comparaison de quatorze vers, dont la fonction est moins de comparer deux phénomènes hétérogènes (les changements de saisons et la fête liée à ces changements) que d'installer un décor abstrait[3], destiné à fixer la tonalité de l'ensemble de la pièce[4] :

Как осень изменяет сад,
Дает багрец, цвет *синей* меди,
И самоцветный водопад
Снегов предшествует победе,
И жаром самой яркой *грезы*
Стволы украшены березы,
И с летней зеленью проститься
Летит зимы глашатай – птица ;
Где тонкой шалью золотой
Одет откос холмов крутой,
И только *призрачны* и *наги*
Равнины белые овраги,
Да *голубая* тишина
Просила слова *вещуна*, –
Так праздник масляницы *вечный*,
Души отрадою беспечной
Хоронит день недолговечный,
. . . .
Когда над самой головой
Восходит *призрак* золотой
И в полдень тень лежит у ног,
Как очарованный зверок, –
. . . .

(sont en italique les mots qui établissent l'irréalité de la scène, et déterminent la tonalité onirique du poème). L'invocation, adressée par le poète, successivement à l'humanité, à l'homme, puis à un voisin « concret-abstrait », souligne à l'évidence l'aspect imaginaire, féerique de la rénovation des êtres et des choses et son aspect mystique (« l'élévation », manifestée par l'envol de l'humanité)[1] :

Род человечества, игрою легкою дурачась ты,
В себе самом меняя виды,
Зимы холодной смоешь начисто
Пустые краски и обиды.
Иди, Весна ! Зима, долой !
Греми весеннее трубой !
И человек иной чем прежде
В своей изменчивой одежде,
Одетый облаком и наг,
Цветами отмечая шаг,
Летишь в заоблачную тишь,
С весною быстрою сам-друг,
Прославив солнца летний круг,
Широким неводом цветов
Весна рыбачкою одета,
И этот холод современный
Ее серебряных растений,
И этот ветер вдохновенный
Из полуслов и полупения,
И узел ткани у колен,
Где кольца чистых *сновидений*.
Вспорхни, сосед, и будь готов
Нести за ней охапки света
И цепи дыма и цветов.
И своего я потоки,
Моря свежего взволнованней
Ты размечешь на востоке
И посмотришь очарованней
Сини воздуха затеи.
Сны кружились точно змеи.
Озаренная цветами,
Вдохновенная устами,
Так весна встает от *сна*.

Puis s'amorce la description du cortège de carnaval, description qui, elle aussi, est suspendue dans l'indécision : cortège de carnaval, défilé politique (« *Umnyx tolp svjaščennyj gnev* ») ou procession religieuse ? Tout le morceau se place sous le signe de cette ambiguïté féconde, puisque la Vierge honorée de cette fête de printemps va se transmuer de déesse païenne du Renouveau en Vierge chrétienne, puis en Rusalka, inspiratrice du poète, grâce à l'abolition des frontières entre imaginaire et réalité[2] :

Все, кто предан был наживе,
Счету дней, торговле отданных,
Счету денег и труда, –
Все сошлись в одном порыве
Любви к Деве верноподданных,
Веры в праздник навсегда.
Крик шута и вопли жен,
Погремушек бой и звон,
Мешки белые паяца,
Умных толп священный гнев –
Восклицали : Дева Цаца !
Восклицали нараспев,
В бурных песнях опьянев.

La fête du Carnaval est ambivalente[1] : fête de la Joie, de la résurrection de la nature, mais aussi fête lugubre où l'on chasse les morts, fête chrétienne et fête païenne, triomphe de la folie et du monde renversé, le Carnaval est saisi par Khlebnikov dans l'ambiguïté de ses valeurs, le métamorphisme latent de ses significations. Derrière le Rire surgit l'angoisse ; à travers les masques des diablotins s'insinuent les mystères de l'Au-delà ; sur les chars grotesques où est raillée l'ancienne religion, se lève, plus pure, la foi[2] :

Двумя занятая лавка,
Темный тополь у скамейки.
Шалуний смех, нечаянная давка,
Проказой пролитая лейка.
. . . .
Повсюду праздничные лица
И песни смуглых скрипачей.
. . . .
Подведены, набелены,
Скакали дети *небылицы.*
Плясали черти очарованно,
Как *призрак призраком* прикованный.
Как будто кто-то ими *грезит*,
Как будто видит их во *сне*,
Как будто гость *замирный* лезет
В окно красавице весне.

Слава смеху ! Смерть заботе !
Из знамен и из полотен,
Что качались впереди,
Смех красиво беззаботен,
С осьминогом на груди,
Выбегает смел и рьян –
Жрец проделок и буян.
Пасть кита несут, как двери
Отворив уста широко :
Два отшельника-пророка
В глуби спрятаны, как звери,
Спорят об умершей вере.
Снег за снегом
Все летит к вере в прелести и негам.

Aussi l'irréalité de la procession carnavalesque prépare-t-elle l'irruption du surnaturel avec l'apparition de la Vierge[1] :

Какие синие глаза !
Сошли ли на-земь образа !
Дыханьем вечности волнуя,
Идут сквозь праздник поцелуя ?
Священной живописью храма,
Чтобы закрыл глаза безбожник,
Иль дева нежная Ислама,
[Чтоб] в руки кисти взял художник ?
« Скажи, соседка, – мой Создатель !
Кто та живая богоматерь ? »
« Ее очами теневыми
Был покорен страстей язык,
Ее шептать святое имя
Род человеческий привык. » –
Бела, белее изваяния,
Струя молитвенный покой
Она, божественной рукой,
Идет, приемля подаянье.
И что ж ! И что ж ! Какой злодей
Ей дал вожатого шута !
Она стыдится глаз людей,
Ее занятье – нищета !
Но нищенки нездешний лик
Как небо синее велик.
Казалось, из белого камня изваян
Поток ее белого платья,
О, нищенка дальних окраин,
Забывшая храм богоматерь !
Испуг. Молчат...
И белым светом залита
Перед видением толпа детей, толпа дивчат.

La procession continue, après l'éblouissante *vision*, dans le tintamarre des cris et des rires, dans la danse équivoque de la vie, éclairée des seules lueurs de l'enfer et de la mort[2] :

Но вот веселие окрепло.
Ветер стона, хохот пепла,
С диким ревом краснокожие
Пробежали без оглядки
За личинами прохожие
Скачут в пляске и присядке.
И за ней толпа кривляк,
С писком плача, гик шутов,
Вой кошачий, бой котов,
Пролетевшие по улице,
Хохот ведьмы и скотов,
. . . .
Мокрой сажи непогода,
Смоляных пламен костры,

Близорукие очки текут копотью по лицам,
По кудрявых влас столицам,
И в ночной огнистой чаре,
В общей тяге к небылицам,
Дико блещущие хари,
Лица цвета кумача
Отразились как свеча
Среди тысячи зеркал,
Где огонь как смерть плескал.
Смеху время ! Звездам час !
Восклицали, ветром мчась.

De nouveau le défilé s'interrompt dans un transport mystique qui est une modification de la vision précédente, maintenant la permanence du rêve dans la description de la foule en liesse (ou folie ?) qui, de ce fait, devient fantastique[1] :

Скамья. Голо выбритый инок
Вдвоем с черноокой женой.
Как голубого богомольцы,
Качались длинных кудрей кольца,
И полночь красным углем жег
В ее прическе лепесток.
И что ж ! Глаза *упорно синие*
Горели радостью уныния
И томной роскоши полны,
Ведут *загадочные сны.*
Но, полна метели, свободы от тела,
Как очи другого, не этого лика,
Толпа бесновалась, куда-то летела,
То бела как *призрак*, то смугла и дика.
И около мертвых богов,
Чьи умерли рано пророки,
Где запады с ними востоки,
Сплетался усталый ветер шагов,
Забывший дневные уроки.

Les soixante-dix vers suivants (v. 230-299) constituent le centre compositionnel du poème : ils décrivent le sujet de l'« irréalisation » du Carnaval, le Poète. Aussi cette description n'est-elle pas plus « objective » que celle du cortège où l'humain et le divin se fondaient dans une fluente modification des apparences. Elle procède donc par indirection, nommant le Poète tardivement (au vers 261 seulement !) après une longue métaphore sur le signe (ou l'insigne) du Poète, son manteau (« *plašč* »), vaste comme le monde, et qui renvoie en écho l'image du blanc manteau de la Vierge[2] :

И их ожерельем задумчиво мучая
Свой давно измученный ум,
Стоял у стены вечный узник созвучия
В раздоре с весельем и жертвенник дум.

Смотрите, какою горой темноты,
Холмами, рекою, речным водопадом
Плащ, на землю складками падая,
Затмил *голубые* цветы,
В петлицу продетые Ладою.
И бровь его на *сон* похожая,
На дикой ласточки полет.
И будто судорогой безбожия
Его закутан гордый рот.
С высокого темени
Волосы падали,
Оленей сбесившимся стадом,
Что в небе, завидев врага,
Сбегает, закинув рога,
Волнуясь, беснуясь морскими волнами,
Рогами друг друга тесня,
Как каменной липой на темени,
И черной доверчивой мордой
Все дрожат, дорожа и пылинкою времени,
Бросают сердца вожаку
И грудой бегут к леднику ;
И волосы бросились вниз по плечам,
Оленей сбесившимся стадом,
По пропастям и водопадам.
Ночным табуном сумасшедших оленей,
С веселием страха, быстрее чем птаха !
Таким он стоял сумасшедший и гордый
Певец *голубой* темноты строгий кут
Морскою волною обвил его шею измятый лоскут.
И только алмаз Кизил-Э
Зажег красноватой воды,
Звездой очарованной, к булавке прикованной,
Плаща *голубые* труды,
Девичьей душой застрахованной.

Cette longue et puissante métaphore, où se combinent les éléments-clefs du poème – la Vierge, ici nommée « Lada », renvoyant ainsi implicitement à la vierge vernale du début et annonçant la Rusalka de la fin du poème, le tilleul, le temps[1] , la foi, l'onde et la couleur bleue, le sommeil/songe, les cheveux – rebondit sur le motif de la chevelure pour s'achever en une image complexe où se fondent et se dissolvent les différences entre les divers plans de la réalité[2] .

О, девушка, рада ли,
Что волосы падали
Рекой сумасшедших оленей,
Толпою в крутую и снежную пропасть,
Где белый белел воротничок.
В час великий, в час вечерний
Ты, забыв обет дочерний,
Причесала эти волосы,
Крылья дикого орлана,

Наклонясь как жемчуг колоса,
С *голубой* душою панна.
И как ветер делит волны,
Свежей бури песнью полный,
Первой чайки криком пьяный,
Так скользил конец гребенки
На других миров ребенке,
Чьи усы темнеют нивой
Пашни умной и ленивой.

Le portrait s'achève dans la teinte bleue, signe du rêve et de l'irréalité (de la « spectralité »), signe qui donne la tonalité fondamentale, constructrice de tout le poème[1] (v. 290-299) :

И теперь он не спал, не грезил и не жил,
Но, багровым лучом озаренный,
Узор стен из камней *голубых*
Черными кудрями нежил.

Он руки на груди сложил,
Прижатый к груде камней *призрак*,
Из жизни он бежал, каким-то светом привлеченный,
Какой-то *грезой* удивленный,
И тело ждало у стены
Его души шагов в вершин,
Его обещанного спуска,
Как глина полная воды
Но без цветов пустой кувшин,
Без запаха и чувства.

Les leitmotive de l'eau, de la bleuité, de la Vierge, de la foi et de la poésie, suscitent une figure qui, comme le fait remarquer justement V. Markov[2], est une de celles dont la qualité synthétique caractérise peut-être le mieux le mystérieux « complexe » khlebnikovien : la « Rusalka », l'autre grand protagoniste de ce poème dramatique. Le très long poème de la *Rusalka* (v. 300 à 419) développe sous la forme de la description et du monologue tragique, la question que pose la poésie de Khlebnikov, ou plutôt la question que le poète ne cesse de poser à sa propre poésie : quelle est la place et la fonction de la poésie dans un système et un monde commandés par la science et par la raison ? Tout le passage, dont nous ne citons que quelques fragments, est porté par une série de mots et d'images qui l'articulent de la plus intime façon aux descriptions précédentes du Carnaval et du Poète[3] :

У ног его рыдала русалка [...]
. . . .
Когда на камнях волос чешет
Русалочий прозрачный пол
И прячется в деревьях липы,
Конь всадника вечернего опешит,

И только гулкий голос выпи
Мычит на мельнице как вол.
Утехой тайной сердце тешит
Усталой мельницы глагол.
И все порука от порока,
Лишь в омуте блеснет морока
И сновидением обмана
Из волн речных выходит панна
И горделива и проста
Откроет дивные уста.
Поет про очи синие, исполненные прелести,
Что за паутиной лучей,
И про обманчивый ручей,
Сокрыт в неясном шелесте.
Тогда хотели звезды жгучие
Соединить в одно созвучие
И смуглую веру воды,
Веселые брызги русалок,
И мельницы ветхой труды,
И дерево полное галок,
И девы ночные виды.
. . . .
Русалка месяца лучами
Невеста в день венца.
Молчанья полными глазами,
Краснея, смотрит на певца,
Глаза ночей. Они зовут и улетают
Туда, в отчизну лебедей,
И одуванчиком сияют
В кругах измученных бровей,
И нежно, нежно умоляют.
« Как часто мой красивый разум
На мельницу седую приходя,
Ты истязал своим рассказом
О празднике научного огня.
Ведь месяцы сошли с небес
Запутав очи в черный лес,
И обученные людскому бегу
Там водят молнии телегу
И толпами возят людей
На смену покорных коней.
На белую муку
Размолот старый мир
Работою рассудка
И старый мир – он умер на-скаку !
И над покойником синеет незабудка,
Речи чистоглазая дочь.
Над древним миром уже ночь !
Ты истязал меня рассказом,
Что с ним и я, русалка, умерла
И не река девичьим глазом
Увидит времени орла.
. . . .
« Отец убийц ! Отец убийц – палач жестокий ?
А я, по-твоему, в гробу ?
И раки кушают меня,
Клешнею черной обнимая ?

Зачем чертой ночной мороки,
Порывы первые ломая,
Ты написал мою судьбу ?
Как хочешь, назови меня :
Собранием лучей
Что катятся в окно,
Ручей-печаль, чей бег небесен,
Иль нет из да – в долине песен,
Иль разум вод – сквозь разум чисел,
Где синий реет коромысел.
Из небытия людей в волне
Ты вынул ум, а не возвысил
За смертью дремлющее « но ».
. . . .

La réponse du Poète clôt l'œuvre dans une magnifique vision, placée symboliquement sous le signe du Verseau (« *Vodolej* »), où sont réconciliées les deux croyances, paganisme et christianisme, la Rusalka et la Vierge, sœurs toutes deux d'un même éternel exilé : le Poète[1] :

По белокаменным ступеням
Он в сад сошел и встал под *Водолеем.*
« Клянемся, клятве не изменим », –
Сказал он, руку подымая,
Сорвал цветок и дал обеим :
« Сколько тесных дней в году,
Стольких воль повторным словом
Я изгнанниц поведу
По путям судьбы суровым. »
И *призраком* ночной семьи
Застыли трое у скамьи.

Comme le montrent tous les mots ou expressions en italique dans les citations précédentes, l'unité rythmique du poème est portée par un réseau de relations et de correspondances entre mots ou images qui dessinent ainsi ce que l'on pourrait appeler une composition « musicale » si l'on donne à ce mot sa valeur technique de composition qui procède par répétition de leitmotive et variations (modifications) de thèmes (en phrases), indépendamment de toute signification précise. Le rythme général s'identifie à cette configuration mouvante, changeante, mais reconnaissable sous ses divers aspects dans sa profonde et inaltérable unité.

Un autre effet du polymorphisme stylistique est la composition « polyphonique » des poèmes de la période soviétique, qui marque la réalisation, sur un autre mode, de la même structure profonde destinée à manifester le rythme du thème[2]. Cette forme triomphe dans *Zangezi* lorsque la langue, dans la succession de ses variations stylistiques, devient à elle-même la projection de son thème[3].

A la même loi de composition interne du sens, obéit le trait qui passe pour le plus distinctif de l'art khlebnikovien : l'archaïsme du langage qui plonge le lecteur (ou l'auditeur) dans la « nuit archéologique ». Cette propriété de la fiction verbale, très réelle au demeurant et nullement exagérée, est généralement mal interprétée ; l'archéologie ne signifie pas, pour Khlebnikov, un retour (d'ailleurs impossible) vers l'ancien, mais vers les principes poétiques de la langue elle-même. L'ἀρχαῖον ne traduit pas le périmé, mais l'impérissable de la langue (son ἀρχή, son principe) : ce par quoi elle est *déjà*, potentiellement poésie. La « néologie archaïsante » (l'oxymore dit bien l'extra-temporalité visée par le procédé) découvre la ruse suprême d'un poète qui place son art poétique dans la forme même de la production du langage. La temporalité, ainsi prise à son propre piège, est surmontée. La néologie réalise au niveau du vocabulaire ce que produit la structure au niveau des unités plus vastes du discours (les plans formés par une unité stylistique ou syntagmes stylistiques) : elle exhibe dans le lexique les procédés de production du sens. L'« archéologie » se veut le discours qui instaure la poésie[1] :

Радуга радостей
Воры волоса.
– Горы голоса !
Мирвежие очи, их свят свет !
Донынное зло,
– Зло хохотал раньшевик...
Илила очей.
Шагов сокровик.
Полуочи-полуморе !
Молчи, тишак !
Дворец – людовик,
Дворец – летовик,
Туч летерик
Злато-глазастый,
Тоня небесная –
Золотых очей длинный невод :
Это летел летерик
Людовитый, вспенив волны небес.
Волга неба вспенилась тучами.
Из тысяч пещер человеческих
Перо золотое.
Лебедь пера золотого.

Aussi la double forme sous laquelle se réalise l'opération d'« extra-temporalisation » (l'essence même de ce faire qui fabrique le langage appelé poésie) suscite-t-elle une véritable utopie linguistique, dans les grandes compositions qui succèdent à *Deti Vydry*. L'utopie n'est pas la projection du futur dans le présent (cela équivaudrait à une restauration de la thématique historique présentée sur le mode du devoir-être) mais la construction de l'intemporalité du monde dans la double forme de l'opération poétique. Le fait poétique se montre ainsi comme la production du sens intemporel du monde : le « monde poétique » de Khlebnikov est un archétype qui mesure le sens de l'histoire, du Monde. Le poème est le modèle du monde. Si le monde imite le poème, alors le monde acquiert un sens. Le poème, comme les « Tables du destin » (*Doski sud'by*), surpassant le code de Hammourabi, devient la rédemption du monde, la forme qui le sauve du non-sens. En elle (dans cette forme « tabulaire ») se condense la signification ultime, et la plus profonde, du système poétique[1] de Khlebnikov : il produit le code extra-mondain qui donne son sens au monde[2]. Dans la Table se réconcilient la formule mathématique (ἀριθμὸς) et la formule poétique (ῥυθμὸς). L'une et l'autre fabriquent la *ratio* du monde : ἀριθμὸς et ῥυθμὸς, sont deux modes d'une même démarche « formaliste » qui exprime le monde comme un ensemble de rapports, un pur schéma relationnel, qui projette le sens sur le monde, lequel devient ainsi signifiant[3] :

> Коса войны, чумы, меча ли
> Косила колос сел,
> И все же мы не замечали
> Другие синие оковы,
> Такие радостные всем,
> Вы из земли хотели Ка,
> Из грязи, из песка и глины,
> Скрепить устои и законы,
> Чтоб снова жили властелины.
> А эта синяя доска,
> А эти синие оковы
> Грозили карою тому,
> Кто не прочтет их грозных рун.
> Она небесная глаголица,
> Она судебников письмо,
> Она законов синих свод,
> И сладко думается и сладко волится
> Тому, их клинопись прочесть кто смог.

Quel est, en conclusion, le sens de l'itinéraire poétique de Khlebnikov ? L'unité dans la recherche assure l'unité du changement de la méthode poétique qui conduit le poète du système symboliste vers l'élaboration d'un système « futurien », propre au poète et qui n'emprunte à aucun autre système extérieur : l'équilibre d'une synthèse harmonieuse entre les lois de l'imaginaire et les lois du monde, la recherche d'un système de lois (d'un code) qui régirait et « sensifierait » la temporalité du Monde, de l'histoire et la temporalité de l'œuvre. La voie est une, de la mythopoèse vers le discours autonome, et, de là, vers la forme tabulaire où se scande le rythme du sens. Est-ce un hasard si la fin chronologique du système khlebnikovien saisi dans l'ensemble de son évolution en révèle le principe constructif, le sens ? Au bout du parcours, *Zangezi*, véritable Table du Destin de la poésie khlebnikovienne, se dresse, tel un immense miroir où se reflète le spectacle du système poétique khlebnikovien ; et dans la spécularité du drame se profère le sens d'une œuvre où la spéculation, dès l'origine, confluait avec l'action.

Chapitre III

LES CONTRADICTIONS DU SYSTÈME

Tout le système poétique de Khlebnikov se fonde sur une tension interne que l'on peut désigner comme la problématique des rapports entre le langage et la temporalité. La résolution de cette antinomie crée le moteur du système : la tentative, continuée pendant des années, de résoudre ce problème fondamental constitue le système lui-même et en assure l'unité dans son développement temporel. L'unité intentionnelle du système exige la recherche d'une forme idéale de composition qui puisse abolir l'intervalle entre l'être et le langage, plus exactement entre le discours ontologique et le discours poétique (dans le premier type de discours, les « choses », le monde s'énoncent directement[1], dans le second le discours parle du monde). Toutefois, l'unité de cette audacieuse entreprise (il ne s'agit de rien moins que de restaurer le pouvoir créateur du langage et par là-même, de supprimer l'antique dichotomie *λόγος*/*φύσις* et le statut mimétique du discours) se voit menacée par une série de discordances qui tiennent moins à la nature du conflit fondamental qu'à des conséquences occasionnelles, révélatrices de la difficulté éprouvée par le poète à s'arracher totalement à la tradition du langage institué.

La première contradiction, la plus visible du moins, réside dans le manque de réciprocité entre la théorie et la pratique théorique. Le retard pris par l'une vis-à-vis de l'autre, voire la divergence marquée entre ces deux composantes du système accusent la difficulté d'un projet totalisant dont le but ultime est le court-circuitage du langage empirique et l'invention d'un discours purement relationnel, indépendant de la nature des éléments qu'il compose. C'est précisément au moment d'intenses recherches sur les lois qui régissent les intervalles événementiels que s'exacerbe le décalage entre poésie et théorie (1914-1917)[1]. La lisibilité de l'histoire établie par la théorie, l'exploration poétique se poursuit, avec ardeur, dans la double direction du langage du monde (la *zaum'*) et de la forme qui construisent le monde. La promulgation des *Tables du Destin*[2], où se publie définitivement la loi du temps, semble devoir inscrire la structure du discours dans la forme tabulaire, mais c'est à ce moment que le mot autotélique du futurianisme de combat connaît un regain de faveur, ainsi que le prouve la série de poèmes publiés dans les années 1920-1922[3].

Une contradiction plus sérieuse sans doute, puisqu'elle affecte la crédibilité futurienne de Khlebnikov, se fait jour dans l'opposition constante entre un type de composition poétique expérimental, et un autre type, plus respectueux des formes traditionnelles. Cette contradiction affecte tout particulièrement la période futurienne dans la création de Khlebnikov (1910-1914). Sans doute faut-il expliquer ce phénomène par le fait que le poète donnait à publier des écrits déjà anciens, mais la raison profonde en est le rôle secondaire que la poésie tenait dans le système khlebnikovien : le futurianisme représentait dans l'esprit de Khlebnikov plus une interrogation des lois du temps que la recherche d'une formule poétique inédite, l'art du langage se révélant bien incapable d'assurer à lui seul la maîtrise du Temps. Que Khlebnikov ait été dépassé dans l'innovation langagière par les radicaux de la *zaum'*, A. Kručënyx et I. Zdanevič, ne doit pas faire illusion : l'innovation, pour Khlebnikov, se situe à un autre niveau dans la forme du langage poétique ; elle réside dans la détection des forces vives de la langue, de *ces tendances* qui, dans l'état présent de la langue, en construisent le futur. L'expérimentation verbale n'est qu'un moment dans l'appréhension de la dynamique à l'œuvre dans le langage, un accélérateur des procédés de la création telle que le poète la « trouve » (en fait, il s'agit, bien sûr, d'une invention) dans le peuple, chez les « primitifs » ou les enfants[4]. La contradiction entre expérimentalisme et traditionalisme ne figure qu'un cas particulier de l'antinomie entre le futurianisme et le primitivisme qui en est comme la face cachée. Mais la contradiction n'existe pas pour le poète dans l'exacte mesure où il est poète : la forme de l'œuvre poétique n'appartient pas au temps. Les fables, les mythes, les contes, les chants populaires, les épopées, les drames religieux constituent des espèces différentes d'un même projet constructif, qui, parfois, semble miraculeusement anticiper l'avenir, grâce à cette propriété de l'œuvre : être un schéma extra-temporel que le monde peut, parfois, imiter[5] :

442 Это не раз случалось, что будущее зрелой поры в слабых намеках открыто молодости.

И будущие радости цветка смутно известны ему, когда он еще бледным стеблем подымает пласты прошлогодней листвы. И народ младенец, народ ребенок любит грезить о себе в пору мужества, властной рукой повертывающем колесо звезд. Так в Сивке-Бурке-вещей-каурке он предсказал железные дороги, а ковром самолетом реющего в небе Фармана. И вот зимой сказочник-дед, сидя над бесконечным лаптем, заставляет своего любимца садиться над ковер, чтобы перегнать зарницу и крикнуть « стой ! » падающей звезде. Тысячелетие, десятки столетий будущее тлело в сказочном мире и вдруг стало сегодняшним днем жизни. Провидение сказок походит на посох, на который опирается слепец человечества. Точно так же в созданном учениями всех вероисповеданий образе Масиха-аль-Деджаля, Сака-Вати-Галагалайама или Антихриста заложено учение о едином роде людей, слиянии всех государств в общину земного шара. Но если к решению задачи ковра-самолета нас привело изучение точных наук в применении к условиям полета, не те же ли точные науки, примененные к учению об обществе, приведут к решению задачи о Сака-Вати-Галагалайаме ? этом очередном ковре-самолете изобретения ? Так его называют индусские мудрецы. Благодаря ковру-самолету море, к которому тянулись все народы, вдруг потянулось над каждой хижиной, каждым дымом. Великий всенародный путь равномерно соединил прямой чертой каждую одну точку земного шара с каждой другой, о чем мечтали мореплаватели.

И вот человечество-взрослый цветок смутно грезился человечеству-зерну, и ковер-самолет населяет сказочные миры раньше, чем взвился на сумрачном небе Великороссии тяжеловесной бабочкой Фармана, воодушевленной людьми.

(*О пользе изучения сказок*)

La contradiction, évidemment, s'abolit avec l'invention d'un dispositif capable de produire indéfiniment le sens : les lois de la création, en formulant la prévisibilité de l'œuvre, suppriment la notion même de création[1] ...

L'étrange, et, à première vue, scandaleuse absorption de la poésie dans le formalisme mathématique qui lui seul construit « véridiquement » le monde, relève de la contradiction inhérente aux formes et aux tendances de l'art moderne. Cette solution de la poésie dans l'abstraction mathématique est en partie le fruit du travail d'abstraction effectué par Khlebnikov, en partie le résultat du travail général de l'art moderne : la destruction des formes existantes, la désintégration concomitante de l'« objet » et du « sujet », et la prétention de l'art à construire *dans* l'œuvre le modèle du sens, ce qui implique la non-figurativité ou « l'abstractionnisme » de l'art[2] :

В этот день голубых медведей
Пробежавших по тихим ресницам,
Я провижу за синей водой
В чаше глаз приказанье проснуться.

На серебряной ложке протянутых глаз
Мне протянуто море и на нем буревестник ;
И к шумящему морю, вижу, птичья Русь
Меж ресниц пролетит неизвестных.

Но моряной любес опрокинут
Чей-то парус в воде кругло синей,
Но за то в безнадежное канут
Первый гром и путь дальше весенний.

Cette qualité de l'œuvre exhibe, nous l'avons vu, une contradiction profonde, puisque l'œuvre ne saurait présenter sa propre forme. L'évacuation des structures fondamentales de l'évidence et du préjugé selon lesquels l'œuvre d'art représenterait des « choses », l'éviction de « l'objet-à-représenter » (partant, du « thème » traditionnel comme « objet », « contenu » de l'œuvre littéraire) hors du champ d'investigation artistique, amène à considérer l'œuvre d'art comme « articulation » de rapports, composition interne de relations définies dans un ensemble d'éléments abstraits[1] :

Собор грачей осенний
Осенняя дума грачей.
Плетня звено плетений,
Сквозь ветер сон лучей.
Бросают в воздух стоны
Разумные уста.
Речной воды затоны,
И снежный путь холста.
Три девушки пытали :
Чи парень я, чи нет?
А голуби летали,
Ведь им немного лет !
И всюду меркнет тень,
Ползет ко мне плетень.
Нет !

La dislocation des limites entre « objets », langues, cultures, époques, styles, genres, entraîne la disparition de la forme ancienne comme règle contraignante de la composition poétique[2] :

Облако с облаком
Через воблы ком,
Через бублики
Бросили вливы,
Шелесты девы.
Светлых губ лики,
Тени, утесы ли ?
И были трупы моря,
Вздымали рукой великанов
Постели железа зеленого – крыши,
Полы голубые
Для босиков облаков, босых белых ног.
Город был поднят бивнями звезд,
Черные окна темнели как О,
Улица – рыба мертвых столетий,
Из мертвых небес, из трупов морей
Мясо ночных великанов.
Черные дыры в черепе белом – ночь такова.
Там где завод дорог чугуна
Для ног наковал,
Глухой сумрачный нынче,
Громко пел тогда голос Хлебникова,
О работнице, о звездном любимце.

Громадою духа он раздавил слово древних,
Обвалом упал на старое слово коварно,
Как поезд разрезавший тело Верхарна :
Вот ноги, вот ухо,
Вот череп – кубок моих песен.
Книга – старуха,
Я твоя есень !

Mais cette disparition se voit compensée par une résurgence de la forme à un autre niveau, plus abstrait : la composition réapparaît dans la nouvelle disposition des éléments dégagés par la destruction de l'ancien « réel ». L'architectonique poétique nouvelle se donne comme l'effet d'un principe constructif, inhérent à la forme de la représentation artistique, qui résorbe la contradiction de la *ratio irrationalis* de la poésie moderne et transforme en mode de fonctionnement poétique ce qui n'était ou ne paraissait être qu'une discordance accidentelle. L'*ultima ratio* du futurianisme khlebnikovien est la découverte du « discours premier » qui fonde tout discours poétique : le rythme de la forme.

Chapitre IV

LA VERSIFICATION DU MONDE

S'il n'y a pas à proprement parler d'« art poétique » du futurianisme, si Khlebnikov n'a pas laissé d'ouvrage[1] traitant de façon systématique des principes de son art, il est possible, toutefois, de construire l'art poétique dont porte témoignage son œuvre entier. Nous avons dit combien la structure générale de son art s'identifiait à un mode de discours conçu comme une révolution permanente, à condition que l'on restituât au mot révolution la pureté de son sens originaire de « tour »[2]. L'art khlebnikovien est, à cet égard, éminemment tropologique. Le caractère novateur du système poétique de Khlebnikov se révèle dans l'acuité avec laquelle il pose le problème éternel de la construction du sens par l'organisation de la langue *et* du temps.

Nous voudrions, tout d'abord, faire une remarque préliminaire à propos des essais d'exploration linguistique du poète : les considérations de Khlebnikov sur la langue semblent peut-être *a posteriori*, en les analysant avec la distance de soixante années de science linguistique, moins une géniale théorie que le signe d'un nouveau regard, d'une nouvelle attitude du poète par rapport à ce qu'il était convenu d'appeler le matériel de l'artiste, le « mot »[3]. Aussi ces spéculations linguistiques ne doivent-elles pas faire sourire ; pareille indulgence amusée signifierait l'oubli de cette vérité que, lorsqu'elles sont le fait de poètes, les théories (même les plus « naïves » ou les plus « aberrantes » apparemment) sont les choses les plus sérieuses, les plus justes, les plus éclairantes qui soient, également : en elles, en effet, commence, généralement à l'insu de leur auteur (qui croit « théoriser » scientifiquement ou philosopher gravement), la poésie. Le regard théorique jeté par le poète sur sa création est, nous l'avons vu, un des traits majeurs de la poétique moderne. Avec Khlebnikov, le poète inspiré, le théurge des symbolistes se transforme en technicien qui veut devenir conscient des opérations intellectuelles de son art et qui essaie d'examiner les rapports essentiels qui fabriquent la vérité du poème : ceux qui lient le son au sens. Ju. Tynjanov a relevé fort justement la propriété singulière de la phrase poétique khlebnikovienne ; elle engendre un nouveau sens par la grâce d'une structure originale qui produit une harmonie entre configurations sonores et sémantiques[1] :

443 Мы пережили то время, когда новостью может быть метр или рифма, « музыкальность », как украшение. Но зато мы (и в этом основа стиховой культуры – и здесь главное значение Хлебникова) стали очень чувствительны к музыке значений в стихе, к тому порядку, к тому строю, в котором преображаются слова в стихе.

L'attitude « scientifique » (à tout le moins dans l'intention) de Khlebnikov vis-à-vis du système de la langue lui fait découvrir l'immanente fictivité du langage (c'est-à-dire sa capacité à engendrer des formes constamment, de manière « autonome », et questionne en retour le sens même de la fiction consciente d'elle-même : la poésie. Elle met aussi *en jeu* la rhétorique traditionnelle comme art de composition du discours, pose avec une acuité extrême le problème de la levée du sens dans le discours poétique et interroge le statut de la fonction de ce discours artistique dans la connaissance. La « nouvelle rhétorique » de Khlebnikov s'édifie sur un discours totalement perméabilisé au sens, un discours fabriqué comme ensemble de correspondances internes où tout élément est symbole de la langue en son entier. Située au-delà des genres traditionnels, cette rhétorique tente de dissoudre la tropologie dans un discours vrai, « droit », qui parlerait selon son mode propre, sans le détour de la figure[2]. En effet, la rhétorique traditionnelle s'édifiait à partir de ce présupposé philosophique que le discours poétique était par nature figural, incapable de dire essentiellement la nature des choses et du monde : « La poésie... est une vaste métaphore »[3]. La langue en son ensemble, d'ailleurs, était déjà conçue comme une métaphore du monde. Ce que ne pouvait voir la rhétorique, c'est qu'elle était elle-même une construction comme l'art qu'elle prétendait étudier et codifier, et une construction basée sur des postulats métaphysiques[4]. L'esthétique qui commande l'autonomie du discours abolit la transcendance au profit d'une immanence qui cherche ses modèles *dans* le discours : le discours autonome, émancipé, la manifestation de l'idée poétique autonome. Quelles sont les conséquences de la restitution de son pouvoir au discours ?

Dans le chapitre « Khlebnikov et la langue », nous avions examiné comment le poète dissolvait le mot en ses éléments constitutifs pour en faire autant de formes signifiantes. La conséquence de cet acte de sémasiologisation d'éléments qui jusqu'alors étaient considérés comme situés à un niveau infra-sémantique, est d'une extrême fécondité poétique : le sens, dans le poème, se disperse sur tous les éléments phoniques du discours, pour se recueillir ensuite en une nouvelle configuration, selon la disposition particulière de ces éléments dans le poème. La notion n'est plus séparable de son « corps » phonique, puisqu'elle s'identifie à la succession ordonnée des phonèmes ; l'immémoriale dichotomie fond/forme se transforme en une unité complexe où l'idée et le son se trouvent en résonance mutuelle. La métaphore est, si l'on peut dire, déplacée, intériorisée au discours : l'idée poétique se déploie dans les séquences phoniques, mais aussi dans l'infinie variété des compossibles, silencieusement présents dans le texte. L'idée poétique ne vaut qu'à proportion du réseau d'interrelations *réelles et virtuelles* qu'elle commande. Ainsi voit-on se transformer une des figures les plus classiques de l'ancienne rhétorique : la paronomase[1]. La paronomase chez Khlebnikov n'est plus une figure, un vain tour de langage. Les mots qu'associe la paronomase, apparaissent comme des cas, c'est-à-dire des modes d'un même concept qui les enveloppe, ou comme la visée d'un même concept, opérée sous des rapports différents. La paronomase, intégrée dans un type de discours qui la rend nécessaire, disparaît en tant que figure, se haussant au statut de variation casuelle d'un concept qui ne peut être autrement nommé que par cette « déclinaison intérieure »[2]. Cette idéalité de la figure qui s'abolit dans l'approche de sa vérité s'appuie sur l'intelligence ontologique du langage chez Khlebnikov. Les mots, en effet, se déchosifient chez le poète, deviennent des champs de liaisons abstraites. Mais cette abstraction rend la langue à elle-même, à sa forme fondamentale. Khlebnikov déplace la scène où se passe le phénomène poétique : l'acteur poétique est dans *la variation* phonématique, dans la variation de visée du concept. Le « procédé » rhétorique est rénové, puisqu'il présente désormais la modulation du même[3] dans l'imperceptible différence phonique. Ce que construit la paronomase khlebnikovienne, par cette variation modale, c'est l'idée poétique dans le procès même de sa formation dialectique où le sens impose le son, où le son appelle impérieusement le sens (les séquences paronomastiques sont en italique dans le texte) :

Ветер – пение.
Кого и о чем ?
Нетерпение
Меча быть *мечом*.[4]
. . . .
Я видел
Выдел
Весен
В осень,
Зная
Знои

Синей
Сони.[1]

. . . . . .

Он *город*, старой правдой *горд*[2]

. . . .

Нежный Нижний ! –
Волгам *нужный*, Каме и Оке.
Нежный Нижний
Виден вдалеке
Волгам и волку. –

. . . .

И *Волга иволги*
Всегда золотая, золотисто-зеленая !
И *Волга волка*...[3]

. . . .

В высь весь вас звала
И *милый мигов миру ил.*
И *в сласти власть* ненастья *вала.*[4]

. . . .

От *Б*аку и до *Б*омбея,
За *Б*изант и за *Б*агдад,
Мирза-*Б*абом в Энвер-*б*ея.
Бьет торжественный на*бат*.[5]

. . . .

Пали вои полевые
На речную тишину,
Полевая в поле вою,
Полевую пою волю,
Умоляю и молю так
Волшебство ночной поры,
*М*ышек *л*асковых *м*а*л*юток,
*Р*ощи вещие *мир*ы...

. . . .

Ты, это ветер, ты?
*В*ерю, *в*етер любить *не о чем,*
Грустить *не о чем*,
*П*осле *петь путь*,
Моих *ветренных утренних пят*,
Давать им *лап*ти легких *песен*,
А *песен опасен путь.*

. . . .

Час *досады*, час *досуга*,
Час *видений* и *ведуний*,
Час *пустыни*, час *пестуний.*[6]

. . . .

Le facteur poétique surgit dans la différence entre une séquence permanente et la mutabilité vocalique qui « décline » un concept sous lequel se subsument les sens particuliers des mots qui consonnent. La paronomase est le nom propre de cette nouvelle idée qui cherche sa formulation dans le jeu des différences. Ce « procédé » de construction du sens, en dépit de sa justification théorique et de sa nouvelle valeur[1] dans le système poétique khlebnikovien, est des plus ambigus, puisqu'il induit le sens par la seule variation phonique ; or celle-ci étant arbitraire et infinie, infinies et arbitraires sont également les possibilités d'engendrement des sens par cette voie-là. Aussi les professeurs de rhétorique dénonçaient-ils cette technique comme pauvre d'effet et incertaine, du point de vue de la norme qui codifiait l'efficience poétique[2]. Mais c'est par ce procédé cependant que s'est élaborée la *zaum'* khlebnikovienne, qui en représente l'absolutisation. En effet le son (il serait plus exact de dire : l'unité paradigmatique abstraite, le phonème) n'est pas neutre : virtuellement, il porte un sens, par ses possibilités combinatoires[3]. Dans la *zaum'* abstraite de Khlebnikov, le sens et le son se trouvent immédiatement associés dans l'idéalité du phonème : il s'agit là d'un état absolu de la langue. Mais l'intuition du *poète* s'avérait juste : le phonème, dans son idéalité, est une micro-structure du monde, un donateur de sens potentiel. La proximité phonématique des mots dont les sens usuels sont par ailleurs lointains, construit donc dans le système du poème un sens nouveau, supplémentaire, qui réduit l'écart des sens usuels et par là transfigure sémantiquement les mots. La paronomase constitue un état de langue où se fabrique un sens nouveau par la synthèse de sens particuliers jusqu'alors isolés. Comme telle, la paronomase s'inscrit dans le projet fondamental du système poétique de Khlebnikov : la quête de l'un à travers le multiple. Aussi est-elle moins la marque d'une rhétorique que l'indice de la recherche du monde d'harmonie où le son et le sens seraient rassemblés dans une seule « lettre-poème ».

Exalté par la critique comme le modèle de la poésie nouvelle, « futuriste »[4], le poème *Zakljat'e smexom*, qui appartient aux débuts poétiques de Khlebnikov, s'offre comme l'emblème d'une autre technique fondamentale dans sa création : le « *slovotvorčestvo* » ou création verbale qui génère inépuisablement des mots nouveaux à partir des racines qu'offre la langue russe. Dans l'article nécrologique consacré à V. Khlebnikov, Majakovskij écrivait[5] :

443 Известнейшее стихотворение *Заклятие смехом*, напечатанное в 1909 г., излюблено одинаково и поэтами, новаторами и пародистами, критиками (...). Здесь одним словом дается и « смейево », страна смеха, и хитрые « смеюнчики », и « смехачи » – силачи. Какое словесное убожество по сравнению с ним у Бальмонта, пытавшегося также построить стих на одном слове « любить » :

любите, любите, любите, любите,
Безумно любите, любите любовь
и т. д.

Тавтология. Убожество слова. И это для сложнейших определений любви !

Proclamée dans les manifestes du groupe hyléen comme un des droits imprescriptibles du poète, la « création verbale » représente pour Khlebnikov un procédé essentiel, inséparable de la rhizologie, par lequel la racine est modulée syntaxiquement par un jeu morphologique qui transforme le poème en variation grammaticale[1] :

> О, рассмейтесь, смехачи !
> О, засмейтесь, смехачи !
> Что смеются смехами, что смеянствуют смеяльно,
> О, засмейтесь усмеяльно !
> О, рассмешищ усмеяльных – смех усмейных смехачей !
> О, иссмейся рассмеяльно смех надсмейных смеячей !
> Смейво, смейво,
> Усмей, осмей, смешики, смешики,
> Смеюнчики, смеюнчики.
> О, рассмейтесь смехачи !
> О, засмейтесь, смехачи !

La création verbale, comme les autres procédés de technique littéraire chez Khlebnikov, devient, dans son système, autre chose qu'une simple catégorie de rhétorique. On peut affirmer que la création verbale, inséparable de la rhizologie et de la paronomase, est la constante, l'idée maîtresse, en quelque sorte, de l'œuvre entier du poète. En effet, la création verbale combine en elle-même la paronomase et l'unité sémantique de la racine avec la rhizologie qui groupe les mots de même racine : c'est la quintessence de l'*Ars poetica* khlebnikovienne, la forme-thème de son œuvre à quoi tout le reste est subordonné. On peut aisément s'en convaincre en suivant ce « procédé » depuis les tout premiers poèmes de la période 1901-1908 jusqu'aux compositions des années 1920-1922[2]. Cependant, cette opération singulière pratiquée sur les mots, comme beaucoup de techniques érigées par les futuriens en principes de fabrication du discours, a une longue histoire dans la vie de la langue russe par-delà la tradition de la poésie savante[3] : elle vient en effet du folklore[4]. Là, sans doute, réside la grande différence entre la néologie russe et celle des futuristes italiens. La poésie de Khlebnikov, ce trait le prouve assez, est bien une poésie de l'immanence ; la création verbale dénonce la fascination du matériel, de la matière dans sa forme de créativité. Lorsque Ivanov-Razumnik[5] écrit que V. Khlebnikov est esclave de la *res*, il faut entendre par là cette matérialité qui est le langage même comme forme active, comme *ἐνέργεια* et qui est aussi l'essence du langage, le principe de son fonctionnement, car la chose (la *vešč'*) chez les futuriens, et tout particulièrement chez V. Khlebnikov, s'abolit pour n'apparaître que comme pur principe de travail. Ivanov-Razumnik semble confondre deux ordres de « réalité » absolument différents : la *res* linguistique, qui n'a rien d'une chose (ou qui en partage toute l'inanité sémantique) et dont il est question ici, et le monde de l'établissement, le *byt*, dont il dit que Majakovskij, par exemple, en était obsédé. Tout le « paganisme » de Khlebnikov provient de cet arrêt sur le

« corps » de la langue, de cette fascination exercée sur son esprit par le travail de la machine linguistique. Si le philologue est « l'amoureux des mots », Khlebnikov est le philologue par excellence. Lorsque Kručënyx déclarait que les *zaumniki* étaient les seuls matérialistes conséquents, il était dans son bon droit, puisque ce « matérialisme » est la conséquence immédiate de l'ipséité du discours. La *zaum'*, de quelque type qu'elle soit, relève du même amour pour le verbe, inépuisable réservoir de combinaisons toujours nouvelles. Si Khlebnikov ne fut jamais un *zaumnik* au sens où l'entendait Kručënyx, il fut toujours fasciné par la capacité intrinsèque de la langue russe à engendrer, par dérivation d'elle-même, des micro-drames lyrico-épiques[1] :

И я свирел в свою свирель
И мир хотел в свою хотель.

Il y a dans ces petits poèmes de jeunesse comme la formule condensée de son art : l'exploitation des ressources propres de la langue russe. L'art poétique de Khlebnikov est, de ce point de vue, profondément russe[2]. La fusion intime de l'art du poète avec l'art de la langue elle-même fait de la création verbale le mouvement réel des « choses », du monde : la création verbale khlebnikovienne s'identifie avec la création verbale de la langue russe, du peuple russe. Khlebnikov systématise dans sa poésie des procédés de composition populaire. Il transforme en technique de composition savante les procédés fondamentaux de la création populaire dans des genres aussi variés que la byline, la častuška, la chanson. Le « procédé », chez Khlebnikov, est toujours, de cette manière, la figure d'un style, la métaphore d'une série d'opérations qui caractérisent un genre littéraire. Aussi sa poésie apparaît-elle comme une « figure au deuxième degré », ce qui lui confère l'aspect d'une abstraction des actes qui fondent les différents types de composition. Le style monumental, lyrique ou dramatique des fragments khlebnikoviens s'explique par la source nationale, populaire des procédés savants qu'il y exhibe. Car Khlebnikov a parfaitement saisi l'esprit de la composition dans les genres dits folkloriques : la dramatisation des formes linguistiques[3]. Ainsi, par exemple, dans cette courte pièce :

Плескиня, дева водных дел,
Радея красоте,
Играла и сияла, служила немоте
И крыльными грустильями воздела темноте.

En poursuivant l'investigation de la création verbale chez Khlebnikov, on peut en mesurer toutes les implications antirhétoriques qui subvertissent les postulats de la rhétorique traditionnelle ; le discours composé ne signifie rien d'autre que la correspondance entre le système des procédés qu'il manifeste et l'ensemble des procédés qui constituent le « poème-paradigme » : le système de la langue. Ce que « symbolise »[1] donc tel ou tel poème particulier, c'est la poésie de la langue, c'est-à-dire l'ensemble des règles qui la produisent comme activité. Telle est une des plus fécondes conséquences de l'ipséité du discours dans le domaine du sens, chez Khlebnikov : dans les « procédés » de son art poétique se manifeste le fonctionnement propre de la langue ; le grand mythe qui s'élabore dans sa poésie, c'est celui de la langue vive. Le poème est donc une variation du thème de la langue. Aussi le moindre fragment khlebnikovien a-t-il toujours l'allure d'une structure de procès linguistique parfaitement intégré dans le grand système de la langue. C'est pourquoi la création de mots nouveaux ne peut être réduite à une simple extension du vocabulaire de la langue existante ou être assimilée à une version slave de la « Défense et Illustration » de la langue natale contre la concurrence de modèles linguistiques et poétiques étrangers. L'innovation verbale expose la poétique de la langue elle-même et démontre la permanence de procédés linguistiques invisibles ailleurs que dans le poème, véritable scène où se joue la grammaire de la langue. Aussi le drame des fonctions linguistiques prend-il souvent chez Khlebnikov l'aspect d'un allégorisme mythologique[2] :

Там, где жили свиристели,
Где качались тихо ели,
Пролетели, улетели
Стая легких времирей.
Где шумели тихо ели,
Где поюны крик пропели,
Пролетели, улетели
Стая легких времирей.
В беспорядке диком теней,
Где, как морок старых дней,
Закружились, зазвенели
Стая легких времирей.
Стая легких времирей !
Ты поюнна и вабна,
Душу ты пьянишь, как струны,
В сердце входишь, как волна !
Ну же, звонкие поюны,
Славу легких времирей !

Les déités slaves imaginaires fonctionnent comme autant de signaux d'un primitivisme poétique, d'un néo-paganisme purement esthétique, résultant de la perception immédiate des formes de la langue, et non d'une intention philosophique extra-linguistique[3] :

В умных лесах правен лесовой,
В милых водах силен Водяной,
В домах честен домовой,
А в народе славяной.
Так зыбит, снует молва,
С нею славен, славен я !

C'est en ce sens que les futuriens pouvaient déclarer que la création verbale véhiculait le mythe. Les acteurs de la fable dans la poésie de Khlebnikov ne sont pas les figures des dieux, mais l'agentivité linguistique qui prend le masque de théonymes imaginaires. Le mythologisme khlebnikovien se place aux antipodes du mythe symboliste, puisqu'il est le symbole de la propriété intrinsèque de la structure linguistique. Le modèle poétique emprunté à la « littérature orale » indigène donne à la méthode créative khlebnikovienne sa qualité « folklorique », païenne et slave[1] :

Неумь, разумь и безумь – три сестры плясали вместе,
В покрывальностях бездумий, в покрывальностях невесты.
Руки нежные свились, ноги нежные свились,
Все кругом сплелось, свилось, в вязкой манни расплылось[2].

. . . .

И дева векиня, векиня в веках,
Векуя свой век в огнелетных венках.
На долево зарево бросаю я сень,
И гласом без марева крикнула день.
И день восторгнулся, и день ужаснулся, и день восстает,
И день свое вéно векине несет.
И дева, ликуя, целует и молвит : « жених »...
И ветка качается отныне для них, для двоих.[3]

. . . .

– О яд не наших мчаний в поюнность высоты
И бешенство бываний в страдалях немоты.
В думком мареве о боге
Я летел в удел зари...
Обгоняли огнебоги,
Обгоняли жарири.
Обожелые глаза !
Обмирелые власа !
Овселеннелая рука !
Орел сумеречных крыл
Землю вечером покрыл
Вечер сечи ведьм зари.
Прокричали жарири.
Мы уселись тесным рядом.
Видеть нежить люди рады.[4]

Немотичей и немичей
Зовет взыскующий сущел,
Но новым грохотом мечей
Ему ответит будущел.[5]

Si le poème *Zakljat'e smexom* inaugurait la cérémonie carnavalesque du futurianisme dans un éclat de rire incantatoire[1] auquel fait réponse le tragique duo de Rire et Douleur dans *Zangezi*, la non moins fameuse pièce *Bobèobi...* commençait, elle aussi, splendidement, un principe de composition que Khlebnikov ne renia jamais, puisqu'il l'érigea en plan de langage dans le « système du système poétique » qu'est *Zangezi*[2]. Le symbolisme naïf des correspondances rimbaldiennes dans ce poème initial s'est transformé chez Khlebnikov, par son travail sur le langage, en un panneau essentiel de son système poétique et, ici aussi, la « figure » se métamorphose en facteur constructif de la réalité poétique. Ju. Tynjanov, analysant la facture de ce poème dans « *Illjustracii* », fait remarquer l'importance de l'indétermination des correspondances abstraites tracées par ce tableau sonore imaginaire[3]. Voici ce poème, que nous faisons suivre du commentaire de Tynjanov :

443

Бобэоби пелись губы
Вээоми пелись взоры
Пиээо пелись брови
Лиээй – пелся облик
Гзи-гзи-гзэо пелась цепь,
Так на холсте каких-то соответствий
Вне протяжения жило Лицо.[4]

. . . .

...Переводя лицо в план звуков, Хлебников достиг замечательной конкретности :

Бобэоби пелись губы
Вээоми пелись взоры...

Губы – здесь прямо осязательны, – в прямом смысле.
Здесь – в чередовании губных б, лабиализованных о с нейтральными э и и – дана движущаяся реальная картина губ : здесь орган назван, вызван к языковой жизни через воспроизведение работы этого органа.

Напряженная артикуляция Вээо во втором стихе – звуковая метафора, точно так же ощутимая до иллюзии.

Но тут же Хлебников добавил :

Так на холсте каких-то соответствий
Вне протяжения жило лицо.

Все дело здесь в этом « каких-то », – эта широта, неопределенность метафоры и позволяет ей быть конкретной « вне протяжений ».

De fait, l'aspect le plus remarquable de ce poème est l'indétermination extrême des correspondances, grâce à quoi les mots flottent dans un espace abstrait, « hors de l'étendue » : celui des relations internes du texte. Dans ce poème-limite (seule la glose incorporée en permet la lecture) était ouverte, au-delà d'une correspondance naïve entre peinture et poésie, une voie de recherche inédite vers la compréhension du poème comme projection, sur le « tableau » de la langue, de principes de composition hétérogènes à la langue, relevant de la syntaxe générale de l'art. Les recherches sur « l'alphabet de la Raison » devaient, bien sûr, conceptualiser ce qui n'était au départ que pure synesthésie héritée de la tradition poétique. La correspondance restituée au système de la langue et à lui seul, il était naturel que la *zvukopis'* figurât dans le jeu des tableaux de *Zangezi* ; l'homologie avec la structure d'un tableau pictural était retrouvée dans son vrai sens d'harmonie – jeu de similitudes et de contrastes – entre éléments de même nature (ici les couleurs, là les sons). Ce qui se projette sur le tableau de la langue, c'est un ensemble de relations entre éléments phoniques qui constituent l'image du fonctionnement différentiel de la langue, comme dans ce passage de *Perevorot v Vladivostoke*, où les principes de la *zvukopis'*, amplifiés par ceux de la rythmique et de la sémantique, construisent le portrait poétique du samouraï[1] :

Черные сосны в снегу
Черные сосны над морем, черные птицы на соснах –
Это ресницы.
Белое солнце,
Белое зарево –
Черного месяца ноша, –
Это глаза.
Золотая бабочка
Присела на гребень высокий
Золотого потопа,
Золотой волны –
Это лицо.
Золотая волна золотого потопа
Сотнями брызг закипела,
Набежала на кручу
Золотой пучины.
Золотая бабочка
Тихо присела на ней отдохнуть,
На гребень морей золотой
Волны закипевшей.
Это лицо.
Это училось синее море у золотого,
Как подыматься и падать
И закипать и рассыпаться золотыми нитями
Золотыми брызгами, золотыми кудрями
Золотого моря.
Золотыми брызгами таять
На песке морском,
Около раковин моря.

L'abstraction picturale de la *zvukopis'* maintient encore une signification potentielle dans le jeu des oppositions phonématiques et sémantiques. Paradoxalement, ce n'est pas la « peinture des sons » qui se rapproche le plus, structurellement, des méthodes de composition abstraite, mais le « langage des oiseaux »[2] : dans cette forme de langage, en effet, le sens est totalement aboli, mais se restaure au niveau des lois de combinaison d'éléments non-signifiants. La syntaxe de ce discours n'est donc pas celle du discours ordinaire, mais celle de l'art : c'est le rythme d'une composition symphonique de voix où la poésie se dévoile en son plus haut travail abstrait dans la seule forme du temps. Ce qui se donne à entendre dans la séquence phonique est une suite de rapports, la mesure, plus précisément la mesurabilité du langage poétique. La beauté formelle de ce langage fabriqué, composé selon des schèmes temporels, se déploie dans le jeu des intervalles. Le rythme n'est plus conçu comme métaphore d'un sens qui lui serait étranger, mais c'est lui, au contraire, qui construit le sens. La forme rythmique génératrice du vers se fait voir, si l'on peut dire, dans sa potentialité sémantique : la rythmologie qui se dégage de ce langage poétique à l'état naissant égale la structure même de la parole encore libre de concepts, mais qui engendre inéluctablement les concepts par la chrononomie[1] ou organisation poétique du temps. Majakovskij, dans *Kak delat' stixi ?*, a donné une magnifique description de ce phénomène capital dans la création poétique[2] :

444 Я хожу, размахивая руками и мыча еще почти без слов, то укорачивая шаг, чтоб не мешать мычанию, то помычиваю быстрее в такт шагам.

Так обстругивается и оформляется ритм – основа всякой поэтической вещи, проходя через нее гулом. Постепенно из этого гула начинаешь вытискивать отдельные слова.

Некоторые слова просто отскакивают и не возвращаются никогда, другие задерживаются, переворачиваются и выворачиваются по нескольку десятков раз, пока не чувствуешь, что слово стало на место ; это чувство, развиваемое вместе с опытом, и называется талантом. Первым чаще всего выявляется главное слово – главное слово, характеризующее смысл стиха, или слово, подлежащее рифмовке. Остальные слова приходят и вставляются в зависимости от главного. Когда уже основное готово, вдруг выступает ощущение, что ритм рвется – не хватает какого-то сложка, звучика. Начинаешь снова перекраивать все слова, и работа доводит до исступления. Как будто сто раз примеряется на зуб не садящаяся коронка, и наконец, после сотни примерок, ее нажали, и она села. Сходство для меня усугубляется еще и тем, что когда, наконец, эта коронка « села », у меня аж слезы из глаз (буквально) – от боли и от облегчения.

Откуда приходит этот основной гул-ритм – неизвестно. Для меня это всякое повторение во мне звука, шума, покачивания или даже вообще повторение каждого явления, которое я выделяю звуком. Ритм может принести и шум повторяющегося моря, и прислуга, которая ежеутренне хлопает дверью и, повторяясь, плетется, шлепая в моем сознании, и даже вращение земли, которое у меня, как в магазине наглядных пособий, карикатурно чередуется и связывается обязательно с посвистыванием раздуваемого ветра.

Старание организовать движение, организовать звуки вокруг себя, находя ихний характер, ихние особенности, это одна из главных постоянных поэтических работ – ритмические заготовки. Я не знаю, существует ли ритм вне меня или только во мне, скорей всего – во мне. Но для его пробуждения должен быть толчок – так, от неизвестно какого скрипа начинает гудеть в брюхе у рояля, так, грозя обвалиться, раскачивается мост от одновременного муравьиного шага.

Ритм – это основная сила, основная энергия стиха. Объяснить его нельзя, про него можно сказать только так, как говорится про магнетизм или электричество. Магнетизм и электричество – это виды энергии. Ритм может быть один во многих стихах, даже во всей работе поэта, и это не делает работу однообразной, так как ритм может быть до того сложен и трудно оформляем, что до него не доберешься и несколькими большими поэмами.

Поэт должен развивать в себе именно это чувство ритма и не заучивать чужие размерчики ; ямб, хорей, даже канонизированный свободный стих – это ритм, приспособленный для какого-нибудь конкретного случая и именно только для этого конкретного случая годящийся. Так, например, магнитная энергия, отпущенная на подковку, будет притягивать магнитные перышки и ни к какому другому делу ее не приспособишь.

Из размеров я не знаю ни одного. ...

Размер получается у меня в результате покрытия этого ритмического гула словами, словами, выдвигаемыми целевой установкой (все время спрашиваешь себя : а то ли это слово ? А кому я его буду читать ? А так ли оно поймется ? И т.д.), словами, контролируемыми высшим тактом, способностями, талантом.

Сначала стих Есенину просто мычался приблизительно так :

та-ра-ра/ра-ра/ра,ра,ра,ра,/ра ра/
ра-ра-ри/ра-ра-ра/ра-ра/ра-ра-ра-ра/
ра-ра-ра/ра-ра ра ра ра ра ри/
ра-ра-ра/ра ра-ра/ра-ра/ра/ра ра.

Rigoureusement, le « langage des oiseaux », comme le « ta-ra-ra » de Majakovskij, exhibe ce que les poèmes, sémantiquement chargés, cachent d'ordinaire : le *tempo* de l'imagination qui schématise les concepts potentiels dans le temps, cette pure forme de l'αἴσθησις ; la loi de cette faculté secrète qui inscrit dans la durée un schéma d'intellection répétitif, reproductible, est le rythme[1] comme producteur de sens. La difficulté dans l'appréhension intellectuelle du rythme verbal provient de ce qu'il n'est pas en soi une représentation, mais ce qui permet, construit, organise toute représentation. Il est donc impossible de construire une image (autre que spatiale) de cette opération de l'imagination productrice de sens qui, aménageant la durée (tel est le sens de la chrononomie dont parle Stravinski), la pourvoie d'une signification qui n'est pas conceptualisable : l'économie du temps, par laquelle le sens advient, ne relève ni du temps, ni du sens[2]. Le poème, structuré selon les principes du rythme esquissés dans le « langage des oiseaux », apparaît comme le paradigme d'une activité qui sauve l'*homo faber* de la temporalité. Dans le rythme, construction du temps et du sens, véritable « versification » du temps, se manifeste le mathématisme profond de la poésie[3], qui engendre sa forme dans l'harmonie de rapports constructeurs de l'idée poétique[4], comme dans le poème suivant, où le rythme forge, martèle la forme poétique dans une indissociable coopération avec le sens et l'assonance :

Удары молота
В могилу моря,

В холмы русалок,
По позвонкам камней,
По пальцам медных рук,
По каменным воронкам
В хребет засохшего потопа,
Где жмурки каменных снегур,
Где вьюга каменных снегур,
Где вьюга каменных богинь.
Удары молота
По шкуре каменного моря,
По тучам засохших рыб, по сену морскому,
В мятели каменных русалок,
Чьи волосы пролились ветром по камням,
С расчесанными волосами, где столько сна и грезы,
И крупными губами, похожими на лист березы.
Их волосы падали с плачем на плечи
И после летели по волнам назад,
Он вырастет бог человечий,
А села завоют тревожно в набат !
Удары молота по водопаду дыханья кита,
По губам,
По пальцам черных рук,
В великие очи железного моря,
Девичьего потопа в железных платьях волн,
По хрупким пальцам и цветам в руках,
По морю русалочьих глаз,
В длинных жестоких ресницах.
Из горных руд
Родитель труд,
Стан опоясан летячею рыбою
Чорного мора морей ;
И чорная корчилась дыбой,
Русалочьей темною глыбой,
Морская семья дочерей.
Удары молота
В потопы моря потомка мора.
По мору морей,
По волнам засохшего моря.
Русалки черногубые берут
И чернокожия сосут
Сосуд
Тяжелых поцелуев молотка...

La forme du discours poétique libéré du sujet ne peut se réduire à l'imagisme ; la rythmologie est la faculté discursive qui produit des « figures sémantiques » sans unité conceptuelle localisable ; c'est une structure *dynamique* de composition, plutôt qu'un schéma stable de rapports entre concepts verbalisés ; la « figure », dans ces conditions, ne figure plus qu'elle-même. La rythmologie se déclare comme un jeu abstrait des formes, qui se reconduit perpétuellement, un jeu anastrophique également : le discours, qui retourne constamment sur lui-même, présente la composition comme inachevée, ouverte. La poésie se fait l'hodographe d'un mouvement de parole, d'une tension dirigée vers nul lieu assignable sinon, espace primordial de l'abstraction poétique, le ciel qui – ce n'est pas un hasard – au terme du long poème *Sinie okovy*, suspend miséricordieusement ses « chaînes bleues » au confluent de la parole et du silence[1] :

В наборе вишен и листвы,
В полях воздушной синевы,
Где ветер сбросил пояса,
Глаза дрожали – черная роса.
Зеленый плеск и переплеск –
И в синий блеск весь мир исчез.

La remontée vers le primordial, la source du fonctionnement poétique, caractérise également l'étymologie khlebnikovienne. La quête du « primitif » s'inscrit dans le même projet abstractionniste visant à retrouver l'intuition première qui institua le mot dans la langue. La radicalité que révèle cette démarche exige du poète un effort difficile pour montrer la simplicité du langage, la simplicité de ses opérations premières,en même temps qu'elle constitue une tentative pour réaliser les métaphores latentes du langage. L'étymologie est une technique, en effet, qui permet d'organiser le temps d'évolution naturelle du mot, en mettant en évidence sa dynamique évolutive[2]. Par le retour à l'*ἔτυμον*, le mot est comme suspendu au-dessus de la temporalité, il s'abstrait du monde empirique : l'extraction de la racine ouvre la voie royale vers la contemplation des entités que manipule le langage. L'étymologie atteint l'être même de la pensée poétique : le champ des relations de ces entités, les opérations sur la géométrie de ces rapports. La poésie apparaît, par la purification étymologique, une mathématique du langage, comme dans ce poème où l'impulsion poétique première est dictée par une relation purement étymologique (*Moskva*/ « *Mozg-va* »)[3] :

Москва – старинный череп
Глагольно-глазых зданий,
Висящий на мече раб
Вечерних не рыданий.

Я бы каменною бритвой
Чисто срезал стены эти,
Где осеннею молитвой
Перед смертью скачут дети.

И дева ночи черным телом
Своих ресниц не осенит,
Она уйдет к глазам сутулым
Мое молчанье извинит.

De même, dans le poème *V ètot den' golubyx medvedej*, où sont suspendues les fonctions sémantiques usuelles, les latences étymologiques des mots sont réactivées, actualisées par les étranges métaphonies qui affectent les rimes ainsi que par les assonances intérieures qui installent de subtiles relations entre des idées ordinairement éloignées les unes des autres (« *den'... medvedej/vodoj* ; *resnicam/prosnut'sja* ; *Rus'/parus* ; *more/morjana* »)[1] :

В этот день голубых медведей,
Пробежавших по тихим ресницам,
Я провижу за синей водой
В чаше глаз приказанье проснуться.

На серебряной ложке протянутых глаз
Мне протянуто море и на нем буревестник ;
И к шумящему морю, вижу, птичья Русь
Меж ресниц пролетит неизвестных.

Но моряной любес опрокинут
Чей-то парус в воде кругло-синей,
Но за то в безнадежное канут
Первый гром и путь дальше весенний.

L'étymologie n'est pas seulement un retour vers la source ou la racine, une archéologie de la langue : l'étymologisme restaure la téléologie du discours autonome, sa finalité orientée vers sa propre perfection, dans la dimension de l'« Utopie-Uchronie »[2] :

Огневиц окон
Дворца для толп
Серый пол
Четыре точки.
Труба самоголоса,
Столы речилища,
За круглым решетом железа
Песнекрики, тенекрылья у плеч,
Алошар игрополья,
Снегополь пляски теней,
Тенебуда у входа,
Руку для теней
Протянувшая к
Тенеполю.
Книгощетки снегополя,
Железный самоголос
Кует речеложи отмеренную ярость.
Око Путестана
Высоким снегополем
Светит в дали.

(*Продума Путестана*)

L'étymologisme place le langage en double perspective, en en étendant le sens : c'est une version du discours vers son mieux-être de signification, vers son plérôme sémantique. Aussi l'étymologisme khlebnikovien s'apparente-t-il profondément à une sorte de purisme, de classicisme linguistique. Le perfectionnisme poétique que manifeste cette méthode rapproche le discours poétique futurien de ce mode du devoir-être que visait également, mais par d'autres moyens, l'acméisme : l'*ἔτυμον* donne comme déjà présente la vérité du poème[1]. L'entéléchisme s'articule au système poétique khlebnikovien en faisant apparaître le discours poétique comme un discours eschatologique, en lequel s'amorce la fin du langage dans l'équilibre de son achèvement, de sa perfection. La rythmologie se conjugue à l'étymologie, car le rythme fabrique aussi l'*ἔτυμον*, la vérité du langage. Mais alors surgit la question : si le discours poétique s'accomplit dans le rythme, quel est le moteur de ce mouvement ?

Khlebnikov expérimente dans sa pratique poétique la valeur du langage par l'homologie de ses structures à celles du « réel » en cachant le signe linguistique, pivot de la métaphoricité traditionnelle du discours poétique : le « comme » s'efface dans l'aperception naturelle d'un même mode, d'une même structure œuvrant dans le « réel » – la vie, l'histoire, le monde – et le poème. La fable se fonde sur l'unicité de mesure des « choses » : l'imagination qui construit le monde dans la parole poétique lui impose sa propre unité. Par l'abolition des frontières entre sujet et objet, intériorité et extériorité, la poésie assume l'intégralité du monde réel, comme dans ce poème où les « noms propres » en fonction de prédicats disent l'intime compénétration du singulier et de l'universel, du sujet et du monde, le nom propre se transformant en signe propre de l'état poétique[2] :

Усадьба ночью – чингисхань !
Шумите, синие березы.
Заря ночная – заратустрь !
А небо синее – моцарть !
И сумрак облака будь – Гойя !
Ты ночью облако – роопсь !
Но смерч улыбок пролетел лишь,
Когтями криков хохоча,
Тогда я видел палача
И озирал ночную смел тишь.
И вас я вызвал смелоликих,
Вернул утопленниц из рек.
Их незабудка громче крика
Ночному парусу изрек.
Еще плеснула сутки ось,
Идет вечерняя громада.
Мне снилась девушка – лосось
В волнах ночного водопада.
Пусть сосны бурей омамаены
И тучи движутся Батыя,
Идут слова – молчаний Каины –
И эти падают святые.

И тяжкой походкой на каменный бал
С дружиною шел голубой Газдрубал.

Tournant autour d'elle-même comme son modèle de vérité, la poésie de Khlebnikov transforme la tropologie traditionnelle en révolution qui constamment ramène au même point dans un mouvement périodique. Implication majeure de l'ipséité du discours : la rhétorique s'effondre, et avec elle la figuralité. La notion de figuralité, que véhiculait la rhétorique, était nécessairement engendrée par la représentation selon laquelle le langage tournait autour d'un monde de choses immobiles. Selon que la langue apportait telle ou telle désignation à telle ou telle « chose », l'acte de nomination était soit direct, soit indirect : dans le premier cas le nom était « propre », appartenant à la chose « selon la nature », dans l'autre le nom était « de transport », « métaphorique », puisqu'il se joignait à la « chose » par déplacement, transport, « méta-phore ». La métaphore n'était possible, comme concept, que dans un système de pensée où le langage se concevait comme un porteur de « mots » à des « choses » considérées comme fixes. Le langage se voyait condamné à « métaphoriser » aussi longtemps qu'était maintenue la dualité langue/monde (des « choses », monde « objectif »). Le monisme khlebnikovien supprime l'altérité fabricatrice de figuralité : pour Khlebnikov la langue manifeste une présence absolue, non soumise en sa vérité à autre chose qu'elle-même, une qualité du monde ; elle est donc un domaine absolu, une totalité intégrante où se confondent les antinomies ordinaires (je-tu/il ; sujet/objet). Son art poétique édifie donc sur le plan du langage-monde une œuvre qui dépasse les genres traditionnels, lyrique, épique et dramatique tout ensemble, et qui témoigne un déplacement fondamental, celui du point de vue sous lequel le poète considère la langue. Désormais, par la révolution de l'attitude du poète vis-à-vis de son œuvre dans la langue, le monde n'acquiert son statut d'objectivité que par son identification au poème : *Mir kak stixotvorenie*[1]. L'« antirhétorique » de la poésie khlebnikovienne se fonde, en dernière instance, sur cette « métaphore » initiale, qui institue un seul et même mode de fonctionnement dans le monde et le poème, rendant ainsi vaines toutes les métaphores dérivées, « secondes », dans le discours poétique. La géniale audace de Khlebnikov est d'avoir « mimé » le fonctionnement poétique par un jeu intra-linguistique, immanent, simulant la métaphore fondatrice par le mouvement de sortie hors de la langue vers l'espace imaginaire qui l'excède, l'« Utopie » transversale au langage où se fabrique la syntaxe de l'art[2] :

Выстрел отцел. Могилы отцели.
Я волил быть цел, но волны умчали от цели.

На небе был ясен приказ : убегай !
Синяя степь рыбака
Билась о жизни бо́ка.
Умчурное море и чолн, где выстрел Онегиным воли,
И волны смеялись над смертью своей,
Летя в голубой отобняк,
Смеялись волны над гробом.
Сваи Азбуки были вчера
Оцелованы пеной смертей.
В парчевом снегу идет божестварь,
Илийного века глашатай.
Колосьями море летит на ущерб,
Но косит колосья строгой отмели серп.
Те падают в старую тризну,
Очами из жемчуга брызнув,
И сумрак времен растолкать
Ночная промчалася кать.
Ончина кончины ! Тутчина кончины !
Прилетавли не сюда
Отшумели парусами
Никогдавли навсегда.
Тотан завывающий в трубы
Ракушек морских
О скором приходе тотот.
Тотан умирающий грубо,
И жемчуговеющий рот.
Слабыня мерцающих глаз,
Трупеет серебряный час.
Ончие зовы ! Ончие стоны !
Этаны ? Этаны !
Какоты такоты !
Утесы священных отот !
Отийцы ! ототы ! вы где ?
Выстрелы слез вдалеке.
Этот пролит на землю мешок.
Пилы времен трупы людей перепилили.
В кузне шумен перепел « или ».
Тутобы с тотобой борьба,
Утесы могучих такот.
Камнеправды дикий топот
По вчерашним берегам.
Отун синевы замолчал...
Инь, волнуйся ! Синь, лети !
Бей, инея, о каменья !
Пегой радугой инес,
Пегим жемчугом каменьев
Бей и пой ! вне цепей !
Тутырь замолчал навсегда,
Одетый в потопы.
Приходы великих тихес
На пенье великой онели,
На пенье великих шумен.
Этот каменеют утесы и глыбы,
Как звери столетий сидят.

Жрецов заседанье.
Этаны ! Этаны проснитесь !
Выстрелы – высь травы !
Тутоты стоят черным храмом морей.
Менавль пронесся по волнам.
Синеет, инея, волна.
Ончие тучи неслись,
Онели свирели.
Хочет покой
Литься илийной рекой,
Иливо, иливо, иливо
В глубинах залива.

La sortie immobile hors du champ du discours poétique s'effectue par la mobilisation des outils linguistiques qui transfèrent vers une situation (une « réalité ») extra-linguistique : la catégorie des « embrayeurs » qui connectent le discours avec une situation qui le dépasse et le motive. Le jeu des démonstratifs (« *tot/ètot* ») combiné avec celui des multiples dérivés de « l'absent » de tout discours (« on- »/« *ončina* »/« *ončij* »/ « *onel'* »), des prépositions et des jonctifs, construit la modalité à l'intérieur de l'énonciation. Le statut des accessoires du discours ordinaire se transforme : ils deviennent les acteurs d'une région imaginaire, translinguistique et linguistique à la fois, dont ils tracent le relevé, en présentant l'altérité interne du discours qui le travaille par l'opposition permanente du proche et du lointain, opposition qui *est* la modification que subit le langage à l'œuvre, dans l'œuvre. Le poème raconte sa propre aventure dans la forme d'une «épopée lyrique», véritable marine langagière où le monde flottant des sens vient naître et mourir sur le « littoral » des paroles. Dans cette fluence pure où se déploie souverainement le rythme du discours libre, la langue s'épanche dans le monde, le monde se verse dans la langue : la poésie, dans sa liberté retrouvée, versifie le Monde.

CONCLUSION

Mandel'štam écrivait de Khlebnikov qu'« il avait frayé des voies à l'avenir pour un siècle entier ». La poésie russe n'a pas fini d'épuiser l'héritage de Khlebnikov. Mais a-t-elle seulement commencé à l'entamer ? Le « testament poétique » de Khlebnikov est en effet d'une telle ampleur qu'il est difficile d'en évaluer toutes les implications. Nous pouvons cependant, au terme de cette étude, esquisser quelques réponses aux questions que posent certains aspects particuliers de son système poétique.

Tout d'abord, ce système s'inscrit dans l'ensemble des recherches de l'art moderne. Sans doute est-il prudent de rappeler qu'aucun phénomène de la vie littéraire ne naît *ex nihilo* ; la poésie de Khlebnikov n'échappe pas à la loi commune. Sans prétendre réduire la quête khlebnikovienne aux préoccupations de ses prédécesseurs immédiats, les symbolistes, nous pouvons affirmer que sa démarche est impensable hors des voies nouvelles tracées à l'art et des tâches à lui assignées par les explorations poétiques de Baudelaire, Rimbaud, Mallarmé en France, Vjač. Ivanov, V. Brjusov, A. Blok en Russie. Le système poétique khlebnikovien accomplit, ou du moins tente d'accomplir ce que le symbolisme en faillite avait été incapable d'assumer : l'ipséité du discours poétique.

L'ordre du Monde khlebnikovien est la conjonction de la langue et de la temporalité dans une seule et même recherche orientée vers les lois qui commandent l'une et l'autre. Par ce trait de sa démarche, Khlebnikov renouvelle profondément le problème de la forme du discours. Par cette particularité également, son système poétique déborde les limites d'« école », transcendant toute classification. Le futurianisme ne saurait épuiser l'essence d'une méthode qui ne peut se définir que par certaines constantes de l'évolution du système, constantes qui en assurent l'unité sémantique. Ce que Khlebnikov quête passionnément jusqu'à la fin de sa vie, c'est la formule « mathématico-poétique » qui fonde l'univers.

Il la trouve dans le nombre. Le nombre qui régit la temporalité de cet immense discours humain qu'est l'histoire et qui commande aussi le temps du discours s'appelle le rythme. Le génie de Khlebnikov est d'avoir unifié Monde et discours poétique dans la catégorie du rythme qui apparaît bien ainsi comme la clef de voûte de son système : par le rythme, le Monde se versifie et le vers se « mondifie ».

Nous voudrions conclure notre étude sur cet aspect majeur du système poétique khlebnikovien dans son ensemble. Grâce à l'intuition capitale de l'unité du Monde et du Poème, l'art de Khlebnikov apparaît dans toute sa grandeur et sa nouveauté de système qui fabrique son sens par un jeu de relations internes codifiées : c'est la définition même de la syntaxe poétique qui construit l'œuvre. Aussi le travail d'abstraction de Khlebnikov semble-t-il mimer le procès de l'œuvre et le thème du système se confondre avec la syntaxe poétique. Mais ce n'est là qu'une illusion qui montre assez l'extrême complexité de ce système en lequel la mimésis poétique se découvre à l'état presque pur : le discours poétique symbolise intrinsèquement les lois de l'art.

Dès lors s'éclaire le geste de Majakovskij, qui réservait Khlebnikov aux seuls producteurs : le système poétique de Khlebnikov, véritable système de la production, exhibe en effet ce que les poètes ont toujours pris le plus grand soin de cacher, à savoir la technique de la production poétique, jusque-là « secret professionnel » du poète. Avec Khlebnikov, le « secret » de l'art devient patent : l'art projette son propre système sur le système de la langue. Parti à la quête des lois du temps, le poète Khlebnikov a conquis, dans son système poétique, les lois de la Poésie.

TABLE DES MATIÈRES DU TOME PREMIER

Imprimerie de la Manutention à Mayenne – 5 avril 1983 – N° 8217